그녀와 야수

WOMAN AND THE BEAST
그녀와 야수 · Ⅳ
마지노선 장편소설
BOOK

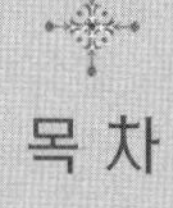

목 차

16. 촌뜨기 사냥(II)

16. 촌뜨기 사냥(II)

아스티나의 예언대로 사태는 어느 날 급변했다. 광장과 근방의 도로변을 돌던 성직자 무리들이 난데없이 범죄자를 검거해 낸 것이다.

카라벨라의 사제가 '사악한 기운' 따위를 근거로 대며 행인 하나를 잡아들였을 때까지만 해도 사람들은 그를 운 나쁜 사내라며 동정했다. 한데 놀랍게도 심문 중 그 사내가 수배범이었음이 드러나며 상황은 새로운 국면을 맞이했다. 범죄자를 잡아들인 데니스라는 젊은 수석 사제는 이 일로 인해 일약 유명인이 되었다.

비슷한 일이 두어 번 정도 반복되자 우연이라 코웃음 치던 이들도 기세를 수그리지 않을 수 없었다. 그리고 예의 '사악한 기운'과 밀접한 관련이 있는 직군은 지레 겁을 집어먹었다. 수도의 범죄율은 파격적인 하락세를 보였고, 자연한 결과로 신전의 인기는 치솟았다. 사람들 사이에서 알음알음 번져 가던 불만은 그 시점부로 한 순간에 정리되었다. 불순종자로 몰릴까 모두가 쓴소리를 혀 밑으로 삼킨 탓이었다.

황제는 이 모든 변화를 알뜰히 이용하기로 결심했다. 프리모에게 다시 후계자의 잔을 하사할 때를 보던 그는 냉큼 교황을 황궁으로 초청했다. 분실 건으로 부정을 탔다는 여론이 아직 팽배한 시점이었다. 황제는 영민하게 잔을 내리는 의식을 세례식과 접목하기로 결정했다. 교황과 성수라는 존재는 불길한 기운을 말끔히 지워 줄 터였다.

후계자의 잔을 찾아 준 당사자인 아스티나 역시 자리의 주역으로 초대받았다. 잔을 수여하는 의식은 의례적으로 궁 내의 예배당에서 열렸다. 그리 넓지 않은 공간이었으므로 초대받은 인물도 비교적 소수였다.

아스티나는 테리오드와 함께 검소한 흰 의복을 차려입고 예배당에 들어섰다. 주요 인사끼리 대충 인사를 나누고 나자 자연스러운 수순으로 식이 시작됐다. 아스티나는 가장 우선해서 단상 위로 나선 인물이었다.

명목상 이 자리는 잔을 찾아 준 대공비에게 감사 인사를 전하는 자리이기도 했다. 아스티나는 모두의 앞에서 황제의 공치사를 받는 절차를 걸쳤다. 아스티나가 무릎을 굽히자 황제는 준비해 온 장황한 인사를 읊었다. 보답으로 이미 왈도의 일기를 받은 상태였으나, 황제는 추가적으로 포상금 역시 수여했다.

황제가 푸근한 미소를 지으며 말을 맺었다.

"그대에게 황궁을 대표하여 무한한 감사를 전하노라."

"더없는 영광입니다, 폐하."
재차 격식을 갖춰 인사를 마친 아스티나가 뒤로 물러났다. 이제는 교황이 나서 프리모 황자에게 잔을 수여할 차례였다.
아스티나는 단상 밑으로 내려와 예배석에 앉았다. 반대편 끝, 앞쪽 자리에서 교황이 일어서고 있는 것이 보였다. 그 움직임에 집중하는데 누군가 아스티나의 옆으로 와 자리 잡았다.
"신성해 보이는군."
바로 옆에서 들려온 목소리에 아스티나는 왼편을 돌아보았다. 이시스였다. 테리오드 역시 그 음성을 들었는지 이시스 쪽으로 고개를 돌렸다. 이시스가 눈인사를 건네자 테리오드는 엉겁결에 고개를 끄덕여 응답했다. 아스티나가 단상 위를 내다보며 되물었다.
"수여식 말씀이십니까?"
"아니, 그대의 옷차림이. 흰색이 아주 잘 어울려. 교황이 방문한다 하여 급히 공수한 물건인가?"
"이 색상 선정엔 그보다 실용적인 이유가……."
"―오, 카라벨라여. 우리의 죄를 사하소서!"
아스티나가 설명하려다 말고 입을 다물었다. 대뜸 교황이 크게 신을 부르짖은 탓이었다. 예배당을 감돌던 소란이 멎고 깊은 정적이 찾아들었다. 아스티나로서는 다행인 일이었다. 테리오드가 짐승으로 변할 적 털 때문에 맞춘 물건이라는 사실까지 구구절절 읊을 수는 없었으니까.
모두의 이목이 몰리자 교황은 격양된 어조로 말을 이었다.
"우리는 이단의 시대를 맞이했습니다. 날이 갈수록 신을 믿는 자들은 사라지고 수도엔 온통 어두운 기운이 흐릅니다. 저희 신전이 행동에 나선 것은 그 탓입니다. 축일을 앞두고 매해 정화 의식을 벌이는 것으로 버티고 있었으나, 금년에는 상황이 더욱 심각했습니다. 사제들이 악인들을 잡아들이기 위해 물심양면으로 힘을 쓰고 있지만 그것만으론 부족한 것이 현실입니다."

침중한 음성이 예배당을 온통 울렸다. 교황은 진심으로 가슴 아프다는 듯이 불신자들의 죄를 말했다.

"우리 모두의 믿음이 필요한 때입니다. 더 이상 수도를 감싼 불신을 좌시할 수 없습니다. 저희 신전에서는 믿음을 흐리는 악인을 색출하기 위해 앞으로도 기도하고 또 기도할 것입니다."

교황이 긴말을 끝맺고는 길게 숨을 들이마셨다. 때맞춰 뒤편에서 귀부인들의 소리 죽인 목소리가 들려왔다.

"신전에서 건수를 제대로 잡았군요. 저게 밉보이기 싫으면 성금을 바치란 소리 외에 무엇이겠어요?"

"기부금을 내지 않았다고 이단으로 모는 건 조금 웃기지 않겠나요?"

"두고 보세요. 상황이 어떻게 흘러갈지. 모두가 나서 성금을 내기 시작하면 부인께서도 안면 몰수할 순 없으실걸요."

신을 형상화한 조각상을 앞에 두고 나누는 대화라기엔 다분히 세속적인 내용이었다. 예배당에 낀 먼지를 털어 내느라 성의 일꾼들이 한바탕 전쟁을 치렀던 것을 생각하면, 이 자리를 연 황궁으로서도 딱히 할 말은 없을 것이다. 신앙생활에 열심인 황족은 경쟁에 밀려 수도원으로 향한 이들뿐이었으니까.

"이 나라의 다음 후계자에게 신의 축복을 내리고자 저는 이 자리에 섰습니다. 신과 함께하는 제국의 매일은 분명 광영될 것입니다."

그리 말을 마친 교황이 몸을 돌려 프리모의 앞에 가 섰다.

세례식은 생각보다 그리 장엄하지 않았다. 교황은 성수를 후계자의 잔에 따르고는 프리모의 머리 위로 흘렸다. 빈 잔을 프리모에게 건네고 그의 젖은 머리를 짚은 채 짧은 기도를 올리는 것으로 모든 절차가 끝이 났다. 몸에 맞지도 않는 검소함을 흉내 내던 이들의 낯에 반가운 기색이 감돌았다. 귀부인들은 뻐근한 어깨를 늘이며 우아하게 자리에서 일어섰다. 이젠 황궁에서 준비한 호화로운 만찬을 함께할 시간이었다.

이시스는 조용히 자리에서 일어나 입구와 가까운 곳에 섰다. 이번 행사를 주관한 것이 이시스였기에 그녀는 예배당에 다소 늦게 입장했다. 그 탓에 식이 시작하기 전엔 미처 귀빈들과 담소를 나눌 짬이 없었다.

방문객에게 인사말을 건네던 이시스는 누군가를 발견하고는 곧 반가운 낯을 떠올렸다.

"나디아 아벨라르 영애."

이름을 불린 여인이 수줍게 고개를 숙이며 다가왔다.

"이시스 황녀님, 그간 잘 지내셨나요?"

"아직 학기 중인 것으로 아는데, 어인 일로 이곳까지 걸음을 다 하였는가. 설마 아카데미를 그만둔 것은 아니겠지?"

이시스의 농담에 나디아가 입을 가리며 웃었다.

"프리모 전하께서 후계자의 잔을 받는 영광스러운 자리에 제가 불참해서야 되나요. 어머니께서 따로 결석계를 내주셨어요."

"벨라체는 그런 일에 도무지 융통성이 없으니 말이야. 그래도 때맞춰 방문해 주어 다행이야."

그리 말한 이시스가 예배당 안쪽을 살폈다. 프리모가 잔을 시종에게 맡기고는 걸어 나오고 있는 모습이 보였다.

"마침 오라버니께서 나오시는군. 명색이 정혼자인데, 식사 자리까지 오라버니와 함께 이동하는 게 어떻겠는가?"

이시스의 제안에 나디아의 뺨이 발갛게 물들었다. 누가 봐도 긍정을 표하는 모양새였다. 이시스는 상냥한 목소리로 프리모를 불러들였다.

"오라버니, 나디아 영애의 에스코트를 부탁드려도 될까요."

이시스 옆에 선 나디아를 발견한 프리모의 눈에 언뜻 귀찮은 기색이 비쳤다. 하지만 프리모는 싫은 소리를 내는 대신 잠자코 나디아에게 손을 내밀었다.

"오랜만이군, 나디아 영애."

"예, 전하, 오랜만에 뵙습니다."

나디아가 조심스럽게 프리모의 팔 안쪽에 제 손을 얹었다. 둘은 도란도란 이야기를 나누며 천천히 멀어졌다. 거의 나디아 혼자 질문하고 프리모는 대충 대꾸하는 식이었지만, 어쨌든 황제와 황후가 보기엔 매우 기꺼운 광경이었다.

나디아는 벨라체 아카데미 졸업과 함께 곧바로 프리모와 혼인하기로 예정된 인물이었다. 아벨라르 백작가의 장녀인 나디아는 겉으로 보기엔 신분이 다소 미비한 듯하나, 황후의 사촌 딸로 정치상에서 확고한 위치를 가지고 있었다.

황후는 본디 제스퍼레오 공작가의 여식으로 황제가 지금의 자리에 오르도록 도운 공신 출신이었다. 여색을 밝히는 황제가 여러 처를 들이면서도 황후의 자리를 굳게 지켜 주고, 그녀가 낳은 장자인 프리모를 후계로 밀어 온 것엔 그러한 이유가 있었다.

황후와 사촌 관계에 있는 아벨라르 백작 역시 황제가 지금의 자리에 오르는 데 물심양면으로 힘쓴 가문이었다. 때문에 이시스가 프리모의 짝으로 나디아를 거론했을 때 황제와 황후 둘 다 그 결정을 몹시 흡족하게 여겼다. 황후로서는 친정과 연이 있어 자신을 뒷받쳐 줄 수 있는 나디아를 반길 수밖에 없었고, 황제 역시 충신의 여식을 아들과 맺어 주는 일을 기꺼워했다. 나디아는 황실 전체의 환대를 받으며 프리모의 비로 낙점되었다. 누구의 반대도 없는 그림 같은 정략결혼이었다.

원체 제멋대로인 프리모 역시 나디아와의 혼담만은 순순히 받아들였다. 후계에 가장 가까운 황자로 자리를 공고히 했다고는 하나 프리모가 쥔 실권은 황후와 황제에 비해 몹시도 미미했다. 프리모는 그의 한계를 잘 알고 있었다. 그의 본처는 어디까지나 부모의 입맛대로 정해질 자리였다.

물론 그렇다고 그가 주색잡기에 전보다 덜한 열의를 보였느냐 묻는다면 그것은 아니다. 프리모에게 나디아가 아닌 다른 여자를 침소에 들여 재미를 보는 것은 전혀 다른 문제였다. 황후라도 아들의 침소 사정까지 일일이 간섭할 수는 없었으니까. 나디아를 밀어내고 다른 여인을 본처로 삼겠다며 고집 피우지만 않는다면, 프리모는 무리 없이 방탕한 생활을 이어 갈 수 있었다.

프리모는 나디아를 부모의 잔소리를 막아 줄 적당한 방패막쯤으로 취급했다. 속내를 들여다본다면 그보다 질퍽하게 곪은 자가 또 없었으나, 외관만은 퍽 볼 만한 사내였으므로 순진한 나디아는 그 새 정혼자에게 연심을 품은 눈치였다.

이시스는 무감한 눈으로 멀어지는 남녀의 뒷모습을 응시했다. 그

때 짧게 혀를 차는 소리가 귓가를 스쳤다.

"여전히 창창한 여인네들의 인생을 망쳐 놓는 데 대단한 재주가 있으십니다."

자연히 옆을 돌아본 이시스가 의외라는 표정을 지었다. 예상치 못한 상대가 그 자리에 서 있었기 때문이다.

"벨리타?"

"오랜만이에요, 언니."

벨리타라 불린 여인이 고혹적으로 눈을 접어 웃으며 대답했다.

벨리타는 재작년 출가한 이시스의 이복동생이었다. 벨리타의 동복 남동생은 본디 황좌를 노리던 야심가 중 하나였지만, 그가 변고로 죽어 나간 이후 벨리타에겐 두 가지 선택지가 남았다. 별 볼 일 없는 사내와 결혼해 제 세를 깎아 먹거나, 혹은 자처하여 수도원에 감금되거나.

끔찍하기는 매한가지였으나 벨리타는 전자를 택했다. 마침 그녀에게 벵텐 후작이 청혼해 왔기 때문이다. 서른 살도 더 차이 나는 사내의, 그것도 재취 자리였다. 전이라면 쳐다보지도 않았을 조건이었으나 벨리타는 벵텐 후작이 수도의 주요 인사라는 점을 주목했다. 바실에 머물 수만 있다면 다른 기회를 엿볼 수도 있을 것이다.

그러나 이시스는 그 혼담을 멋대로 거절하고는 벨리타를 셀렌 자작가로 쫓아내듯 시집보냈다. 황녀를 일개 자작가에 내준 것은 보복 외의 의미로 해석될 수 없는 결정이었다. 바깥 생활을 할 수 있으니 어쨌든 수녀원행보다는 나았으나, 어지간히 성의 없는 처분이라는 점에선 별반 차이가 없었다.

특히나 셀렌 영지는 수도에서 2주는 말을 타고 달려야 닿을 수 있는 광산 지대에 있었다. 벨리타에게 있어 혼인은 유배와 진배없었다. 그러니 분명 프리모와 이시스에게 이를 악물고 있어야 할 벨리타다. 그런 그녀가 수도까지의 긴 여정을 거쳐 굳이 후계자의 잔을 수여하는 의식에 참여하다니.

이시스는 놀란 기색을 숨기지 않았다. 당연히도 조롱의 의도였다.

“이런 자리까지 올 줄은 몰랐는데.”

“어머, 섭섭해라. 절 초대해 주신 건 언니잖아요?”

“그래, 다른 형제 자매들은 눈치껏 다들 부재해 주었는데 말이다.”

이시스가 애정 어린 손길로 벨리타의 어깨를 털어 주며 말했다. 타인에겐 들리지 않을 작은 목소리였다. 벨리타의 눈가가 파르르 떨렸다. 이시스가 만면에 웃음을 띠우며 공치사를 남겼다.

“먼 곳까지 오느라 고생 많았다. 한번 내 거처로 초대하도록 하마. 돌아가기 전에 차 한 잔 나눌 시간은 있겠지?”

여전히 황궁에 머물고 있는 이시스와 먼 곳으로 쫓겨난 벨리타의 처지를 상기시키는 말이었다. 벨리타는 홱 턱을 치켜들고는 냉랭한 투로 대답했다.

“초대해 주신다면 저야 영광이지요, 그럼 저는 이만.”

그녀가 구두 굽 소리를 내며 이시스를 지나쳤다. 이시스에게서 뒤돌아선 벨리타는 분통 어린 얼굴로 입술을 깨물었다. 미간 사이의 파임이 점점 더 깊어졌다.

‘내 동생을 죽인 게 누군지 모를 줄 알고? 저 건방진 년이, 저년만 없었어도 프리모 같은 게…….’

빠르게 걸음을 옮기던 벨리타는 앞서가던 프리모를 발견하고는 멈춰 섰다. 좋은 먹잇감을 발견했다는 생각에 그녀의 입꼬리가 비틀렸다. 벨리타는 흘긋 뒤를 살펴 이시스가 다른 이들과 이야기를 나누고 있는 것을 확인했다. 떠나간 이복동생에게 신경 쓸 만한 정신은 없어 보였다.

벨리타는 재빨리 표정을 누그러뜨렸다. 아름다운 미소를 입가에 담은 그녀가 망설임 없이 프리모에게로 다가갔다.

"오라버니, 오랜만에 뵙습니다. 드디어 후계자의 잔을 물려받으시다니 이보다 기쁜 일이 또 없군요. 축하드립니다."

벨리타가 건넨 인사에 프리모는 대놓고 인상을 구겼다. 몇 년 전까지만 해도 눈에 불을 켜고 죽여 치울 방법을 모색하던 상대였다. 당연히 반가울 리가 없다. 그러나 오랜만에 방문한 이복 누이를 대놓고 내치기엔 보는 눈이 많았다. 프리모가 팔짱을 끼고 있던 나디아를 돌아보며 말했다.

"잠시 이야기를 나누고 갈 테니 먼저 들어가시오."

나디아는 눈치를 보며 먼저 자리를 떴다. 나디아가 연회장으로 들어간 것을 확인한 프리모가 다시 벨리타에게로 시선을 돌렸다.

"그래, 무슨 일이지?"

"무슨 일은요. 축하의 말씀을 전하러 온 것뿐인데요."

"나는 이시스처럼 부드러운 말 밑에 숨긴 이빨로 상대의 목줄을 물어뜯는 데는 분명 재능이 없지. 하지만 내 누이는 언제나 내 앞에서 언사를 조심해, 왜인지 아나?"

그리 말하며 프리모는 제 허리춤에 걸린 검 위로 천천히 손을 얹었다. 그가 검집을 매끄럽게 한번 쓸어 올리고는 말을 이었다.

"나는 직접 피를 보는 데 더 능숙하거든."

벨리타가 느리게 숨을 들이켰다. 저 포악한 사내와 말을 섞기로 결정하다니, 그녀의 패착이었다. 벨리타는 이시스와 나누는 우아한 설전 쪽이 좀 더 적성에 맞았으니까.

하지만 아무것도 얻지 못하고 물러설 수는 없었다. 벨리타는 프리모의 수준에 맞춰 조금 더 저열해지기로 마음먹었다. 그녀가 여유로운 태도를 잃지 않은 채 도발적으로 되물었다.

"글쎄요. 이시스가 정말 오라버니 앞에서 언사를 조심하는지, 아니면 그런 체하며 조롱을 일삼고 있는지는 알 수 없는 바 아닌가요?"

"그 입을 조심하는 게 좋을 거다. 너를 궁 밖으로 내친 게 이시스가 바친 충의의 증명이니."

"물론 이시스는 저를 축출해야 했겠지요. 그래야 오라버니에게 황좌를 바칠 수 있을 테니. 아니, 스스로에게 바치는 셈이 될까요?"

"가만히 두었더니 건방진 소리가 한정 없구나. 맞지 않는 시골 생활에 네가 드디어 미친 것이냐?"

"오, 세상에. 오라버니는 정녕 이시스가 조언자 역할에만 머무르리라 생각하십니까?"

벨리타가 말이 되냐는 듯이 큰 웃음을 쏟아 냈다. 자연히 지나가던 이들의 시선이 쏠렸다. 벨리타는 프리모의 앞에 한 걸음 더 가까이 다가섰다. 그녀가 다른 이에겐 들리지 않을 작은 목소리로 속삭였다.

"두고 보십시오. 이시스는 오라버니를 휘둘러 제 뜻을 모두 이루고 말걸요."

그녀가 시선을 내려 프리모의 허리춤을 살폈다. 그의 검이 매달린 자리였다.

"내내 이시스의 뜻대로 움직여 온 오라버니께서, 이시스가 문제를 일으킨다 해도 과연 제때 검을 뽑을 수 있을까요?"

프리모는 선명한 적의로 벨리타를 쏘아보았다. 그러나 벨리타는 수그러드는 기색이 아니었다. 그녀가 내리깔았던 속눈썹을 들며 짙은 웃음을 떠올렸다.

"제가 예언을 하나 할까요. 오라버니께서 제국을 얻으실 때, 제국은 오라버니의 것이 아니게 될 것입니다."

새어 나가서는 안 되는 이야기였기에 둘 사이의 간격은 좁았고, 목소리는 한없이 은밀했다. 벨리타의 눈빛은 진실을 비추는 거울마냥 반짝였다.

프리모는 잠시간 그런 벨리타의 눈을 빤히 마주 보았다. 그는 어렵지 않게 그녀의 의중을 읽어 낼 수 있었다. 이것은 일종의 유혹이다. 벨리타는 그가 들고 있는 진귀한 보석을 가품이라 깎아내리는 농간을 부리고 있었다.

프리모는 그만 헛웃음을 터트렸다. 프리모와 벨리타는 본디 남매 사이였으나 핏줄의 정은 단 한 번도 나눠 보지 못했다. 동복 출신인 이시스조차도 오직 이용하기 위해 품은 프리모였다. 황좌를 두고 암투를 벌이기까지 한 벨리타를 향한 취급은 남보다 못한 수준이었다.

정적이었던 자의 말에 휘말려 충실한 책사를 버리는 것보다 천치 같은 짓이 또 있을까?

싸움에 패배하여 고개 숙인 자의 악바리 같은 저주다. 재고할 가치도 없었다. 프리모의 입가에 선연한 비웃음이 어렸다.

"모자란 것……. 그따위 이간질이 통하리라 생각했다면 오산이다."

벨리타의 손끝이 미세하게 꿈틀했다. 그녀는 태연한 척 눈을 가늘게 떴다.

“제 말을 믿지 않으시나 봅니다.”

“너 따위가 하는 말에 휘둘린다면 내 실성을 의심해야 하지 않겠느냐? 하기야 만일 그런 날이 오면 네게도 기회가 생기긴 하겠구나.”

“저야 이제 끈 떨어진 신세가 아닙니까. 오라버니께서 후계자의 잔을 받으신 상황에 제가 더 힘을 쓸 구석이나 있나요? 다만 저는 제왕을 휘두르는 다른 세력이 존재할 때, 필히 나라가 어지러워진다는 사실만은 압니다.”

벨리타가 도도하게 턱을 들어 올렸다. 프리모에 비해 확연히 작은 신장이었지만 자존심의 크기는 어느 누구와 견주어도 모자라지 않았다. 벨리타가 여유로운 웃음을 흘리며 말을 맺었다.

“이는 오라버니께서 진정 나라를 위한 정치를 펼치시길 바라 드린 말씀입니다. 잘 생각해 보십시오.”

벨리타는 치고 빠져야 할 때를 잘 알았다. 프리모를 뒤흔들 실마리는 충분히 던져 둔 상태였다. 더 말을 보태 봤자 역효과밖에 나지 않을 것이다. 벨리타는 아쉬울 것이 없다는 태도로 프리모보다 먼저 자리를 비켰다. 그녀는 프리모가 제 뜻대로 움직이리라 믿어 의심치 않았다. 벨리타가 만든 얕은 균열은 작은 의혹이 생겨날 때마다 둘의 사이를 벌려 놓을 것이다.

벨리타가 간과한 점이 있다면, 그녀는 더 이상 황궁에 살고 있지 않으며 전에 비해 극히 미미한 세력만을 가지고 있다는 사실이었다. 프리모의 흉흉한 시선이 그녀의 목덜미에 가닿았다. 프리모가 음산한 투로 읊조렸다.

“저 건방진 것이…… 자작의 처로 갔는데도 아직 제가 콧대 높은 황녀인 줄로만 아는구나."

벨리타의 동생을 죽일 때 그녀를 함께 처리하지 않고 살려 뒀던 건 프리모가 특별히 자비로워서가 아니었다. 단지 그녀를 죽일 가치도, 그럴 의욕도 없었기 때문이다.

벨리타 뒤에 버티고 있는 외척은 제스퍼레오가의 견제로 이젠 명맥만 겨우 유지하고 있는 실정이었다. 벌레를 밟아 죽이기 위해 굳이 한 걸음 내딛기가 귀찮아 지금까지 이어졌던 방관이다. 한데 주제도 모르는 것이 제 존재를 상기시키려는 듯 그의 발등을 물고 말았다.

"펠릭스."

프리모가 섬뜩한 투로 제 수족을 불렀다. 타인이 듣지 못하도록 낮게 깐 음성엔 짙은 살기가 배어 있었다. 뒤편에 서 있던 남자가 하명하라는 듯 고개를 숙였다.

"예, 전하."

"벨리타가 수도를 떠날 때 사람을 붙여라. 저년이 탄 마차가 셀렌 영지에 다다라서는 안 될 것이다."

황제가 황궁 행사에 교황을 초청한 일은 사교계에도 파란을 불러일으켰다. 세속의 권력에 밀려 언제나 관심 뒤편으로 물러섰던 신전이었다. 황궁은 신의 권한이 황실을 넘어설 것을 염려하여 내내 성직자들을 배제해 왔었다. 그런데 이번만은 교황이 황자에게 후계자의 잔을 넘겨주는 중요한 역할을 맡게 된 것이다. 일반인들이 보기에 이는 성스러운 미담일 뿐이었지만, 귀족들에겐 세력 변동의 지표가 되었다.

마티나가 대륙을 통일하기 전만 해도 전역에 퍼져 있던 신전들은 각각의 고장에서 막강한 영향력을 발휘했었다. 귀족들은 노동하지 않기에 지나간 것들에 대해 배울 시간이 충분했다. 그들은 종교를 빌미로 사람을 불태우던 미욱한 역사를 기억했다. 잊고 있던 신의 등장으로 정치판의 판도가 뒤바뀔지도 모른다는 예견에 모두의 신경이 곤두섰다.

황궁과 신전이 결속하기로 모의한 것이라면 앞으로 그들이 행해야 할 바는 명료했다. 바로 더없이 신실한 신자를 흉내 내는 일이었다. 이러한 변화는 비단 지배층 사이에서만 일어난 것도 아니었다. 교황이 말한 '이단'은 정의가 명료하지 않았다. 귀에 걸면 귀걸이, 코에 걸면 코걸이가 되는 식의 발언이었으므로 사람마다 해석을 다르게 할 여지가 있었다.

교회에서 의심스럽다며 사람들을 잡아들일 때마다, 그리고 황궁에서 그 사실을 묵인할 때마다 예배에 출석하는 인원은 나날이 늘어 갔다. 쏟아지는 기부금은 전과는 비교가 되지 않을 지경이었다. 때아닌 호황에 신관들은 기쁨의 비명을 내질렀을 테지만, 그 크기는 반강제로 지루한 예배에 얼굴을 내밀게 된 귀족들의 내적인 아우성과 감히 상대가 되지 않았을 것이다.

"여기엔 사람이 없어야 할 텐데……."

아스티나가 마차의 창밖을 내다보며 혼잣말처럼 중얼거렸다. 테리오드는 창을 가린 검은 커튼을 완전히 걷어 냈다. 손가락 두 마디 정도 너비의 틈으로는 그녀가 무엇을 보고 있는지 알 수 없었던 탓이다.

바깥에선 어느새 귀빈 취급을 받게 된 사제들이 기도를 올리고 있었다. 평소와 다를 것 없는 광경에 테리오드가 의아한 눈으로 되물었다.

“뭐가 말씀이십니까?”

“어딜 가나 사제들이 깔려 있는 듯해서요. 역시나 예상했던 대로—”

“참으로 바보 같은 선택을 했다고요?”

테리오드가 불쑥 건넨 농에 아스티나가 피식 웃음을 터트렸다. 그녀가 입가에 장난기를 머금은 채 눈썹을 들어 올렸다.

“방금 발언, 신성 모독 아닌가요?”

“부인과 함께라면 길거리에 나앉는 정도야 대수라고요.”

“그런 차림으로 이상한 말씀 마세요. 묘하게 현실감이 있으니까.”

아스티나가 손가락을 들어 그의 차림새를 지적했다.

테리오드는 평소와 꽤 다른 모습을 하고 있었다. 결 좋은 은색 머리칼은 두건으로 완전히 덮어 보이지 않았고, 부러 품이 큰 것을 고른 코타르디는 남의 옷을 빌려 입은 모양새였다. 낡은 신발은 금방이라도 밑창이 떨어져 나갈 듯했다. 한눈에 보기에도 질이 좋지 않은 의복들이었다. 아무리 좋게 평가해도 귀족 행세를 하긴 어려운 모양새였다.

제 옷을 내려다본 테리오드가 머쓱한 얼굴로 되물었다.

“역시 안 어울립니까?”

아스티나가 오른손으로 턱을 감싸며 진지하게 응답했다.

"대공의 미색을 가리는 느낌이라 조금 아쉽긴 하군요."

"부인께선 차림새에 상관없이 아름다우신데요."

아스티나의 박한 평가에도 테리오드는 사람 좋게 웃었다. 그의 눈에선 애정이 샘솟다 못해 흘러넘치고 있었다. 아스티나는 슬그머니 테리오드의 차림새에서 시선을 비켜 냈다. 그의 칭찬이 싫은 건 아니었으나, 그렇다고 자화자찬으로 맞받아칠 만큼 변죽이 좋진 않았다.

때마침 마차의 속도가 줄었다. 말의 다각거리는 발소리가 천천히 멎고, 이어 마부가 도착을 알려 왔다. 테리오드와 아스티나는 잠자코 밖으로 내려섰다.

그들이 도착한 곳은 2층 규모의 평범한 건물이었다. 상점가와 거리가 있는 데 비해 가게의 크기는 큰 편이었다. 창가에 비치는 매대엔 접시나 오래된 펜던트 따위의 잡동사니가 널려 있었다.

아스티나와 테리오드는 건물로 이어진 턱을 밟고 올라섰다. 손잡이를 밀고 들어서자 청량한 문 종 소리가 울렸다. 그 소리에 안쪽에서 마른 수건으로 찻잔을 닦고 있던 여인이 고개를 들었다. 그녀가 상냥한 태도로 접객했다.

"안녕하세요, 부인. 찾으시는 물건이 있으신가요?"

내부엔 의외로 사람이 없지 않았다. 구석에선 엄마 손을 잡은 아이 하나가 목재로 만든 말 장난감을 사 달라며 떼를 쓰고 있었다. 아스티나는 물 흐르듯이 그들을 지나쳐 카운터 앞까지 나아갔다. 아스티나가 매끄럽게 미소 지으며 물었다.

"코웰 부인이 유행시켰던 윔플을 보여 주시겠어요?"

"어머나. 중고품 말씀이시죠?"

“예, 아무래도 빈티지 제품은 다른 멋이 있으니까요.”

“잘 찾아오셨어요. 의류는 위층에 보관하고 있어서, 절 따라오시겠어요? 2층으로 모실게요.”

가게 내엔 따로 계단이 없어 의아해하던 찰나, 점원은 구석에 있는 문으로 둘을 안내했다. 그 안으로 들어서자 곧바로 위층과 지하로 이어지는 계단이 보였다. 점원은 다른 손님들에게 보이지 않도록 문을 닫고는, 손바닥을 내밀어 아래층을 가리켰다. 그녀가 매장 안에서와는 다르게 몹시 은밀한 목소리를 내었다.

“이쪽으로 내려가시면 됩니다.”

아스티나는 그녀를 따라 지하로 가는 계단을 디뎠다. 아스티나의 등 뒤를 좇으며 테리오드가 신기하다는 듯 물었다.

“이런 곳은 또 어떻게 아신 겁니까?”

“올리버가 귀띔해 주더군요.”

“그가 이런 곳을 다 드나들었단 말씀입니까?”

테리오드가 어이없다는 듯 웃음 지었다. 조금의 부정도 허용치 않는 단단한 얼굴의 집사가 소개한 암시장이라. 테리오드는 올리버가 점원에게 비밀 암호를 읊는 모습을 도통 상상할 수 없었다.

아스티나가 허리를 꼿꼿이 세우고는 대답했다.

“우리의 유능한 집사가 말하길, 어둠의 시장을 알지 못하면 절대 귀족가의 살림을 꾸려 갈 수 없다고 하더군요.”

“일종의 필요악이라는 건가요?”

“어디든 팔려 나갔을 물건이니, 이미 일이 벌어진 상황에선 모아서 볼 수 있는 쪽이 편하긴 하지요.”

시공자는 건물의 용도를 유념하여 지하를 제법 깊게 파 둔 모양이었다. 드디어 긴 계단이 끝이 나고 단단한 철문이 보였다. 점원은 허리춤에 걸린 열쇠로 문을 열어 주고는 뒤로 물러났다. 안으로 들어서자 분위기는 한순간에 뒤바뀌었다. 수수하게 꾸며졌던 지상층과는 다르게 지하엔 화려한 벽지가 발려 있었으며, 크기도 훨씬 넓었다.

아스티나는 느른한 눈으로 실내에 쌓인 값진 물건들을 천천히 둘러보았다. 그런 그녀의 앞으로 멋들어진 정장을 차려입은 한 남자가 나섰다. 그가 허리를 숙이며 과장스러운 예를 표했다.

"잘 찾아오셨습니다. 무엇을 구하기 위해 오셨습니까? 진귀한 보물? 고대 왕의 초상? 아니면 과거의 왕실에서 사용하던 그릇? 무엇을 찾으시든 이곳에—"

"있어야겠지. 헛걸음을 하게 했다면 고이 되돌아가진 않을 테니까."

아스티나의 싸늘한 말에 웃음기를 머금고 있던 남자의 입가가 천천히 굳었다. 아스티나가 통고하듯 말했다.

"아탈렌타의 창고에서 나온 물건들을 전부 내오게."

테리오드가 부재할 당시 가신들이 되팔았던 아탈렌타의 보화들을 회수할 시간이었다.

아탈렌타의 곳간에서 나온 물건들은 그간 업자들 사이에서 돌고 돌아 수도의 암시장까지 다다라 있었다. 오늘 찾아온 건 그런 장물을 취급하는 가게 중 가장 큰 규모를 자랑하는 곳이었다. 도중에 팔려 나갔거나 다른 업장에서 인수한 물건을 제하더라도, 어쨌든 대부분은 여기로 몰려들었을 것이다.

"예……?"

아스티나의 말을 이해하지 못한 남자가 얼빠진 얼굴로 되물었다.

아스티나는 손을 휘휘 내저으며 중앙으로 걸어갔다. 실내 한가운데엔 손님을 응대하기 위한 테이블이 놓여 있었다. 아스티나와 테리오드는 자연스럽게 그 자리에 앉았다.

아스티나가 턱을 까딱이자 테리오드는 무심히 머리를 덮고 있던 두건을 벗어 내렸다. 정확히 의도했던 대로, 테리오드의 은빛 머리칼이 물결처럼 쏟아졌다. 남자가 헉, 하고 숨을 들이켰다.

은발은 결코 흔하지 않다. 그리고 귀족들과 오래도록 거래해 왔던 만큼 남자는 이런저런 소문을 어렵지 않게 얻어들을 수 있었다. 이를테면 대공이 얼마나 아름다우며 그의 은빛 머리칼은 또 얼마나 반짝이는지 따위의 찬사들까지도.

은발의 남자와 적발의 여자, 그리고 그들이 찾는 대공가의 보물이라. 그 사실이 말하는 바는 분명했다. 걸친 차림새가 보잘것없긴 했으나 그건 단순한 위장일 터다.

남자는 달리듯이 걸어와 대공 부부 앞에 섰다. 그가 진땀을 빼며 횡설수설하기 시작했다.

"저희는, 그, 그러니까……."

"대공가의 곳간에서 나온 장물을 취급하다니. 어지간히 간이 크군, 자네."

아스티나의 코웃음에 남자의 얼굴이 더욱 희게 질렸다. 부패를 저질렀던 아탈렌타의 가신들이 풍비박산 났다는 소리는 이미 전해 들어 알고 있었다. 그 매서운 손속이 이곳까지 날아들까 싶어 남자는 설마 하면서도 내내 마음을 졸여 왔었다.

한데 그게 정말 현실이 되다니. 귀족인 가신들을 그리 가혹하게 다루었다면, 평민인 자신은 얼마나 더 험악한 방식으로 처리될 것인가?

물론 남자는 암시장을 운영하며 여러 귀족들의 비호를 받고 있었다. 그러나 당연히도, 아탈렌타에는 감히 상대가 되지 않는 가문들이었다. 대공가에서 문제를 걸고 넘어진다면 그들은 재빠르게 꼬리를 잘라 낼 것이다. 그리고 그 꼬리가 업장을 직접 운영하고 있는 자신이 될 것임은 두말할 필요도 없었다.

대공이 짐승이 되었다는 말에 후환이 없으리라 생각한 게 잘못이었다. 보통의 경우처럼 한두 점 정도를 알아채지 못하게 빼낸 것도 아니고, 그가 넘겨받은 건 창고를 거의 들어낸 수준의 양이었다. 이건 결코 그냥 넘어갈 수 있는 무게의 일이 아니다. 값비싸게 되팔 수 있다는 생각에 희희낙락하며 물건을 넘겨받았던 자신의 모습이 주마등처럼 떠올랐다. 남자는 그때로 돌아가 스스로의 얼굴에 주먹이라도 날리고 싶은 기분이었다.

그는 핏기가 가신 얼굴로 당장 무릎을 꿇고 앉았다. 그가 거의 울먹이며 소리쳤다.

"아닙니다! 저흰 정말 그것이 훔친 물건이라고는 상상도 못 했어요!"

뻔한 거짓말이었다. 장물을 취급하는 가게에서 그 물건이 장물임을 몰랐다니 말이나 되는 소리인가.

남자는 제 입에서 나온 변명이 얼마나 멍청했는지를 깨닫고는 눈을 질끈 감았다. 하지만 의외로 대공비는 자애로운 목소리를 들려주었다.

"고개를 들어도 좋네, 그대는 하던 일을 하였을 뿐이지 않나."

남자는 번뜩 숙였던 고개를 들었다. 아스티나가 입가에 옅은 미소를 띤 채 말을 이었다.

"그대가 사들이지 않았다 해도, 물건들은 어차피 다른 업자를 찾아가지 않았겠나? 그러니 이 일로 그대를 책할 마음은 없어."

"그, 그럼……."

상황 파악이 되질 않는다는 듯, 남자는 좀처럼 그럴듯한 응대를 꺼내지 못했다. 아스티나는 남자를 대신해 그들의 목적을 명확히 정리해 주었다.

"대공 전하와 내가 원하는 바는 명료하네. 우리네 가신들이 빼돌린 물건을 전부 돌려받는 것. 대신 그들에게 내주었을 대금은 전부 돌려주도록 하지."

상식적인 요구에 남자는 내심 한숨을 돌렸다. 대공비는 아무래도 성미가 유약한 모양인 듯, 피를 볼 생각까진 없어 보였다. 안전을 보장받자마자 남자는 재빠르게 머리를 굴리기 시작했다. 대공비가 무력을 쓸 생각이 없다면 판을 조금 제 쪽에 유리하게 이끌어도 될 터다.

당연히도 남자는 물건들을 인수하는 데 있어 가신들에게 지불했던 금액 이상의 돈을 써야 했다. 수도까지 이송하기 위해 용병들에게 많은 비용을 지출한 건 당연지사고, 상품 가치를 살리도록 깨끗이 복원하는 데도 품이 들었다. 판매를 준비하며 들인 시간은 말할 것도 없었다. 그 모든 걸 감안한 금액을 받아 내야 손해를 보지 않았다 말할 수 있지 않겠는가?

"저어 대공비 전하……."

그런 계산으로 남자가 조심스럽게 입을 열었을 때였다. 대공이 곧장 탐탁지 않은 표정으로 끼어들었다.

"부인께서는 너무 자비로우십니다. 저는 당장 저 좀도둑들을 도륙 내고 싶은 심정인데요. 아니, 그래도 성에 차지 않을 듯합니다."

남자는 재빠르게 입을 다물었다. 그의 등이 다시 식은땀으로 젖어 들기 시작했다. 그는 완전히 고개를 숙인 채 마룻바닥만 하염없이 내려다보았다. 아스티나는 그의 정수리를 한 차례 흘기고는, 테리오드를 향해 고개를 돌렸다.

아스티나가 테리오드를 칭찬하듯 눈을 찡긋이며 말했다.

"전하, 부디 저를 보아 마음을 너그러이 가져 주세요. 이들에게 무슨 죄가 있겠습니까?"

당연히 저지른 죄의 수야 하고많았다. 하지만 아스티나의 혀는 아랑곳하지 않고 매끄러이 굴러갔다. 아스티나가 온화한 목소리를 자아내며 말했다.

"저는 가문의 소중한 보물들만 되찾으면 그것으로 되었습니다. 대공께서 건강을 되찾은 상황에, 제가 더 무엇을 바라겠습니까?"

테리오드가 감동받은 얼굴로 아스티나를 응시했다. 그러고는 경탄하듯 고개를 끄덕였다.

"역시 부인께서는 마음씨가 고우십니다."

그리 말한 테리오드가 곧장 남자 쪽으로 시선을 돌렸다. 남자에겐 부인을 향했던 것과는 다른 싸늘한 목소리가 돌아왔다.

"들었느냐. 내 당장 너를 베어 저잣거리에 매달고 싶은 심정이지만 이번만은 아내의 얼굴을 보아 온건하게 넘어가는 것이다."

"예, 아, 압니다! 자비로운 처사에 몸 둘 바를 모르겠습니다."

"나는 인내심이 많지 않다. 물건을 빼돌리거나 하는 허튼짓을 했다간 더는 참지 않을 것이야. 물론, 그대가 만일 삼대의 피를 보고 싶다면 그리해도 좋겠지만 말이야."

테리오드가 삐뚜름하게 입꼬리를 끌어 올렸다. 남자는 흘긋 대공 쪽을 올려다보았다가, 곧바로 시선을 바닥에 처박았다. 남자의 손은 어느새 덜덜 떨리고 있었다.

아탈렌타의 대공이 온화한 성품으로 유명하다고는 하나 그도 어디까지나 귀족이다. 그리고 귀족이란 인종이 얼마나 잔인해질 수 있는지는 남자 역시 익히 알고 있는 바였다. 완전히 수그러든 기색에 테리오드는 귀찮다는 얼굴로 고개를 까딱였다.

“좋아, 그럼 물건을 내오게.”

훌륭한 마무리였다. 이미 한 번 합을 맞춘 전적이 있어서인지 이번 연기는 전보다 훨씬 자연스러웠다. 남자는 지체 없이 벌떡 자리에서 일어나 창고 안으로 달려갔다. 아스티나는 흡족한 얼굴로 그 모습을 지켜보았다.

원래 소유하고 있던 것들을 되사가야 한다는 게 조금 아깝긴 했지만, 그렇다고 텅텅 빈 창고를 그대로 내버려 둘 수도 없는 노릇이었다. 물건을 빠짐없이 되찾기 위해서는 되도록 자비롭게 구는 것이 좋았다.

창고에서 남몰래 들려 나간 보화의 수는 한정 없었다. 만일 이곳을 심하게 질책한다면 당장은 지출 없이 물건을 돌려받을지 몰라도, 그 외의 몫을 찾는 건 요원한 일이 될 터다. 잡히면 파산이라는 생각에 소유주들이 더 깊숙이 숨어들 테니 말이었다.

“이게 전부입니다.”

남자는 가게 안에 있던 모든 인력을 동원해 아탈렌타의 물건들을 전부 끌어냈다. 정확히 무엇을, 얼마나 빼돌렸는지까지는 알지 못했던 대공 부부는 그 부피에 기가 질렸다. 게다가 이게 전부도 아니지 않은가.

테리오드는 단전 밑에서부터 깊은 분노가 차오르는 것을 느꼈다. 병질이 발현되기 전만 해도 가문의 곳간을 털어먹을 배신자들과 동고동락했었다니. 테리오드가 답지 않게 살벌하게 중얼거렸다.

"그놈들을 다 찢어 죽였어야……."

"……수가 좀 많긴 하군요."

과로하기 싫다는 이유로 그들에게 되도록 가벼운 벌을 내리려 했던 아스티나가 찔린 얼굴로 대꾸했다.

아스티나는 자리에서 일어나 꼼꼼히 장물의 탑을 살펴보았다. 그러고는 개중에서 보관 상태가 좋지 않은 것들을 꼽아 냈다.

"이것들은 우리가 타고 온 마차에 실어 주게. 상태가 좋지 않아 아무래도 직접 이송하고 싶군."

혹 가게 쪽에서 보관 중 생긴 손상이라며 책잡힐까 염려하던 남자가 눈을 크게 떴다. 그가 몹시 당황하며 고개를 내저었다. 그러고는 열의에 찬 얼굴로 소리쳤다.

"예? 아닙니다, 저희가 배달해 드릴 수 있습니다. 결코 어떤 흠도 나지 않도록 저희가 최선을 다해 주의하겠습니다!"

대귀족에게 도륙당하고 싶지 않은 소시민의 몸부림이었다. 그러나 아스티나는 성에 차지 않는다는 듯 눈을 가늘게 뜨고 그를 흘겼다.

"분명, 방금 직접 옮겨 간다고 말했네."

"아……! 예예! 너희들 멍청하게 서서 뭐 해! 얼른 타고 오신 마차에 실어 드려라!"

눈치 없이 굴었다는 생각에 남자는 재빨리 수긍했다. 그의 손짓에 인부들이 황급히 물건을 실어 나르기 시작했다. 아스티나는 흡족한 얼굴로 고개를 끄덕였다.

"이외의 물건은 아탈렌타에 있는 대공저까지 이송해 주게."

"아, 그럼 배송비는……."

"배송비는?"

아직 뒤편에서 다리를 꼬고 앉아 있던 테리오드가 여상한 음성으로 되물었다. 남자는 곧장 얼굴에 경련이 일어날 만치 크게 미소 지었다.

"물론 저희 쪽에서 부담해야지요."

"그래, 그럼 믿고 맡기겠네."

남자는 울음을 삼키며 자리에서 일어나는 대공 부부를 배웅했다. 계단으로 통한 문을 열어 주다 말고 그는 번뜩 눈을 크게 떴다. 이대로 혼자 죽을 수는 없다는 생각이 든 탓이었다. 그가 의리 있는 사내였다면 애초에 이러한 직종에 종사하지도 않았을 터다. 남자는 망설임 없이 동료를 파는 고자질을 행했다.

"참, 더 찾으시는 게 있다면 다른 업자에게도 연통을 넣겠습니다. 그림을 취급하는 가게를 하나 아는데, 아탈렌타 가계의 초상을 몇 점 가지고 있다고 들었습니다."

"좋아, 그리해 주게."

아스티나는 만족스러운 얼굴로 고개를 끄덕였다. 그러고는 콧잔등을 찡그리며 덧붙였다.

"다만 관련이 없는 사람들에겐 비밀로 해야 할 것이야. 알다시피 가문의 보고가 바깥을 나돌아다니는 건 그리 유쾌한 일이 아닐세. 아니, 오히려 대단한 모욕이지."

"당연한 말씀이십니다."

남자는 입이 찢어져도 결코 소문을 퍼트리지 않으리라 다짐했다.

테리오드와 아스티나는 유유히 가게를 나와 건물 옆에 세워 두었던 마차에 올라탔다. 이곳에 도착했을 때와 달리 떠나는 말들의 걸음은 묵직했다. 자해 공갈단에 이은 부부 사기단의 재림이었다.

아스티나는 감탄 어린 눈으로 테리오드 쪽을 넘겨보았다. 벨루아에서도 느꼈지만 그녀의 남편은 연기에 꽤 재능이 있었다. 히센의 어기적거리는 걸음이 아직 눈에 선한데 반해 대공은 그때도 그럴듯한 시선 처리를 보여 주지 않았던가. 한결 더 발전한 지금은 상대가 이상한 점을 전혀 알아차리지 못할 정도였다.

"갈수록 연기가 느십니다."

"그것은 아무래도 훌륭한 스승을 만난 덕이 아닐까……."

테리오드가 약간의 자괴감이 어린 목소리로 대답했다. 매우 효율적인 방식이긴 했으나 돌아오는 길에 기분이 묘해지는 건 어쩔 수 없었다. 짜여진 각본 덕택에 큰 분란 없이 물건들을 되찾아 왔으니 다행이라고 보아야 할까.

테리오드는 창 쪽에 팔을 올리고는 턱을 괴었다. 물끄러미 넘겨다본 그의 아내는 새삼스럽게도 앳된 낯을 하고 있었다. 종종 그녀의 연배를 잊게 되는 이유는 바로 저 눈빛 때문이 아닐까. 세월이 켜켜이 쌓인 듯한 짙은 녹빛의 눈동자를 보고 있노라면 하염없이 그 안으로 빠져드는 기분이었다.

테리오드는 새삼 아스티나의 나이를 떠올리고는 피식 웃었다.

"부인께서는 배우를 하셔도 좋았을 것 같습니다."

"사람들은 살면서 다 연기란 걸 하지 않습니까."

아스티나가 무심히 대꾸했다. 사람들은 종종 품고 있는 감정과 다른 반응을 흉내 낸다. 그것이 그리 특별한 일이라고 생각되진 않았다.

“예, 바로 그렇게 말씀하시는 점이요.”

테리오드의 지적에 아스티나는 눈을 들어 그를 마주 보았다.

그러나 그녀가 무어라 입을 열기도 전 마차가 멈춰 섰다. 사람이 지나는 길이라 애초에 속도를 낮추고 있어 크게 들썩이진 않았지만, 다소 갑작스런 정거였다. 주변이 소란스럽지 않은 걸 보아 대로변은 아닌 듯한데 왜 멈춰 선 것일까.

그 답은 곧 어렵지 않게 알 수 있었다.

“잠시 신의 말씀에 귀를 기울이시지 않겠습니까.”

“가던 길이 바빠 지체할 시간이 없습니다.”

“어허, 신의 전언보다 더 중요한 일이 또 어디에 있단 말씀이십니까?”

“아니, 이 사람들이…… 되었대도요!”

사제들이 마부와 실랑이하는 소리가 차체 너머로 선명히 들려왔다. 아스티나는 커튼을 조금 걷어 창밖을 내다보았다. 마부의 잇따른 거부에도 사제들은 아랑곳하지 않고 마차를 둘러쌌다. 그중 가장 신분이 높아 보이는 남자가 문으로 다가섰다. 아스티나는 창가로 얼굴을 가까이 가져다 붙였다.

작은 틈 사이로 기묘한 초록빛 눈과 시선이 마주쳤다.

그러나 남자는 아무것도 보지 못했다는 듯 시선을 돌리고는 노크를 남겼다. 아스티나는 커튼을 놓고 테리오드를 돌아보았다. 그에게 작게 턱짓을 해 보이자 테리오드가 두건을 길게 둘러 머리와 얼굴을 감쌌다. 아스티나 역시 그처럼 얼굴을 가리고는 문손잡이를 당겼다.

아스티나가 태연하게 문을 열어 주며 물었다.

"무슨 일이십니까?"

"안녕하세요, 수석 사제 데니스 조르단이라고 합니다."

자신의 이름을 소개한 남자가 상냥한 미소를 지어 보였다. 신에게 종속된 신분답게 그의 외관은 몹시 신실해 보였다.

"데니스 사제님이시군요."

아스티나가 언뜻 놀란 듯한 목소리로 대꾸했다. 데니스 조르단은 신성력으로 범죄자를 잡아내어 세간에서 몹시 유명해진 이름이었다. 알은체에 남자가 부끄럽다는 듯 고개를 숙였다 들었다.

"저를 아십니까?"

"알다마다요. 사제님께서 어쩐 일로 저흴 불러 세우셨는지요?"

"이 마차에 불길한 기운이 느껴져 걱정되는 마음에 그만 가시던 길을 방해하였습니다. 잠시 이 마차를 살펴보아도 되겠습니까?"

아스티나는 물끄러미 데니스 신관을 응시했다. 그녀가 방금과는 다른 쌀쌀맞은 투로 답했다.

"괜찮습니다. 다만 저희가 가던 길이 바빠서요. 후에 신전을 따로 찾아뵙도록 하지요."

"하나 워낙 심상치 않은 기운이 느껴져…… 혹 살펴보아선 안 되는 이유라도 있으십니까?"

데니스 신관이 안타깝다는 듯한 목소리를 자아내며 되물었다. 그의 시선이 기민하게 마차 안쪽의 테리오드에게까지 닿았다가 떨어져 나갔다.

아스티나는 눈을 돌려 마차의 앞과 뒤편을 살폈다. 주변을 온통

에워싼 사제들은 전혀 비켜 줄 기색이 아니었다. 완전히 길이 가로막힌 상태에서 수색을 피할 수는 없었다. 어투는 상냥해도 이것이 제안이 아닌 강압이라는 것을 모두가 알았다.

아스티나는 눈을 가늘게 뜨고는 짧은 허락을 남겼다.

"서둘러 주세요."

데니스 신관의 입가에 만족스러운 미소가 떠올랐다. 그는 사제들에게 마차에 실은 짐을 살펴보라는 지시를 남겼다. 기다렸다는 듯 구매한 물건들이 파헤쳐졌다. 암시장에서 들고 나온 낡은 물건들이 속속들이 모습을 드러내고 있었다.

아스티나는 보다 못해 마차에서 내려섰다. 그녀가 팔짱을 끼며 물었다.

"문제라도 있습니까?"

"아직 무엇이 문제인진 잘 모르겠으나…… 기운이 심상치 않아 보이긴 하군요."

데니스 사제는 짐짓 심각한 표정을 지어 보이며 대답했다. 그는 아스티나의 눈썹이 미세하게 들리는 것을 놓치지 않았다. 데니스 사제가 입꼬리를 비틀며 물었다.

"이 물건들을 어디서 사셨습니까?"

대공저에 있어야 할 가문의 보고가 바깥을 나돌아다니는 건 분명 치욕이다.

"……워낙 낡아 처분을 부탁받은 물건입니다."

아스티나가 시선을 피하자 데니스 신관의 미소는 더욱 짙어졌다. 그는 펼쳐진 물건들 사이로 가까이 다가가 면밀히 살피기 시작했다. 그는 개중에서 가장 낡고 지저분한 자기를 하나 가리켰다.

"어두운 기운의 근원은 아무래도 이것 같습니다."

"전 평범한 도자기로만 보이는데요."

아스티나가 퉁명스런 음성으로 대답했다. 데니스 신관은 큼큼 목을 한번 가다듬고는 태연한 척 말했다.

"신성력이 없으신 분들은 모르실 수 있지요. 하지만 매우 위험한 물건임은 사실입니다. 어차피 처분하실 물건이라면 제가 이것을 인도받아도 될까요? 사특한 기운이 어려 아무래도 저희 쪽에서 파기하는 게 좋을 듯합니다."

아스티나의 눈썹이 꿈틀했다. 그러나 그녀는 이내 별것 아니란 듯 선선히 허락했다.

"악인도 구분할 수 있는 대단한 분이시니 사제님의 말씀이 맞겠지요. 그리하세요."

"예, 그럼 이만 가 보셔도 됩니다."

데니스 신관이 마침 생각났다는 듯 이어 물었다.

"아, 혹시 성함과 거주지가 어떻게 되시지요?"

"……로제 앤더슨입니다. 광장 근처에서 거주하고 있어요."

"예, 앤더슨 부인. 후에 문제가 생기면 다시 찾아뵙도록 하지요. 그럼 신의 은총을!"

데니스 사제가 성호를 그으며 유쾌한 투로 작별 인사를 남겼다. 아스티나는 대꾸하지 않고 마차에 올라탔다. 데니스가 스치듯 살핀 바로 그녀는 몹시 굳은 표정을 하고 있었다.

마차는 아무 일 없던 것처럼 사제들에게서 유유히 멀어졌다. 그러나 정말 아무 일이 없었던 건 아니다.

데니스는 넘겨받은 자기를 가만히 들여다보았다. 이어 그가 다분히 비웃음 어린 투로 중얼거렸다.

“앤더슨 부인은 무슨…….”

그때 옆에서 눈치를 보던 견습 사제가 끼어들었다.

“사제님, 여기서 정말 불길한 기운이 느껴지십니까?”

“네가 감히 내 신성력을 의심하는 게냐?”

데니스는 곧장 험악한 표정을 지어 보였다. 격한 반응에 놀란 견습 사제가 허둥지둥 몸을 물렸다. 신께 종사한다는 사실은 같아도 데니스와 그의 신분은 천지 차이였다. 데니스처럼 젊은 나이에 수석 사제 신분을 꿰차는 게 어디 가당키나 한 일인가.

데니스의 빠른 승급은 몹시 이례적인 일이었다. 데니스는 신전 내에서 신성력을 가지고 있다고 소문이 자자한 대단한 인물이었다. 고대에는 신의 힘이 실제로 세상에 존재했을지 몰라도, 현재에 와선 찾아볼 수 없는 과거의 유산이 된 지 오래다. 우두머리 되는 교황조차도 기적을 일으킬 힘이 없는 세대에 데니스는 의례적으로 신의 유지를 받든 인물이었다.

그것이 마냥 허튼 소문만은 아닌지 데니스는 사람들의 성향이나 미래 같은 것을 곧잘 맞춰 내곤 했다. 그가 보인 능력을 생각하면 오히려 수석 사제라는 신분도 부족한 감이 있었다.

데니스는 정치 감각도 갖추고 있었기에 능력만으로 빛을 발하긴 힘든 세태에 보기 드문 이른 성취를 이룰 수 있었다. 대부분의 윗선은 싹싹하게 비위를 잘 맞추는 데니스를 좋아했다. 자연히 데니스는 교단 내에서 대단한 입지를 가지고 있었다. 젊기 때문에 아직 대신관 자리까지 오르지 못했으나, 교인들 대부분은 내심 데니스를 차기 교황감으로 생각하고 있었다.

그러나 성실한 교인이라는 세간의 평가와는 달리, 데니스를 움직이는 건 신의 뜻이 아닌 야망이었다. 그가 진정 신을 믿었다면 대공 부부에게 누명을 씌우기 위해 이런 무대를 깔아 두진 않았을 테니까.

'이깟 도자기에 무슨 힘이 있는지 알게 뭐람.'

데니스는 피식 조소를 흘리며 옆에 선 자에게 물건을 떠넘겼다. 엉겁결에 그것을 받아 든 견습 사제가 주춤 뒤로 물러섰다.

데니스가 오늘 이 길목에 서 있었던 건 다분히 의도된 일이었다. 의심의 시작은 이시스 황녀가 굳이 이 부근을 콕 집어 말하며 '여긴 살피지 않아도 된다'는 뜻을 전한 것이었다. 이를 미심쩍게 여긴 데니스는 곧장 예정을 바꾸어 정화 의식을 벌일 장소를 변경했다.

본디 그는 대공비를 마녀로 몰 혐의를 만들어 내기 위해 내내 대공가를 주시하고 있었다. 그러던 중 오늘 저택에서 비밀스럽게 빠져나온 검은 마차 하나가 이곳에 다다른 것이다. 남몰래 감시를 붙였던 데니스는 대공 부부가 들른 목적지를 보고받고 쾌재를 불렀다.

데니스는 윗사람을 접대하는 데도 소질이 있었으므로 당연히 여러 암시장의 위치를 꿰고 있었다. 대공 부부가 무슨 목적으로 암시장까지 걸음해 값비싼 장물을 사들였든, 그 행동이 세간에서 그리 좋게 해석되지는 못할 것이었다.

처음 데니스가 범죄자를 잡아들인 것도 조작된 사건에 지나지 않았다. 그가 이 골동품에 흉악한 저주의 힘이 들어 있다고 날조한대도 그 누가 아니라 반박할 것인가?

데니스는 턱을 쓰다듬으며 문득 고민에 잠겼다.

'한데 왜 이시스 황녀가 대공 부부의 치부를 가려 주려 하였을까.'

데니스는 프리모의 세력이라는 점에서 이시스와 같은 편에 서 있었으나, 속에 품은 개개인의 뜻은 분명 달랐다. 얼간이 황자를 휘둘러 이루고 싶은 것이 많은 데니스에게 이시스는 마냥 귀찮은 상대였다.

그녀가 내리는 명은 데니스가 하려는 일을 종종 방해하곤 했다. 데니스가 대변하는 것은 신전의 이익이고 이시스는 그렇지 않았으니까. 그런데 권력의 근원인 프리모는 제 여동생을 가장 신임하고 있으니 데니스로서는 분통이 터질 노릇이었다.

오래전부터 데니스는 이시스의 흠을 잡으려 매섭게 눈에 불을 켜고 있었다. 자신이 다른 마음을 품고 있는데, 이시스 황녀라고 그러지 않으란 법이 없지 않은가?

실제로 이번 이시스의 명은 분명 수상했다. 프리모는 분명 대공비를 음해하라는 의사를 전했다. 그런데 이시스 황녀는 데니스가 증거를 잡아낼 수 있는 기회를 놓치도록 부러 눈을 가린 것이다. 황녀가 가지 말라고 말한 곳에서 아탈렌타의 치부를 잡아낸 것이 그녀의 변심을 증명했다.

어쩌면 대단한 단서를 발견한 것일지도 모른다는 생각에 데니스는 삐뚜름히 미소 지었다.

다음 날 데니스는 이른 아침부터 황궁을 찾았다. 건수를 잡은 마

당에 더 시간을 지체할 이유가 없었기 때문이다. 약점을 찾아낸 공로를 인정받으리란 생각에 데니스는 가벼운 발걸음으로 황자의 방으로 들어섰다. 아니나 다를까 구실을 잡았다는 이야기에 프리모는 몹시 기꺼워했다.

정쟁은 '정정당당' 따위의 말이 통용되는 분야가 아니다. 상대편을 깎아내릴 수 있는 단서가 있다면 그게 무엇이든 물고 늘어져야 했다. 설령 그게 사실이 아니라도 말이다. 여론을 휘둘러 평판을 만신창이로 만들고 나면 아무리 그럴듯한 해명도 빛을 잃고 말았다. 하물며 암시장에서 사들인 수상한 골동품이라니. 지금 같은 시국에 이보다 구실 좋은 사건이 또 없었다.

게다가 데니스가 본 건 대공비 하나뿐만이 아니었다. 대공비의 뒤에 숨어 내내 나오지 않았던 사내는 분명 테리오드 반 아탈렌타였다. 특징이 되는 은빛 머리칼과 하관은 가린 상태였지만, 그 아름다운 푸른빛 눈동자는 숨기려야 숨길 수가 없었다.

애처가라고 소문난 이라고는 하나 아무리 그래도 아내보단 그 본인이 더 소중할 터였다. 대공을 이 사건에서 빼내 주는 일로 그의 지원 역시 노려볼 만했다. 대공비를 내치고 황가와 혈연으로 결속을 다진다면 양쪽에게 만족스러운 결말이 되리라.

이야기를 마친 데니스는 프리모의 눈치를 보며 조심스럽게 다른 이야기를 꺼냈다.

"한데 전하, 이시스 전하께선 요즘 어떻게 지내시는지요?"

프리모가 술잔을 들고 흔들며 고개를 들었다.

아침부터 독한 위스키라니. 독한 알코올 향이 근처까지 풍겨 왔지만 데니스는 내색하지 않았다.

이야기 중 꾸준히 잔을 기울인 결과로, 데니스를 향한 프리모의 눈빛은 취기로 탁하게 가라앉아 있었다. 프리모가 귀찮다는 듯 되물었다.

"그걸 왜 묻는 게냐?"

"……전하께선 돌려 말하는 걸 싫어하시니 본론부터 말씀드리겠습니다. 다소 조심스러운 이야기가 될 것 같습니다만…… 이시스 전하의 동태가 수상합니다."

"뭐?"

프리모는 그제야 이야기에 집중하기 시작했다. 벨리타가 이시스를 깎아내리며 프리모에게 주의를 남긴 지 얼마 되지도 않은 시점이었다. 벨리타의 말은 들을 가치가 없다 여겨 그냥 넘기었지만, 수족으로 부리는 자의 간언은 조금 느낌이 달랐다.

프리모는 턱을 까딱여 설명을 요구했다.

"마저 말해 봐."

"제가 대공 부부를 잡아낸 건 광장 근처의 주택가입니다. 그리고 이시스 전하께서는 전날 굳이 그 부근을 짚어 가며 가지 말라고 말씀하셨습니다. 제 말이 무슨 뜻인지 이해가 가십니까?"

"이시스가 나 몰래 다른 뜻을 꾸미고 있을지도 모른다는 게냐?"

"예. 이시스 전하께선 대공비를 마녀로 몰라는 계략을 내어놓고는, 막상 증거가 될 만한 치부는 뒤로 빼돌리고 계셨다는 겁니다."

데니스는 그것이 이시스가 공적을 독차지하기 위해 경쟁자인 저를 속인 것이라 판단했지만, 굳이 프리모에게 그 사실을 밝히진 않았다.

앞서 말했듯 흑색선전에 있어 사실 여부는 아무 의미가 없었다.

설령 이시스가 그 지역으로 가지 말라고 말한 것이 단순한 우연이었다고 해도, 그건 데니스에겐 전혀 상관이 없는 일이었다.

"전하께서는 이시스 전하께서 왜 그런 명을 내리셨는지 짐작이 가십니까?"

"그 계집의 머릿속에 든 게 뭔지 내가 어찌 알겠느냐? 그 애를 열 달 품어 낳은 어머니조차 잘 모르겠다 하시는데."

프리모가 불쾌하다는 듯 대꾸했다. 데니스는 당황하지 않고 핵심을 짚어 냈다.

"예, 바로 그 점이 가장 걱정되는 겁니다. 이시스 전하께서 어떤 생각을 하고 계시든, 저희로서는 그 뜻을 다 알 수 없다는 점이요. 이시스 전하는 정적들을 부지불식간에 옭아매어 제거하곤 하지 않으셨습니까? 만일 그녀가 겨냥하는 방향을 달리하면 어찌 되겠습니까? 전 그리 그럴듯한 방어가 가능하리라 생각하진 않습니다."

"……."

"전하. 이시스 전하는 프리모 전하와 한 몸이 아니십니다. 다른 두 사람은 각기 다른 뜻을 품을 수도 있다는 것을 아셔야 합니다."

데니스의 진지한 음성 밑으로 부스럭거리는 소리가 옅게 깔렸다. 데니스는 이야기를 늘어놓다 말고 기민하게 고개를 들었다.

"……여기 다른 사람이 있습니까?"

프리모는 무심코 눈을 돌려 침대 위를 살폈다. 어젯밤 같이 침소에 들었던 아가타가 마침 잠에서 깬 듯했다.

프리모가 별것 아니란 듯 어깨를 으쓱였다.

"들어 봤자 아무것도 모르는 계집이다."

데니스의 얼굴에 찜찜한 표정이 떠올랐다.

확실히 황자의 눈에 들고 싶어 안달 난 계집이 문제를 일으킬 여지는 없어 보였으나, 기밀은 되도록 아는 사람이 적은 편이 좋았다. 중요한 이야기가 새어 나간 것 자체가 마음에 들지 않았다.

그러나 데니스가 프리모를 질책할 수도 없는 노릇이었다. 데니스는 한숨을 삼키고는 자리에서 몸을 일으켰다.

“제 얘기를 잘 생각해 보십시오, 전하. 이시스 전하는 너무 많은 걸 알고 있어요.”

“알았네.”

프리모가 못내 마음에 들지 않는다는 태도로 대꾸했다. 오래도록 보필해 온 이시스 황녀에 대한 의심을 지피기엔 이마저도 부족했을까. 더 물고 늘어져 봐야 달라질 건 없었으므로 데니스는 가타부타 말을 보태지 않았다. 그는 황자에게 정중히 인사를 남기고는 방을 나섰다.

데니스가 떠나고 실내엔 적막함이 찾아들었다. 프리모는 걸치고 있던 가운을 벗으며 침대로 돌아갔다. 휘장을 걷치자 곧장 매력적인 나신이 눈에 들어왔다. 프리모는 자연스럽게 아가타의 둔부로 손을 가져갔다.

그러나 그의 움직임은 곧 저지당하고 말았다. 아가타가 손을 뒤로 뻗어 새침하게 프리모의 손등을 때린 탓이었다. 그에 프리모가 헛웃음을 지으며 물었다.

“다 들었느냐?”

아가타가 몸을 일으켰다. 그녀는 불퉁한 얼굴로 프리모를 쏘아보았다. 그녀의 입에서 뾰족한 음성이 툭 튀어나왔다.

“제가 아무것도 모른다고요?”

“자는 게 아니었구나.”

“예, 덕분에 들었다마다요.”

‘아무것도 모르는 계집’ 소리가 마음에 들지 않았는지 아가타는 도통 퉁명스러운 태도를 벗지 않았다. 그녀가 기분 상한 표정으로 비아냥거렸다.

“제가 아무것도 모른다면 두 분께서 하시는 얘기도 이해하지 못했겠지요. 하지만 이를 어쩌죠? 저는 다 알아들었는데요.”

건방진 태도였지만 프리모는 그리 불쾌해하진 않았다. 아가타는 어디까지나 그의 밑에 깔리는 정부였고 가벼운 앙탈 정도야 귀엽게 들어 넘겨 줄 수 있었다. 아무리 화를 내어 봤자 아가타는 결국 그의 말 한마디, 움직임 하나에 벌벌 떨어야 하는 신분이었으니까. 따라서 프리모는 볼멘소리에도 가만히 입꼬리만 끌어 올렸다.

“그래, 그럼 너는 데니스 신관의 말을 어찌 생각했느냐? 이시스를 내가 어찌해야 할지 말이다.”

아가타는 잠시 생각에 잠겼다. 골똘히 머리를 굴리는 모습은 보기에 퍽 귀여웠다. 프리모는 아예 침대에 드러누워 그런 아가타를 응시했다. 관자놀이를 매만지던 그녀가 진지한 목소리를 내었다.

“전하, 정말 이시스 님을 처리하시는 게 어떨는지요?”

“뭐? 너까지 그런 소릴 하느냐?”

프리모가 어이없다는 듯 헛웃음을 지었다. 그러나 만나는 모두가 이시스에 대한 악담을 쏟아 내니 그 역시 마음이 흔들리는 건 사실이었다. 프리모는 동요를 드러내지 않은 채 이어지는 아가타의 말을 들었다.

“예, 저는 사제님 말대로 하는 게 좋다고 생각해요.”

"이유를 말해 봐라. 왜지?"

"이시스 전하께서는 분명 대단한 분이지만…… 양날의 검에 지나지 않는다는 생각이 들어요. 솔직히 말씀드리면, 전하를 따르는 세력도 황녀님과 독대하는 경우가 더 잦지 않습니까? 전하께 바로 보고를 드려도 결국은 이시스 전하의 결정을 거치게 되니까요."

그 말이 프리모의 자존심을 건드렸다. 프리모가 불쾌하다는 듯 미간을 찌푸렸다. 아가타는 손을 뻗어 그의 주름진 이맛살을 풀어주며 살살거렸다.

"이건 매우 모욕적인 일이에요. 만약 전하께서 즉위하시면 이시스 전하가 섭정하는 것과 같은 모양새가 될걸요?"

"섭정이라니, 가당치도 않은—"

"전하, 화내지 마시고 객관적으로 생각해 보세요. 지금은 이 궁의 살림조차 황녀님의 뜻대로 움직이고 계시지 않습니까?"

벌컥 높아진 황자의 언성을 아가타가 재빨리 막아섰다. 프리모는 그만 입을 다물었다. 그러고는 이내 깊은 생각에 잠겼다.

아가타의 말은 틀리지 않았다. 현재 황궁 내의 중요한 행사를 주관하는 것도 이시스, 정적을 제거하는 것도 이시스였다. 프리모가 황제 부부의 신임을 얻도록 나디아라는 혼처를 찾아낸 것도 이시스의 결정이었으며, 하물며 프리모가 입는 옷들조차 동생의 손을 거쳤다. 프리모는 어디까지나 우두머리의 신분으로 최종적인 결정만 내렸을 뿐이다.

프리모는 문득 이 상황이 무척이나 기형적임을 깨달았다.

"전하, 이대로 가다간 제가 비가 되었을 때도 이시스 전하가 내궁 살림을 도맡으시겠어요."

흔들리는 마음을 알아챈 아가타가 앙탈을 부리듯 우는소리를 내었다. 프리모는 그런 아가타의 머리칼을 가만히 쓸어 주었다. 다정한 행동과는 별개로 그가 속에 품고 있는 생각은 마냥 계산적이었다.

'가소로운 것, 제가 뭐라고 내 비 자리에 앉는단 소리를 하는 건지.'

프리모는 아가타를 정비로 들일 생각은 단 한 번도 해 본 적이 없었다. 만일 자신이 황제가 되었을 때 후비로야 들일 수 있겠으나, 그 때까지 그녀가 질리지 않을지는 프리모 본인도 확답할 수 없었다.

프리모에게 아가타는 그저 즐기기 위한 상대였다. 얼굴과 몸이 전부인 멍청한 여자를 두고 부모님이 흡족해하는 정략결혼 상대를 버릴 수는 없지 않은가?

나디아가 그리 프리모에 취향에 맞는 여자는 아니었으나, 황족의 결혼은 개인적인 호오로 결정되는 것이 아니었다. 하지만 아가타는 지금 받는 총애를 이유로 자신이 미래의 황후가 될지도 모른다고 여기는 모양이었다. 바보 같은 생각이었고, 그래서 프리모는 그녀가 귀여웠다.

프리모가 으스대듯 중얼거렸다.

"흠, 이시스 그 계집이 자꾸 제 오라비를 아래로 보는 것 같긴 하지. 건방지게 말이야."

지난번 대공비를 마녀로 몰자는 계략을 이야기하며 저를 한심하다는 듯 보던 이시스의 눈이 잊히지 않았다. 이미 이시스는 프리모를 견제할 만한 세력을 전부 처리해 준 상태였다. 이번 일로 아탈렌타의 기를 죽이고 나면 이시스는 귀찮은 잔소리꾼으로 전락할 게 분명했다.

지난번 벨리타가 했던 말은 이간질이라 생각해 그냥 넘겼었지만,

객관적으로 이시스가 현재 프리모에게 가장 위협적인 존재인 건 사실이었다. 모두의 말마따나 그 작은 머릿속에 무슨 계략을 짜고 있든, 프리모로서는 도무지 알 방도가 없었기 때문이다.

프리모는 곰곰이 고민에 잠겼다.

"아탈렌타와 이시스라……. 둘을 엮어 재밌는 판을 하나 만들어 볼 수도 있을 듯한데……."

때맞춰 아가타가 눈을 반짝이며 끼어들었다.

"전하, 어차피 대공비를 처리하실 예정이시라면, 말씀하신 대로 이시스 전하를 이용하시는 건 어떨까요?"

"어떻게 말이냐?"

"이시스 전하께 독을 먹이는 거지요."

"독을?"

본격적인 제안에 프리모가 다소 꺼림칙한 기색을 드러냈다. 이시스의 기를 죽이려고만 했지 그녀를 죽일 생각까진 없었기 때문이다. 아무리 그래도 동복에서 난 누이였고, 자비 없이 짓밟기엔 도움받은 일이 지나치게 많았다.

그러나 아가타는 코웃음을 쳤다.

"이시스 전하를 처리할 방법이 그 외에 또 뭐가 있겠어요? 괜히 얕은수를 내었다가 전복당하지 않으려면 확실히 해야지요. 이시스 님께서 본인을 실각시키려는 전하를 가만히 내버려 두실 것 같으세요?"

일리 있는 말이었다. 이시스는 본인을 해하려는 움직임을 기민하게 감지해 낼 터였다. 실컷 책사로 이용해 놓고서는 막상 필요 없게 되니 권력을 앗아 간다고 한다. 누구라도 배신감을 느낄 상황이었다.

프리모는 이시스가 그의 정적을 제거할 때 어떤 방식을 쓰는지 익히 보아 왔다. 모르긴 몰라도 그의 누이가 배신자를 썩 유쾌한 방식으로 상대할 것 같진 않았다.

"그건 그렇긴 하지. 내 진영에 이시스와 상대될 만한 머리가 없기도 하고."

"괜한 분란의 싹을 남겨 두려 하지 마세요. 그리고 대공비를 마녀로 모는 계략은 사실 확실한 한 방이 아니지 않나요? 불길하게 들리기는 해도 누군가에게 직접적인 위해를 끼친 정황은 없으니까요. 아탈렌타를 구설수에 오르게 하여 휘청이게 만들 수는 있겠지만, 아마 그뿐일 거예요."

"그거야 이시스가 할 일이지. 이시스가 한다고 해서 못한 일은 없어. 아마 그 애가 다 생각해 둔 게 있을 게다."

여론을 나쁘게 할 수는 있으나, 그것만으로 대귀족을 몰아붙이기는 어려웠다. 상대의 세력이 대단한 상황에서 모든 변수를 계산해 섬세하게 상황을 조작하는 건 무척 머리 아픈 일이었다. 필히 많은 공을 들여야만 확실한 처리가 가능할 것이다.

따라서 프리모는 이시스가 정확히 어떤 계산을 하고 일을 꾸민 것인지까지는 잘 알지 못했다. 동생이 알아서 하리라 여겨 설명을 요구하지도 않았던 탓이다. 내내 그런 식으로 승인만 내려왔던 프리모로서는 스스로 계책을 짜내야 하는 이 상황이 무척이나 귀찮았다.

이시스는 능력이 있었고, 프리모는 그녀에게 머리 아픈 일들을 하나씩 떠넘겨 왔다. 그는 지난 몇 년간 이시스가 제공하는 편리함에 천천히 잠식되었다. 앞으로 모든 걸 홀로 처리해야 한다고 생각하니 조금 막막해지는 것도 사실이었다.

프리모가 쉽사리 넘어오는 기색이 아니자 아가타는 아예 그의 팔을 잡고 흔들었다.

"차암, 전하. 이시스 전하께서 하실 수 있는 일을 왜 전하께서는 못한다고 생각하세요? 그게 이시스 님께서 전하께 미친 진짜 악영향이에요. 전하가 결정 내리실 영역을 축소시키는 거요. 왜 이렇게 자신감이 없으세요?"

"자신감이 없다고? 이 내가 말이냐?"

프리모가 자존심이 상한다는 듯 되물었다. 아가타 역시 뾰로통하게 입술을 삐죽였다. 이어 아가타의 입가에 고혹적인 미소가 떠올랐다.

"아니면 전하의 대범함을 보여 주세요. 게다가 언제 제가 여론을 직접 뒤흔들라고 하였나요? 훨씬 더 쉬운 방법이 있는데 말이에요."

"하면 대체 뭘 어찌하란 말이냐?"

"아까 말씀드린 대로 이시스 전하께 독이 든 잔을 먹이세요. 그리고 그걸 대공비의 행각이라 음해하시면 처리가 간단하겠지요."

아가타가 은밀하게 계략을 속삭였다. 그 선뜩한 눈빛에 프리모는 저도 모르게 소름이 끼쳐 왔으나, 단순한 기분 탓으로 치부했다. 고작 여자의 말에 기가 질렸다고 인정하고 싶지 않았기 때문이다.

"여론이 나빠진 상태라면 회생할 바가 없지 않겠어요? 아무도 진범이 대공비임을 믿어 의심치 않을 거예요."

프리모는 곧 기억에서 제가 죽여 없애기로 한 황녀 하나를 끄집어냈다. 벨리타라면 이시스를 제거하라는 지시를 무척이나 기꺼워하며 따를 것이다. 마차 전복 사고 따위로 위장하여 없애는 것보단, 이번 사건에 버리는 패로 이용하는 것도 나쁘진 않을 듯했다.

약간의 침묵 끝에 프리모가 결국 고개를 끄덕였다.

"역시 전하께선 멋있으세요."

아가타의 얼굴에 환한 웃음이 떠올랐다. 매력적으로 드러난 흰 치아 사이, 드러난 송곳니의 모양이 유독 날카로웠다.

✣ ✣ ✣

"—그러니까 근본적인 의심을 해야지. 누가 왜, 무슨 이유로 그런 소리를 지껄이는지."

결국은 아돌프가 벌컥 언성을 높였다. 내내 미적지근한 반응을 보이던 아스티나는 그제야 고개를 돌려 그를 돌아보았다. 그녀가 멀뚱히 눈만 깜빡이자 아돌프가 어이없다는 듯 허, 하는 소리를 냈다.

"설마 지금까지 내 말 하나도 안 듣고 있었냐?"

"아, 창밖을 좀 보느라."

아스티나의 무심한 대꾸에 아돌프는 이마를 감싸며 등받이에 몸을 묻었다.

"내가 지금 내 얘기 하는 건 줄 아냐? 네 얘기 하고 있는 거야!"

아돌프가 답답하다는 듯 가슴까지 쳤다. 그가 보기엔 상황이 영 심각한데 아스티나는 내내 태평한 반응만 보이고 있었기 때문이다.

근래 들어 아탈렌타 가문을 둘러싼 기류가 심상치 않았다. 누군가가 일부러 퍼트린 듯한 음해의 노래는 이제 완전히 유행이 되었고, 알음알음 아스티나에 대한 근거 없는 뒷이야기도 나돌았다.

대공의 병환은 보통 사람이 이해할 수 있는 종류의 것이 아니었다.

그도 그럴 것이 사람이 짐승이 되는 일이 말이나 되는 일이던가?

대공비가 등장함으로써 벌어진 많은 변화들은 의심받을 여지가 충분했다. 아무리 보아도 범인이 할 수 있는 일들로는 보이지 않았기 때문이다.

'수상하다'로 시작되었던 의문점은 날이 갈수록 실체를 더했다. 뭣 모르는 아이들도 아탈렌타의 대공비는 마녀라며 왕왕 떠들곤 할 정도였다. 고위 귀족을 향한 모욕에 자연히 기겁한 부모가 아이의 입을 틀어막는 일이 많아졌다. 대공비의 선행은 결코 퍼지는 법 없이, 소문은 점점 더 안 좋아지기만 할 뿐이었다. 누가 부러 나쁜 이야기를 퍼트리나 싶을 정도였다.

그런데도 당사자가 저렇게 태연할 수가 있나.

아카데미에 있을 적에도 아스티나는 남에게 속뜻을 잘 내비치지 않았었으나, 지금은 더더욱 의중을 알 수 없었다. 기껏 저잣거리에 떠도는 말들을 캐물어 알아왔더니 들어 보지도 않는다. 아돌프의 걱정스러운 기색에도 아스티나는 별다른 동요를 내보이지 않았다. 대신 그녀는 주의를 환기하듯 창을 두드렸다.

"그보다 다른 얘기를 하지. 아서는 요즘 좀 어떻게 지내?"

"……대공의 사촌 말이야? 그 망나니 놈은…… 여전하지 뭐. 게으름 피우다가 헨리 경에게 엉덩이를 얻어맞거나 연무장에서 뺑뺑이를 돌거나."

아돌프가 힘 빠진 어깨로 대답했다.

테리오드가 처음 아서에게 내린 벌은 반성문을 써 오는 일이었다. 아서가 자신이 무엇을 잘못했는지 정도는 인식해야 한다고 여겼기 때문이다. 그러나 아서는 그런 사촌 형을 골리듯 '헨리 경의 거시기가 소중한 이유'를 빽빽이 채워 가져왔다. 헨리는 아서의 찬사에 몹시나 감동했고, 당연히 그 표현 방식은 뒷목을 잡고 쓰러지는 일이었다. 결국 테리오드는 아서의 처분을 헨리에게 맡기지 않을 수 없었다.

덕택에 다른 이들이 검을 휘두르고 있을 시간에 아서는 열심히 물통을 나르며 종자 역할을 해야 했다. 아서는 누구도 함부로 일을 시킬 수 없는 신분이었기에 새로 얻은 직위는 본인에게나 다른 기사들에게나 어색하게 다가왔다. 피해 입은 당사자인 헨리만이 아서가 지나갈 때마다 눈에 불을 켜고 그를 부리려고 들었다. 한 사람이라고는 하나 그 직책이 무려 기사단장이었으므로, 아서는 트리스탄과 아탈렌타의 기사들이 섞여 훈련하는 와중에도 마른걸레로 무구나 닦고 있어야 했다.

"기사단 분위기는 어때? 좀 화합이 되기는 하나?"

"아무래도 섞여서 연습한 지 좀 되었으니까? 확실히 아탈렌타 쪽에서 여기사들을 대할 때 어찌할 바를 모르긴 하더라. 그래도 섞여서 훈련을 하니 좀 나아지기는 해."

"많이 달라지진 않았다는 소리군?"

"뭐, 첫술에 배부를 수는 없는 법 아니겠어?"

아스티나의 지적에 아돌프가 어깨를 으쓱였다.

그때였다. 쾅, 하고 문이 열리는 소리와 함께 누군가가 들이닥쳤다. 고개를 돌린 아스티나가 다소 얼떨떨한 음성을 내었다.

"대공 전하……?"

테리오드는 숨이 찼는지 크게 헉헉거리고 있었다. 그는 아돌프와 아스티나 사이를 살피더니, 곧 견제하듯 테이블 가까이로 다가왔다. 그가 호흡을 진정시키고는 입가에 아름다운 미소를 떠올렸다.

"부인, 이만 나가 봐야 할 것 같습니다만."

좀처럼 떨어지는 법이 없는 부부를 보며 아돌프는 고개만 갸웃였다. 이상하게도 그가 아스티나와 대화하고 있으면 꼭 어디선가 대공이 나타나곤 했다. 덕분에 아돌프는 대공저에 와서 30분 이상 그녀를 독대한 적이 없었다.

의아해하던 아돌프는 순간, 테리오드의 눈에 비친 탐색의 빛을 발견하고는 소름이 돋았다.

'설마……?'

아돌프는 자신이 지금 이성으로서 견제받은 것을 깨닫고는 그만 입을 떡 벌렸다. 그는 아스티나를 단 한 번도 연애 상대로 본 적이 없었기에 테리오드의 반응이 놀랍지 않을 수 없었다. 아스티나와 아돌프 사이에 있는 것은 이성적인 기류가 아닌, 이를테면 끈끈한 전우애 같은 것이었다.

아스티나를 사이에 둔 경쟁이라니!

그녀와의 대련을 피하기 위한 경쟁이면 몰라, 아카데미에서였다면 생각지도 못했을 반응이었다.

자연히 아돌프는 옛일을 떠올렸다. 아스티나와의 대련에서 참패하며 연무장에 발도 들이지 못하던 때, 그는 어떻게 좀 해 보라 벤자민을 구슬렸었다. 당시 벤자민은 아스티나의 친구가 되어 종종 그녀와 대련을 하곤 했기 때문이다.

결국 벤자민은 친구의 부탁을 들어 그만 아돌프를 용서해 달라는 뜻을 전했다. 아스티나는 의외로 선선히 직접 와서 사과하면 받아주겠다고 답했다.

아돌프는 아스티나를 찾아갔을 때 들었던 말을 아직도 잊지 못한다.

'통나무에게 사죄할 준비는 됐나?'

'…….'

그때는 단순한 농담이라고만 생각했지만, 지금 와 생각해 보면 그 말에 담긴 건 표면적인 뜻만이 아니었다. 아스티나는 애초에 아돌프가 자신을 무시했다는 사실을 인정하지 않은 것이었다. 아돌프가 깎아내린 것은 통나무의 명예이지 결코 그녀 본인의 명예가 아니라는 듯이.

고작 열두 살짜리 아이가 행하기엔 지나치게 귀족적인 화법이다. 이렇듯 아돌프는 아스티나를 대할 때 그녀와 자신이 수직적인 관계에 있다는 느낌을 항상 받아 왔다. 아스티나가 무언가를 일러 주면 아돌프는 그것을 배우는 식이었다.

아돌프로서는 그녀를 떠올릴 때 아름다운 추억 같은 건 전혀 생각해 낼 수 없었다. 실제로 그에겐 아스티나에게 얻어맞은 기억밖에 없었으니까. 아스티나가 미소를 지으면 그 날이 덜 맞는 날이었고, 인상을 찌푸리고 있으면 곡소리가 나는 날이었다.

어쨌든 괜한 오해를 만들 이유는 없었으므로 아돌프는 선선히 뒤로 물러섰다. 아돌프가 내색하지 않고 물었다.

"어딜 가기로 했나 보지?"

"글쎄. 네 말마따나 이상한 소문이 자자하니 신전으로 가 성금이라도 바칠까 해서."

"그것참 어마어마하게 신앙심이 결여된 이유네……."

아돌프가 감이 안 잡힌다는 표정으로 대답했다. 아스티나는 피식 웃으며 어깨를 으쓱였다.

"난 원래 신을 안 믿거든."

신을 믿었다면 나라를 세우는 데 있어 종교를 이용하지도 않았을 것이다. 아스티나는 카라벨라 교리에 대한 깊은 이해가 있었지만, 그건 어디까지나 정치적인 이용을 위한 배움이었다. 신의 뜻을 자신에게 유리한 방향으로만 해석하는 건 교인이 아닌 장사치다.

"부인, 저도 그렇습니다."

옆에 있던 테리오드가 이때란 듯 끼어들었다.

저주받은 아탈렌타가의 핏줄이 신에 대한 믿음을 가지기도 어려웠다. 테리오드는 오래간만에 발견한 부인과의 공통점이 반가운지 들뜬 얼굴을 하고 있었다.

딱히 종교를 가져 본 적은 없지만 카라벨라인으로서 국교에 일말의 존중은 있었던 아돌프는 몹시 착잡한 기분이 되었다. 아돌프가 감탄하듯 중얼거렸다.

"영혼의 단짝이네, 영혼의 단짝이야……."

"칭찬으로 듣지."

산뜻하게 대답한 아스티나가 테이블 위에 놓아두었던 모자를 집어 들었다. 그것을 가볍게 머리 위에 눌러쓰고는 테리오드의 팔 위에 손을 올렸다.

둘은 아돌프를 뒤로하고 문밖을 나섰다. 아돌프는 가만히 제자리에 서서 그 뒷모습을 쳐다보았다. 여러모로 적응이 안 되는 부부였다. 아내나 남편이나 범상치 않은데 그 조합은 의외로 합이 맞으니 지켜보는 사람 입장에선 퍽 신기했다. '그 아스티나'가 어떻게 결혼생활을 하려나 했는데, 막상 실제로는 꽤 잘살고 있는 것 같아 조금 안심은 되었다.

아돌프가 결혼한 여동생을 보는 듯한 아련한 기분에 젖으려는 찰나, 테리오드가 뒤로 고개를 돌렸다. 아돌프를 돌아보는 테리오드의 입가엔 승자의 미소 비슷한 것이 떠올라 있었다. 매우 찰나의 일로, 곧바로 문이 닫히긴 했지만 동체 시력이 좋은 아돌프는 똑똑히 알아차릴 수 있었다.

아돌프는 허, 하고 뒷머리를 벅벅 긁었다. 날이 갈수록 무게를 더하는 오해에 화가 난다기보단 그저 황당했다.

"저 양반 생각보다 유치한 사람일세……."

"저 친구와는 어떻게 알게 되신 겁니까?"

테리오드가 대수롭지 않은 투로 물었다. 길이 험하지 않아 마차 안은 꽤 조용한 편이었다. 그러나 평화로운 분위기와 다르게 그는 아스티나의 반응에 온 촉각을 곤두세우고 있었다. 아스티나는 별다른 생각을 거치지 않고 선선히 사실 그대로를 읊었다.

"제가 입학했을 당시 검술반의 연무장을 이용하는 데 약간의 잡음이 있었습니다. 그때 저 친구와 결투를 했었지요."

그 말에 테리오드가 반쯤 입을 벌렸다. 사이가 좋기에 처음부터 친했던 건 줄 알았는데 의외로 살벌한 추억이 숨겨져 있었다. 그런 박해를 겪고도 후에 친구로 받아들이다니 그의 부인은 과연 배포가 컸다.

테리오드가 감탄을 숨기지 않고 물었다.

"아돌프 경이 자신과 싸워 이기면 연무장 사용을 허락해 주겠다던가요?"

"딱히 그런 공언이 있었던 건 아니고…… 마침 절 내보내려 했던 게 아돌프라서요. 제가 거기 있는 걸 두고 보지 않을 모양새라 그냥 결투를 신청했죠."

"이기셨습니까?"

아스티나가 어깨를 으쓱였다. 왜 아니겠냐는 듯이.

동시에 테리오드와 아스티나 사이에서 작은 웃음소리가 터져 나왔다. 테리오드가 입가에 웃음기를 머금은 채 말했다.

"지금과는 느낌이 좀 다르군요."

"지금이야 좋은 친구죠."

테리오드는 참으로 미묘한 기분이 들었다. 아스티나는 억지를 부리는 대공에게도 친구가 되어 주겠다고 하지 않았나. 테리오드조차 그녀의 동정으로부터 기회를 얻은 것이었지만, 똑같은 자비로움이 타인을 향하고 있는 걸 확인하자 그리 기분이 좋지만은 않았다.

테리오드는 언제나 확인받고 싶었다. 그녀가 앞으로 사랑할 사람이 있다면, 그것은 오직 자신뿐이라는 확답을.

테리오드는 문득 손을 뻗어 아스티나의 손등 위로 겹쳤다. 살갗에 닿은 온기에 아스티나의 시선이 돌아왔다. 테리오드는 천천히 아스티나의 손을 들어 짧게 입을 맞췄다.

"한데 친구가 너무 많으셔서요."

말의 마디마디 사이엔 얇게 저민 성애와 소유욕, 집착 따위의 것이 숨겨져 있었다.

가까워진 간격에 아스티나는 그의 얼굴을 빤히 들여다보았다. 그녀가 햇빛을 가린 탓에 그의 눈가는 그림자 져 있었다. 아스티나는 햇빛을 받아 반짝이는 테리오드의 머리칼을 잠시 올려다보았다. 꼭 별 무리 같았다.

아스티나가 문득 말했다.

"덥습니다."

마차 안은 적당히 선선했다. 마주 잡은 테리오드의 손은 딱 기분 좋을 만큼의 훈기를 머금고 있었고, 그것은 아스티나의 찬 손과 꽤나 잘 어우러졌다.

거짓인 걸 알았는지 테리오드는 그녀를 놓아주지 않고 말했다.

"손이 차신데요."

그녀가 움직이지 못하도록, 테리오드는 더욱 단단히 깍지를 껴왔다. 불만스레 팔을 흔들어도 도통 놓아주질 않는다. 테리오드는 아예 아스티나의 손을 제 쪽으로 끌어와 손장난을 치기 시작했다.

아스티나가 픽 웃으며 물었다.

"또 질투하시나요?"

"한다고 하면, 더 사랑해 주시렵니까?"

테리오드의 애교 있는 응대에 아스티나가 한쪽 눈썹을 들어 올렸다.

"흠, 그래도 남편은 하나인데요?"

"……그건 둘이면 큰일 나는 것 아닙니까?"

"애인도 하나고."

"그것도 비슷한 듯한데……."

"이렇게 귀여운 남자도 하나인데."

"……."

그녀가 테리오드와 꽉 마주 잡은 손에 시선을 주었다. 아스티나의 입가에 언뜻 도발적인 미소가 걸렸다.

"고작 손으로 되시겠어요?"

아스티나가 자리에서 일어서 테리오드의 위로 올라탔다. 성큼 높아진 눈높이에 테리오드가 얼떨떨한 눈으로 아스티나를 올려다보았다. 아스티나는 양손으로 테리오드의 뺨을 감싸고는 고개를 숙였다. 테리오드가 자연스럽게 입술을 벌리며 혀를 얽어 왔다.

테리오드는 천천히 아스티나의 등을 쓸어내렸다. 허리를 문지르던 손길이 이어 더 아래까지 내려갔다. 하반신까지 가 닿은 손길에 아스티나가 퍼뜩 입술을 떼어 냈다. 아스티나가 숨을 헐떡이며 말했다.

"옷이 구겨질 텐데요."

"……여기까지만 할까요?"

테리오드가 아쉬움이 묻어나는 목소리로 물었다. 질척한 접촉이 끝나고 난 후엔 더한 갈증이 남았다.

아스티나는 잠시 혀를 내밀어 마른 입술을 축였다. 고민은 짧았고 허락은 빨랐다.

아스티나가 확 창에 달린 커튼을 치며 답했다.

"아니요."

누가 먼저랄 것도 없이 다시 입술을 부딪혔다. 테리오드는 제 목덜미를 매만지는 아스티나를 완전히 끌어안았다. 올라간 치맛자락 사이로 커다란 손이 파고들었다. 삽시간에 속바지와 속옷이 벗겨졌다. 테리오드는 그것을 건너편 의자로 아무렇게나 던져 버렸다.

아스티나 역시 테리오드의 하의를 끌어 내렸다. 이미 그는 한계까지 흥분해 있었다. 생각지도 못한 이동 중의 관계라, 늘 '밤일'은 침대에서만 해치워 왔던 테리오드에게 이런 이색적인 상황은 큰 자극으로 다가왔다.

아스티나가 입은 드레스는 속에 슬립을 걸치고, 겉에 장식이 달린 화려한 본옷을 겹쳐 입는 식이었다. 가슴팍은 슬립 부분이 보이도록 끈으로 조여 묶는 구조로 되어 있었다.

테리오드는 끈을 지탱하고 있던 리본을 아예 당겨 풀어 버렸다. 헐거워진 끈 사이로 안쪽의 홑겹 옷이 드러났다. 그것을 한꺼번에 아래로 끌어 내리자 곧바로 맨살이 드러났다. 테리오드는 그대로 아스티나의 가슴팍에 얼굴을 묻었다.

"흐으……."

때맞춰 아스티나가 천천히 그의 위로 내려앉았다. 테리오드의 목을 끌어안으며 그녀가 몸을 잘게 떨었다. 테리오드를 받아들이는 게 아무래도 다소 부담되는 일이었던지라, 둘은 관계의 시작 즈음 항상 약간의 시간을 소요해야 했다.

그 순간 도로의 요철로 마차가 크게 덜컹였다.

"아흑……!"

아래에서 인상을 찡그린 채 거친 숨을 쉬던 테리오드가 아스티나의 입술을 짧게 빨아들였다. 이어 그가 아스티나의 귓가로 고개를 기울였다.

"힘들, 진 않습니까?"

아스티나는 고개를 내저으며 더욱 움직임을 빠르게 했다. 홍조가 잔뜩 어린 두 뺨은 그녀가 느끼고 있는 쾌감을 짐작게 했다.

테리오드 역시 더 이상 그녀를 살필 정신이 없었다. 그의 입술이 아스티나의 귓불을 덮고, 이내 농밀하게 여린 살을 훑었다. 아스티나는 테리오드의 옷자락을 쥐어뜯으며 고개를 뒤로 젖혔다.

"흣, 아아……!"

쏟아지는 신음을 참을 수도 없었다. 입술을 깨물어도 임시방편일 뿐, 틈 사이로 조금씩 새어 나왔던 소리가 이내 걷잡을 수 없이 커졌다. 아스티나는 나중에 가서는 거의 울음소리를 내며 정신없이 테리오드에게 매달렸다.

"아아!"

절정은 평소보다 이르게 찾아왔다.

아스티나는 그의 위에서 벗어나지도 못한 채 한참 숨을 몰아쉬었다. 뻐근한 허벅지도 아팠고 땀으로 젖은 몸은 찝찝했으나 도저히 차림새를 정돈할 정신이 없었다.

"도착까지 얼마…… 안 남았을 텐데."

아스티나가 앓는 소리를 내며 지워진 입술을 문질렀다. 테리오드는 아스티나를 일으켜 준 다음 벗어 놓았던 속바지로 대충 뒷정리를 했다. 다시 입을 수 없는 물건이 되었으므로 속바지는 구겨 바닥으로 던졌다. 그나마 속옷까진 버리지 않은 게 다행이었다. 치마의 폭이 넓고 커 들킬 걱정은 없을 듯했다.

아스티나는 드레스의 윗부분을 추슬러 여몄다. 땀으로 젖은 앞머리와 번진 화장만 빼면 전과 그리 다를 건 없어 보였다. 테리오드는 아스티나가 옷을 정돈한 것을 확인하고는 창문을 열어 환기를 시켰다. 더운 공기가 훅 빠져나가며 그제야 좀 시원해졌다. 그리고 이성도 함께 돌아왔다.

잠시 침묵하던 테리오드가 약간의 자괴감이 어린 목소리로 말했다.

"제가 마치…… 짐승 같군요."

욕정을 참지 못하고 마차 안에서 일을 벌이고 말다니. 심지어 그들은 신전에 기도를 드리러 가는 중이었다. 그토록 질색했던 짐승 취급을 받아도 할 말이 없다.

그를 들쑤셔 불씨를 지폈던 아스티나가 관자놀이를 문지르며 말했다.

"정말 둘 다 종교가 없길 망정이네요."

신전에 도착한 것은 그로부터 머지않은 때였다. 당연히도 정사의 흔적은 모두 말끔히 지워 낸 후였다. 테리오드와 아스티나는 성역에 걸맞은 금욕적인 얼굴을 하고 마차에서 내려섰다. 모르는 사람이 보면 오는 동안 있었던 일을 감히 짐작도 하지 못할 모습이었다.

미리 언질을 받은 신전 측에선 안내를 도울 사제를 미리 대기시켜 놓고 있었다. 호감형인 외모의 사제가 기다렸다는 듯 대공 부부에게로 다가섰다. 그가 친절함을 한껏 내비치며 인사했다.

"그대의 모든 선택에 언제나 카라벨라의 비호가 깃들기를. 카라벨라 신전에 방문해 주셔서 감사합니다."

"이리 나와 반겨 주시니 영광이군요."

"영광이라뇨, 당연한 일을요. 안으로 들어가시죠. 대신관님이 기다리고 계십니다.”

그가 통로를 향해 손을 뻗으며 말했다. 기도가 표면적인 방문 목적이긴 했으나 신전이 정말 기대하는 건 다른 것이었다. 자연한 결과로 아스티나와 테리오드는 기도실이 아닌 접견실로 먼저 안내받았다.

안쪽에선 지긋한 나이의 대신관이 대공 부부를 기다리고 있었다. 인사를 건넨 그가 대공 부부를 편한 자리로 안내했다. 대신관이 털털한 미소를 지으며 말했다.

“오는 길이 불편하진 않으셨나 모르겠습니다.”

“입구가 혼잡했는데 안내를 보내 주신 덕에 편하게 들어왔습니다. 예전에 방문했을 때보다 신전이 많이 북적이더군요.”

테리오드가 그리 대답하며 대신관의 손을 맞잡았다. 테리오드 역시 신전에 관심을 두지 않았던 귀족 중 하나였으나, 그는 자연스럽게 이전의 방문을 언급했다. 친밀한 태도에 대신관의 얼굴에 어렸던 긴장이 풀어졌다. 관심에 익숙하지 않았던 교단은 근래 다수의 귀족들을 상대하며 곤욕을 겪곤 했기 때문이다. 상대가 편하게 말문을 트여 주자 분위기가 한층 더 부드러워졌다. 안심한 대신관이 머쓱하단 듯 뒷목을 쓸었다.

“하하, 요즘 신도가 많이 늘어서 말입니다. 유례없는 호황이죠.”

“이제 와서라도 국교가 주목받게 되어 다행입니다.”

테리오드의 눈빛에선 신실함이 흘러넘쳤다. 아돌프의 앞에서 무교를 선언했던 것과 달리 부부는 자연스럽게 열렬한 신도를 연기했다. 지적할 것을 찾으려야 찾을 수 없는 응대에 아스티나는 내심 앞으로는 테리오드에게 아무런 지도가 필요 없으리라 생각했다.

이곳에서 그리 오랜 시간을 버리고 싶은 생각은 없었으므로 아스티나는 곧장 본론을 꺼냈다.

"앞으로도 신의 가르침을 위해 힘쓰실 수 있으시도록, 저희 가문에서 약소하지만 약간의 금전을 후원 드리고 싶습니다만."

돈 이야기에 대번에 사제의 얼굴에 반가운 기색이 스쳤다. 대공비가 마녀라는 의혹이 드높아진 와중에도 신전에선 성금을 거절할 생각이 없는 모양이었다. 이곳까지 오는 동안에도 몇몇 순박한 눈빛의 사제들이 지나가며 흘끔이긴 했으나, 그 역시 찰나의 일이었다. 적지 않은 금액으로 성의를 표시하자 안 그래도 친절한 응대를 보이던 대신관은 완전히 굽실거리는 지경에 이르렀다. 아무리 봐도 이상적인 성직자와는 영 거리가 있는 집단이었다.

대신관이 잠시 종이를 가지러 사라진 사이 테리오드가 아스티나의 귓가에 대고 속닥거렸다.

"신을 모시는 자들치고 속세의 물건에 지대한 관심이 있군요."

"워낙 가난했던 교단이라 그렇습니다. 아마 모르긴 몰라도 줄곧 예산 문제로 골을 썩여 왔을걸요. 아마 교황은 갑자기 부자가 된 기분일 겁니다. 졸부라는 게 문제지만."

아스티나의 혹독한 평가에 테리오드가 입을 꾹 다물고 웃음을 참았다. 눈앞의 부부가 자신의 상관을 욕보였다는 사실을 모르는 대신관은 만면에 친절함을 머금은 채 돌아왔다. 그가 종이 위에 이것저것을 적어 내리다 말고 퍼뜩 고개를 들었다. 대공비가 입을 가리고 옅은 하품을 하고 있는 모습을 목격했기 때문이다.

신전을 방문하는 건 가주들에게 있어 업무의 일환이었다. 새로이 등장한 강자를 견제하기 위해, 혹은 잘 보이기 위해. 저마다의 이유는 달랐지만 어찌 되었든 그들은 각자의 목적을 위해 부지런하게 신전의 문턱을 드나들었다.

아버지를 뒤따라온 영애들은 길어지는 이야기를 지루해하기 십상이었다. 대신관은 대공비의 나이가 고작 열아홉이라는 것을 상기하고는 입가에 미소를 떠올렸다. 손녀를 보는 기분이 들었던 탓이다.

"아이고, 재미없는 숫자 얘기에 심심하진 않으실지 모르겠습니다. 원하신다면 다른 사제를 불러 구경을 도와드리도록 하지요."

아스티나의 입가에 반가운 미소가 떠올랐다. 그녀가 선선히 대답했다.

"그럼 그렇게 할까요?"

"예, 그럼 안내를 부탁할 만한 아이가……."

"아니요. 다들 바쁘실 텐데 귀찮게 해 드릴 수는 없죠."

부드럽게 거절한 아스티나가 이어 테리오드의 어깨를 쓸었다.

"대공, 이야기를 마치고 기도실 쪽으로 오세요. 저는 저희의 행복한 결혼 생활을 위해 기도드리고 있겠어요."

아스티나가 그리 말하며 테리오드에게 뺨을 내밀었다. 테리오드는 그 위에 가볍게 입을 맞추고는 아쉬운 기색으로 아스티나의 손을 놓아주었다. 부부의 애정 행각에 대신관은 큼큼 헛기침을 내뱉었다.

아스티나는 들뜬 신부의 얼굴을 벗으며 방을 나왔다. 복도를 가로지르는 움직임엔 망설이는 기색이 없었다. 누군가의 안내 따윈 필요치 않았다. 이 신전의 설계를 지시한 게 바로 그녀였으니까.

아스티나는 기도실을 향해 부지런히 걸음을 옮겼다. 혼잡한 입구와 달리 평민들의 출입이 제한된 안쪽은 조용했다. 그러나 아스티나는 도중에 발을 멈춰 세우지 않을 수 없었다. 기억하고 있던 지리와 달라져서는 아니었다. 오히려 거의 잊고 있었던 과거의 모습을 발견한 탓이다.

아스티나는 벽면에 세워진 조각상을 올려다보다가는, 문득 입을 열었다.

"잘 만들었군."

색채와 온기가 없는 백색의 낯은 마치 거울을 보는 듯했다. 그대로 지나치려 했으나 뒤편에서 예상치 못한 설명이 끼어들었다.

"초대 황제인 마티나 여제입니다. 이 신전을 짓도록 지원한 게 황실이었기에, 교단 측에서 그녀의 헌정을 기념하고자 조각상을 세워 둔 것이지요."

아스티나는 목소리가 들려온 쪽으로 고개를 돌렸다. 뒤편엔 금발과 녹안을 가진 미남자가 서 있었다. 남자가 싱긋 미소 지으며 자신을 소개했다.

"안녕하세요, 수석 사제 데니스 조르단입니다."

지난번 테리오드와 외출했을 때 아탈렌타의 보고를 앗아 갔던 남자였다. 아스티나는 당연히도 그를 기억하고 있었다.

그가 뒷짐을 쥔 채 천천히 다가와 아스티나의 옆에 섰다. 그는 아스티나의 시선이 향한 방향으로 천천히 눈을 돌렸다. 그 끝엔 마티나 여제의 얼굴이 있었다. 그가 감탄하듯 말했다.

"대단한 미인이지요, 그렇지 않습니까?"

"글쎄요, 얼굴 말고도 할 이야기가 많으신 분이었던 것 같은데요."

아스티나가 따분한 기색으로 응대하자 데니스가 잠시 당황한 기색을 보였다. 그러나 그의 입가엔 곧 다시 친절한 미소가 걸렸다.

"물론 그렇지요. 말씀드렸듯 이 신전만 해도 그녀의 유산이니."

아스티나는 대답하지 않았다. 그녀의 반응을 기다리던 데니스가 이내 긴가민가한 표정을 지어 보이며 물었다.

"오늘 대신관님을 찾아오신 분이라면…… 혹시 대공비 전하이십니까?"

아스티나는 헛웃음을 입 안으로 삼켰다. 세상 굴러가는 일에 대단히 관심이 많은 듯한 저 남자가 대공비의 얼굴을 모를 리가 없었다. 굳이 우연한 만남을 가장하는 이유는 뭘까.

"알고 말을 거신 줄 알았는데요."

"몰랐습니다. 길을 잃으신 듯해 도와드리려 했던 것이라."

"안내는 되었습니다. 벨라체 생도들은 신전을 오갈 일이 많답니다. 기도실 위치 정도는 이미 외우고 있어요."

"그렇군요. 그럼 지루하시지 않게 재밌는 이야기라도 들려 드릴까요?"

데니스는 계속해서 살갑게 말을 붙여 왔다. 그가 아스티나가 구경하고 있던 조각상 쪽으로 시선을 돌리며 물었다.

"혹 마티나 여제가 레타 집시 출신이었다는 사실을 아십니까?"

여제 마티나의 드높은 무위조차 그저 역사로 남아 따분한 책 속으로 파고든 시대였다. 책 속의 줄글을 몇 읽어 본 자라면 익히 알고 있는 사실이겠으나 무지한 이들도 적지 않았다.

그러나 명문 벨라체 출신에게 던지기엔 무시에 가까운 질문이 아닌가. 아스티나가 어이없다는 듯 대답했다.

"모를 리가 없지요."

"그렇다면 레타 집시가 어떤 사람들이었는지도 아십니까?"

데니스가 연이어 질문했다. 공통적인 관심사로 공감이라도 이끌어 보려는 걸까. 아스티나는 무심한 음성으로 오래된 핍박의 단어를 말했다.

“아레타인들은 악마의 자식이라는 오래된 설화를 말씀하시는 건지요.”

“아시는군요.”

“아쉽게도 카라벨라에 대적할 타국은 이 대륙 내에 없어서요. 벨라체의 정치학과는 대개 과거의 것들을 가르친답니다.”

“말씀하신 대로 그 옛날, 아레타인들에겐 신비한 힘이 있었습니다. 대개 여인들에게만 이어지던 것이었으나, 드물게도 남성에게 발현된 때도 있었답니다. 뭐, 어쨌든 매우 드문 일이었으므로 아레타인들을 이끄는 지도자는 대개 여성들이었죠.”

아는 이야기는 별다른 감흥을 불러일으키지 못했다. 아스티나가 심드렁한 목소리로 되물었다.

“출신이 같은 마티나도 그러한 힘으로 권좌를 얻었으리란 말씀이신가요?”

“그럴 수도 있지요.”

“대단한 일이로군요.”

“흠, 아레타인들이 남성을 어떻게 배척해 왔는지 아신다면 아마 평가가 조금 달라지실 겁니다.”

“그건 지금의 카라벨라와 정확히 반대가 아니었을까요?”

다수의 부계 사회를 흡수하며 마티나가 어쩔 수 없이 포기해야 했던 것들이 있었다. 모든 사람들의 생각을 바꾸기엔 그녀는 오랜 전쟁으로 몹시 지쳐 있었고, 더 이상 무언가를 이루고 싶지도 않았다. 애초에 그녀의 근간이었던 레타 집시들은 소수였으며 그마저도 더는 남아 있지 않았다. 카라벨라는 대륙의 이름을 합쳤을 뿐, 어쩔 수 없이 대부분 이전과 비슷한 모습을 띠어야 했다.

아스티나의 지적에 데니스가 허를 찔린 표정을 지었다. 이점을 보는 성별인 만큼 데니스는 카라벨라의 가부장제 사회에서 큰 문제의식을 느껴 본 적이 없었다.

"뭐, 그렇게 말씀하시면 할 말은 없습니다만."

데니스가 선선히 인정하며 어깨를 으쓱였다. 그러고는 눈을 가늘게 뜨며 아스티나를 응시했다.

"어쨌든 악마의 딸이라는 여자만이 유일하게 오를 수 있었던 자리였다는 말씀입니다, 제위는."

"무슨 말씀을 하시는지 잘 모르겠군요."

"악마의 손은 생각보다 살결이 부드러운지도 모른다는 소리지요."

아스티나는 그제야 눈을 돌려 데니스를 응시했다. 데니스가 모든 것을 다 안다는 듯한 얼굴로 미소 지었다.

"하지만 귓가를 감싸는 소리가 달콤하다고, 그게 악마의 속삭임이 아니게 되는 건 아니랍니다."

아스티나는 그가 마티나를 통해 대유하고자 하는 존재가 누구인지 어렵지 않게 알아챘다. 바로 이시스를 말하는 것이다. 데니스는 지금 황녀와 대공비에게 남모를 연결이 있는지 살피고 있었다.

아스티나는 천천히 그의 얼굴을 위에서부터 아래로 내려다보았다. 데니스는 자만 어린 표정을 하고 있었으나, 내내 제자리에 있는 입꼬리에선 긴장이 읽혔다. 그는 정말 무언가를 알고 있어서 이런 질문을 꺼낸 게 아니었다. 이건 혹시 모를 위험을 미연에 감지하기 위한 탐지였다. 그렇다면 가지고 있는 패를 전부 드러내 보일 필요는 없다.

아스티나는 그저 고개를 갸웃여 보였다.

"사제님께서 무엇을 말씀하고자 하시는지 요지를 잘 모르겠군요. 마티나 여제가 악마의 딸이라면, 그녀와 손을 잡아 이득을 본 자는 또 누구라는 말씀이십니까?"

데니스의 눈빛에 약간의 경멸이 스쳤다. 이런 대유도 알아차리지 못하는 여자에게 너무 고난도의 화법을 썼나 싶었던 탓이다.

"제가 말씀드린 건 여제가 아닌……."

그가 좀 더 직접적인 방향으로 말을 정정하기 위해 입을 열었을 때였다. 아스티나가 선명한 음성으로 먼저 그를 가로막았다.

"그녀에게 제위를 물려받은 엘시어 폐하일까요? 혹은…… 그녀의 지원을 받아 이 신전을 세운 카라벨라 교단?"

자신의 소속이 언급되자 데니스의 얼굴에 당황이 떠올랐다. 아스티나는 불쾌한 낯을 숨기지 않으며 픽 웃음을 터트렸다.

"어느 쪽이든 상당히 위험한 발언임은 다르지 않군요."

데니스는 황급히 제가 꺼낸 말을 주워 담기 시작했다.

"대공비 전하, 제가 말씀드린 건 마티나 여제에 관한 이야기가 아닙니다."

"그렇다면 누굴 이야기하신 것인지요?"

"……."

낭패였다. 데니스는 쉽사리 대답하지 못했다. 여기서 이시스와 연줄이 있느냐 대놓고 대공비를 다그칠 수는 없었다. 얼간이가 아니고서야 곧이 사실을 고해바칠 자는 없을 테니까.

적당히 이 정도 비유를 하면 상대 쪽에서 먼저 당황한 티를 낼 줄 알았는데, 곤경에 처한 건 오히려 자신이 되었다. 반면 아스티나는 여유로웠다. 그녀는 감탄하듯 턱을 쓸며 눈앞의 조각상을 올려다 보았다.

"악마의 딸을 조각한 상을 놓아 기념한 신전이라, 재밌군요."

그녀는 그대로 눈을 굴려 데니스를 빤히 응시했다.

"신성모독을 행한 사제를 목도한 제가 어떻게 해야 할까요? 이대로 대신관님께 돌아가 말씀드릴 수도 있고, 혹은 황제 폐하께 아뢰어 그분의 선조를 욕보인 그대를 질책하게 할 수도 있겠어요."

아스티나가 눈을 가늘게 뜨고는 이어 물었다.

"재밌나요?"

"예?"

"아까 제게 재밌는 이야기를 들려준다고 하셨지 않습니까. 이런 처분을 받아도 좋을 만큼 방금의 말이 재밌었냐고 물었어요."

데니스는 결국 작전을 바꾸기로 했다. 그는 정말 그럴 의도가 없었다는 것마냥 화들짝 놀란 표정을 지어 보였다.

"이런, 어디까지나 비유였답니다. 혹 불쾌하셨다면 사과드리지요. 맹세코 누군가를 욕보일 생각은 없었습니다. 그저 마티나 여제의 출신에 관한 비화를 들려 드린 것뿐이랍니다."

그러나 아스티나는 날카로운 눈빛을 풀지 않았다. 그녀가 매우 유감이라는 듯 검지로 턱밑을 가볍게 쓸고는 말했다.

"데니스 사제님, 말을 하실 때 반드시 거쳐야 하는 기관이 어딘지 아십니까?"

데니스가 질문의 요지를 파악하지 못하겠다는 듯 얼떨떨한 표정을 지었다. 그러면서도 그의 시선은 무의식적으로 아스티나의 입술을 향해 있었다. 혀를 잘 놀리라 경고라도 하는 것인가?

그러나 아스티나는 손가락을 들어 제 관자놀이를 건드렸다.

"머리입니다. 사제님, 말씀을 하실 땐 부디 생각이란 걸 하세요. 신학 공부를 오래 했으니 당연히 유식하실 텐데, 제가 그만 이곳의 교육 수준을 오해하게 되지 않습니까?"

데니스는 자존심이 상한다는 표정으로 고개를 수그렸다. 책을 잡힌 입장에서 사죄 외에 더 할 수 있는 일이 없었다.

"유의…… 하도록 하지요."

"소란을 벌일 생각은 없으니 오늘은 이것으로 넘어가겠습니다."

"실례를 저지르게 되어 면목이 없습니다."

"말뿐인 사과는 이만 되었습니다. 이만 가 보셔도 좋아요. 기도실까지 따라오실 필요는 없으니."

아스티나는 한심하단 듯 그를 흘기며 고개를 돌렸다. 그의 기분을 상하게 하기 위해 연기한 조롱이었고, 데니스의 얼굴은 순식간에 붉어졌다. 데니스는 불만을 드러내어 일을 그르치는 대신 깊이 고개를 숙여 보였다. 더 책을 잡고 싶었던 아스티나로서는 몹시 아쉬운 일이었다.

데니스 역시도 그녀를 그냥 보내 줄 생각은 없었다. 다만 그는 좀 더 안전한 방법을 택하기로 마음먹었다.

"한데 대공비 전하…… 목소리가 왠지 귀에 익은데, 혹시 저와 전에도 만난 적이 있으십니까?"

데니스는 회심의 일격을 꺼내 들었다. 대공비를 짓누를 증거는 다름 아닌 그의 손아귀에 있었다. 그러나 아스티나는 당황하지 않고 매끄럽게 응대했다.

"글쎄요, 잘 기억나진 않지만 오가며 한번 마주쳤을 수도 있겠지요."

그에 데니스가 눈썹을 치켜세웠다.

"혹 신전에 뭔가를 찾으시러 오신 것은 아니고요?"

그가 앗아 간 도자기를 말하는 것이었다. 아스티나는 웬 생뚱맞은 소리를 하느냐는 듯 불쾌히 인상을 썼다.

"아닙니다만."

아스티나는 그대로 먼저 발길을 돌렸다. 빠르게 멀어지는 걸음에선 냉랭함이 묻어났다. 데니스는 그녀의 구두 소리가 사라지고 나서야 고개를 들었다. 그의 얼굴은 험악하게 일그러져 있었다. 데니스가 입술을 짓씹으며 중얼거렸다.

"저 개 같은 년이……."

아니다. 보기에 고깝기는 했으나 결과적으로는 데니스가 의도한 대로였다. 데니스는 애써 숨을 진정시키며 여유 있는 미소를 지었다. 이 의혹을 부정함으로써 그녀는 사들인 물건의 용도를 의심받아도 이상하지 않게 되었다.

제 목을 죈 줄도 모르고 떠나가는 대공비를 보며 데니스는 주먹을 틀어쥐었다. 기류는 자신의 편에 있었다. 그리고 그는 오늘의 모욕을 그냥 넘길 생각이 없었다. 이전에 프리모의 명으로만 대공비를 음해하려고 했었다면, 이제는 그의 진심도 함께 담겼다.

그가 저주처럼 읊조렸다.

"황녀를 암살한 죄로 유폐되고도 그리 자신만만할 수 있을지 어디 한번 두고 보지."

✣ ✣ ✣

"나디아 님, 오늘 정말 아름다우세요."

"어머, 오늘만 그걸 몇 번째 말하는 거니? 듣고 있는 내가 다 부끄럽구나."

시녀의 칭찬에 나디아는 부끄럽다는 듯 미소 지었다. 그러나 시녀의 말은 전혀 거짓이 아니었다. 본래 예쁜 생김새이긴 했으나, 오늘의 그녀는 평소보다 더 아름다운 외양이었다. 오늘 참석하는 자리가 자리이니만큼 공을 들여 꾸민 덕분이었다.

오늘은 프리모가 후계자로 공표될 기념비적인 날이었다. 본래 프리모가 후계자로 지목받기로 한 게 수확제 무도회의 첫날이었던 걸 생각하면 상당히 늦은 시점이었다.

본래 후계자의 잔을 넘겨주며 모두에게 발표하는 것이 전통이었으나, 황제는 이번만은 수여식과 공표하는 날을 분리했다. 교황이 후계자의 잔을 전달한 바로 다음에 황제가 프리모를 황태자로 인정하는 것은 모양새가 이상했기 때문이다. 교황의 축사 바로 뒤에 황제가 오른다는 것은, 마치 카라벨라 교단이 우위에 있다는 듯 비칠 여지가 있었다.

덕분에 시일이 늦어지긴 했지만, 후계자가 바뀔 일은 없었으므로 나디아는 여유를 가질 수 있었다. 돌고 돌긴 했어도 모든 것이 다 잘 풀려 가고 있지 않은가?

"황녀님께서도 좋아하실까?"

"물론요, 그분은 항상 나디아 님을 예뻐하시잖아요."

그 대답이 못 미더웠는지 나디아는 시녀에게 손거울을 빌려 제 얼굴을 한번 점검했다. 본식이 시작될 시간은 한참 후였지만 나디아는 이시스 황녀의 부름으로 이르게 입궁한 참이었다. 이시스 황녀와의 대면은 언제나 그녀를 긴장하게 만드는 구석이 있었다.

나디아는 앞으로도 계속 만날 이시스와 잘 지내고 싶은 마음이 컸다. 이시스 황녀는 프리모의 하나뿐인 동복 누이인 데다, 프리모의 좋은 정치적 동반자이기도 했기 때문이다.

'이시스 황녀님 앞에선 항상 행동을 조심하렴. 네가 프리모 전하의 결혼 상대로 점찍어진 것도 다 황녀님께서 너를 눈여겨봐 주셔서야. 항상 감사한 마음으로 공손히, 알겠니?'

나디아의 어머니가 누누이 당부하는 말이었다. 실제로 나디아의 어머니는 사위가 될 프리모보다는 이시스에게 더 공을 들이곤 했다. 아벨라르 백작가의 세가 모자란 것은 아니었으나, 황제의 정비 자리를 꿰차기엔 다소 아쉬운 신분인 것도 사실이었다. 지도자가 외척의 세력을 축소시키기기 위해 부러 한미한 가문의 영애와 혼인하기도 하나, 이번은 그런 경우도 아니었다. 나디아의 행운은 지금의 정치적 상황과 기묘하게 맞물려 이루어진 것이었다.

현황제인 에셀레드 폰 피델리오의 위로는 총 두 명의 황제가 있었다.

남부 출신이었던 엘시어 폰 피델리오는 여러 여자와 혼인했으나, 세력을 고루 등용하기 위해 정비로는 북부 출신을 들였다. 하지만 에델린 황후에게서 얻은 아들은 모두 어릴 때 사망했다. 그로 득을 본 건 후비인 카테리나 황비였다. 서부 출신이었던 카테리나 황비는 아들을 출산하며 단번에 후궁전의 실세로 떠올랐다. 에델린 황후는 더 아들을 낳지 못했고, 결국 장자였던 카테리나 황비의 아들이 후계자 자리에 올랐다. 그것이 두 번째 황제인 루제오 폰 피델리오다.

피델리오 2세는 서부 출신인 어머니의 청을 들어 그녀의 고향 세력을 등용했다. 그는 후계자 시절 일찍이 어머니가 점찍어 준 여인을 정비로 삼기까지 했다. 하지만 피델리오 2세가 즉위하기 직전, 카테리나 황비는 태황후 자리를 노리고 에델린 황후를 암살하려 하다가 실패하며 축출되었다.

당연히도 루제오는 어미의 죄를 모르쇠로 일관했다. 행적이 영 미심쩍긴 했으나 어디까지나 심증에 불과했다. 다른 마땅한 후계가 없었으므로 다행히 루제오는 권좌를 보존할 수 있었다. 그러나 그의 세력은 에델린 태황후의 눈치를 봐야 할 만큼 축소되었다.

이후 에델린 태황후는 루제오의 혼약까지 참견하며 북부 출신의 클로에를 후궁전으로 밀어 넣었다. 피델리오 2세는 태황후의 압력으로 합방을 피할 수 없었고, 이후 클로에 황비가 아들을 낳음으로써 이번엔 전대와 반대의 상황에 놓였다.

그 클로에 황비의 아들이 바로 에셀레드 폰 피델리오, 즉 현황제였다.

에셀레드는 적자가 아니었으므로 정비 소생의 황자와 대단한 접전을 거쳐야 했다. 그는 북부 세력의 도움으로 계승권을 주장할 수 있는 형제들을 모두 죽이고 힘겹게 황위에 오르는 데 성공했다. 이사벨 황후는 그 도움의 일등 공신인 제스퍼레오가 출신으로, 그녀와의 혼약은 정치적 조약의 결과였다.

나디아가 속한 아벨라르 백작가는 바로 그 제스퍼레오가의 친척 가문이었다. 혈연으로 이어진 긴밀한 유대는 지난 몇십여 년간 삐걱이지 않고 지속돼 왔다. 황후의 친척에 황제의 군마라는 깊은 인연이 겹쳐져 아벨라르 백작가는 차기 황후를 배출하는 행운을 얻을 수 있었다. 프리모의 책사 격인 황녀가 강력히 밀어붙여 이루어진 혼사이니, 나디아에게 있어 이시스는 평생의 은사라고 봐도 좋았다.

나디아는 자신에게 닥친 이 기막힌 신분 상승의 기회를 놓칠 생각이 없었다. 그녀는 그다지 야망 있는 사람은 아니었으나 물욕과 명예욕은 다른 궤에 있었다.

이 나라에서 가장 높은 여자가 될 수 있다는데 그 누가 혹하지 않으랴?

나디아도 프리모의 방탕한 사생활을 모르진 않았다. 하지만 나디아의 어머니는 철 모를 시절 잠깐 스쳤다 지나가는 바람기 정도는 감수해야 하며, 혼인과 동시에 자연히 사라질 것이라 말했다. 그러고는 여자가 잘하면 남자가 밖으로 나돌지 않는다는 당부를 덧붙였다.

나디아는 자신이 이성에게 나쁜 대접을 받을 만큼 모자란 여자는 아니라고 생각했다. 지금은 아카데미에서 학업을 이수하느라 프리모와 오랜 시간을 같이 보내진 못하지만, 정식으로 식을 올리기만 하면 충분히 사랑받을 자신이 있었다. 그녀는 자신의 마음에 타인이 반드시 같은 보답을 돌려줄 것이라 생각할 정도로는 아직 순진했다.

나디아는 긴장한 얼굴로 문을 열고 들어갔다. 황녀는 언제나처럼 친절한 미소를 띤 채 그녀를 기다리고 있었다. 나디아의 얼굴에 자연스럽게 화답의 미소가 떠올랐다.

이시스는 나디아에게 있어 동경의 대상이기도 했다. 차기 황후로 예정되며 나디아 역시 혹독한 교육을 거쳤지만, 이시스 황녀 앞에만 서면 작아지는 기분이 드는 건 어쩔 수 없었다. 아름다운 외양에 교양 있는 말씨, 명석한 두뇌까지. 타고난 기품이란 것은 바로 황녀를 두고 말하는 게 아닐까.

찻잔을 든 이시스의 손끝을 멍하니 응시하던 나디아는 뒤늦게 정신을 차렸다. 이시스가 그녀에게 무어라 말을 건네고 있었기 때문이다.

"예?"

무의식적인 반문 후, 곧장 나디아의 얼굴이 희게 질렸다. 대화에 집중하지 않고 있었다는 티를 내다니. 그야말로 실례 중의 실례였다. 나디아가 송구스럽단 표정으로 고개를 숙였다.

"죄송합니다. 황녀님, 제가 그만 말씀을 놓쳤어요."

보통의 영애라면 드러내지 않을 실수였다. 기실 나디아는 중책을 맡기엔 지나치게 마음이 여린 편이었다. 그러나 이시스는 나디아를 질책하는 대신 다정하게 얼렀다.

"아니야. 내 이른 부름 탓에 잠을 방해받아 그런 것 아니겠나? 오히려 내가 미안하군."

가식만으로 지어낸 배려는 아니었다. 이시스가 나디아에게 품고 있는 감정은 놀랍게도 호감에 가까웠다. 이시스는 속을 알 수 없는 사람을 그다지 좋아하지 않았다. 이시스만큼 본심을 잘 숨기고 있는 자도 또 없으니 이는 어쩌면 동족 혐오인지도 모른다. 그리고 나디아의 의중은 그야말로 투명했다.

나디아가 만일 황실의 일원으로 들어온다고 해도 과연 제대로 버틸 수나 있을까. 지난번 벨리타가 했던 예언처럼, 이시스가 주선한 혼담은 나디아의 인생을 끔찍하게 만들 뿐일 것이다. 새 신부는 신혼 첫날부터 신랑의 애정을 포기해야 할 테니 말이었다.

"내 오라비이지만 그분은 그다지 안살림엔 관심이 없는 분일세. 지금은 내가 내궁 살림을 도맡고 있지만 황태자비가 된 후엔 그대가 넘겨받아야 할 거야. 그 외에도 여러 일들을 그대가 보필해 주어야 하지. 오라버니가 놓치는 게 있다면, 그대가 챙겨야 한다는 말일세. 아마 무척이나 고될 거야."

그리 말하며 이시스는 미세하게 미간을 찌푸렸다.

관자놀이를 짚은 자세에선 옅은 피로감이 묻어났다. 나디아는 이시스의 그러한 태도가 오라비의 혼사에 묘한 기분이 들었기 때문일 것이라 지레짐작했다. 나디아는 용기를 내어 건너편 자리에서 일어섰다. 그러고는 이시스의 옆으로 가 앉았다. 이시스는 얼떨떨한 눈으로 제 양손을 부둥켜 잡는 나디아를 응시했다.

"괜찮습니다, 황녀님. 전 누구보다 열심히 할 자신이 있어요. 그리고…… 너무 외로워 마세요."

"외롭다니?"

이시스의 의아한 물음에 나디아가 다 이해한다는 듯 고개를 여러 번 끄덕였다.

"하나뿐인 오라버니의 혼사가 머지않았으니 감회가 남다르시리라 생각해요. 부디 황녀님의 형제가 어디 멀리 떠나는 게 아니라, 그냥 여동생이 하나 더 생기는 것이라 여겨 주세요. 제가 앞으로 자매처럼 더 자주 찾아뵙겠습니다."

나디아가 살갑게 말을 붙였다. 이시스는 그제야 나디아의 뜻을 이해하고는 눈을 동그랗게 떴다.

"자매라?"

"물론, 저를 정말 가족같이 대하긴 힘드시리라 생각해요. 하지만 황녀님께서 프리모 전하의 힘이 되어 주셨듯이, 저도 황녀님께 보탬이 되어 드리고 싶어요. 지금 제게 별다른 힘이 있는 건 아니지만……."

말끝을 흐리며 나디아가 얼굴을 붉혔다.

참으로 동화 속 착한 공주님 같은 마음씨다. 그러고 보니 아벨라르 백작가는 가족들 사이가 몹시 화목한 편이었다. 특히 나디아의 오라비는 나이 차가 많이 나는 여동생을 끔찍이 아껴 거의 업어 기른 수준이라고 했다. 여러모로 프리모와는 전혀 접점이 없었다. 이시스는 그만 고개를 뒤로 젖히며 파안하고 말았다.

세상에, 프리모와의 형제애라니! 고작 그런 것을 걱정해 주고 있었단 말인가?

그러나 이시스는 세상 물정 모르는 아가씨의 동심을 비웃는 대신 가만히 고개를 끄덕였다.

"흠, 자매라……. 그건 내가 아주 오래 잊고 있었던 말이군."

이시스의 말에 나디아는 자연히 황좌를 노리다가 축출된 다른 황녀들을 떠올렸다. 그들은 이시스에게 있어 같은 피가 흐른다는 사실 이상의 의미를 가지지 못했을 것이다. 모두 어미가 다르니 그마저도 반쪽에 그쳤을 테고 말이었다.

나디아가 머쓱하게 손을 거둘 때였다. 이시스가 손을 뻗어 그녀의 손목을 붙잡았다. 황녀의 손아귀 힘은 생각보다 거셌다. 자국이 남을 듯했지만, 나디아는 그것을 쳐 내는 대신 당황한 얼굴로 고개를 들었다.

어느새 이시스는 나디아와 한 뼘 정도의 간격을 사이에 두고 있었다. 나디아는 이시스의 눈빛이 평소보다 차게 식어 있다고 생각했다.

이시스가 은밀한 음성으로 속삭였다.

"나디아 영애, 그거 아나? 사실 나에겐 어릴 적에 죽은 여동생이 하나 있네."

"예? 정말이요?"

이사벨 황후에게 다른 손이 더 있었단 말인가. 미처 들어 본 적 없는 이야기에 나디아가 눈을 동그랗게 떴다. 이시스는 더 간격을 좁혀 나디아의 얼굴을 들여다보았다. 진득히 자신을 훑는 날 선 눈빛에 나디아는 산 채로 해체되는 느낌을 받았다.

"그래. 그러고 보면 꼭 그대와 닮았어. 어리고 순수하고, 약한 데다…… 무엇보다도 정이 많았지."

"저는…… 처음 듣는 이야기인데요."

"그래, 오래전에 죽은 동생이거든. 그때만 해도 이 황궁에 아이가 어찌나 많았는지! 그 애는 누군가에게 언급될 만한 존재감도 없었지."

나디아는 자신도 모르게 손가락을 움츠려 주먹을 쥐었다. 나디아가 홀린 듯이 물었다.

"그분은 어쩌다 어린 나이에……."

"글쎄, 그건 나도 잘 모르겠어. 그 애가 왜 죽었을까? 그건 정말이지 의미 없는 죽음이었어서, 지금 와 생각해 보면 허탈하기까지 하군."

이시스의 입가에 삐뚜름한 미소가 떠올랐다. 이시스가 속삭이듯 말을 이었다.

"모른다는 것은, 힘이 없다는 것은 그런 걸세. 내 목숨이 오직 타인에게만 쥐여져 있다는 것! 어느 순간 도살당해도 본인은 그 의미도, 이유도 알 수가 없는 게지."

"무슨 말씀이신지 잘…… 이해가 안 가요."

이시스는 나디아를 놓아주었다. 나디아는 그제야 멈췄던 숨을 들이켰다. 이시스는 방금 전과 상반되는 말끔한 태도로 말을 맺었다.

"지금 그대는 아마 그것이 대체 어떤 기분인지 체감할 수 없을 거라네. 그러니 그대는 무슨 일이든 아랫사람보다 한 번 더 생각해 보아야 해. 지배자의 작은 결정도 피지배자에게는 큰 영향을 끼치는 법이지. 그래서 권좌란 충분히 자격을 갖춘 자만이 가지는 것이 맞아."

이시스의 눈에 처음의 다정함이 담겼다. 이시스가 상냥한 음성으로 말을 이었다.

"그대가 현명한 선택을 내린다면, 나 역시 그대와 아주 좋은 사이로 남을 수 있을 것 같아. 그래, 마치 자매처럼 말일세."

"제가…… 도움이 될 일이 있을까요?"

현명한 선택이란 말에 나디아가 기민하게 되물었다. 이시스는 매력적인 눈웃음을 띠우며 화답했다.

"혹 그대는 대공비가 마녀라는 소식을 들었나?"

"그건 질 나쁜 헛소문이 아니었나요? 사교계에 매력적인 새 인사가 등장하면 언제나 구설수에 휘말리곤 했으니까요."

"나도 처음엔 그렇게 생각했네. 한데 대공비와 대화할수록 기분이 묘해. 무언가 자꾸 잊게 되는 듯도…… 만남을 가진 날엔 더 피곤해지는 듯도 하고 말이야."

이시스의 말에 나디아의 표정도 따라 심각해졌다. 이시스가 곤란하다는 듯 제 이마를 문지르며 말했다.

"나도 이것이 단순한 기분 탓에 불과했으면 좋겠군. 하지만 뭐든지 조심해서 나쁠 것은 없지, 안 그런가?"

"물론이지요."

"아직 심증에 불과한지라 본격적인 행동에 나서기가 쉽지 않네. 하여 꺼내는 말인데, 혹시 그대가 대공비의 동태를 대신 살펴 줄 수 있겠나?"

"대공비의 동태요?"

"그래. 오늘은 오라버니가 황태자위에 오르는 영광스러운 날이 아니던가? 드디어 고지에 다다랐는데, 혹여 무슨 일이라도 벌어질까 심히 마음이 불안하군. 그대가 내 심려를 조금 덜어 줬으면 좋겠어."

그대의 부군이 될 오라버니를 위해서 말이야. 이시스가 은근한 음성으로 덧붙였다.

나디아의 얼굴에 결연한 표정이 떠올랐다. 그녀가 거세게 고개를 끄덕이며 대답했다.

"예, 그리하겠습니다. 황녀님께 이렇게라도 도움을 드릴 수 있게 되어 다행이에요."

"저런, 굳은 어깨 좀 풀게. 그대는 내 오라비와 결혼할 예정이니, 곧 내 가족이기도 하지 않은가?"

나디아의 낯에 안심이 더해졌다. 대공비가 괴이한 존재라 하니 괜한 긴장이 되었던 것도 사실인데, 저리 다정한 황녀가 제게 위험한 일을 시켰을 것 같지도 않았다. 실제로 이시스가 부탁한 건 대공비를 지켜보는 일밖에 없었다. 그쯤이야 얼마든지 해 줄 수 있는 것 아닌가?

"그래, 그럼 이만 황후 폐하께 인사드리러 가도록 하게. 혹 나를 만나러 왔다는 말은 하지 말고. 어머니께선 그대가 본인보다 나를 더 찾는 것 같으시다며 곧잘 삐지시거든. 내가 점수를 딸 기회를 주는 게야."

"예, 황녀님."

이시스의 농담에 나디아가 풋 웃음을 터트렸다. 나디아는 자리에서 일어서 문가로 나아갔다. 그러다가는 문득 걸음을 멈춰 세웠다. 뒤늦은 궁금증이 고개를 든 탓이다. 나디아가 고개를 돌리며 이시스에게 물었다.

"저, 황녀님. 혹시 그 여동생분의 성함이 어떻게 되시는지—"

"아, 그것?"

이시스가 대수롭지 않게 되묻더니, 이어 매끄러운 웃음과 함께 짧게 대꾸했다.

"거짓말이었네."

"예? 거짓말이요?"

"나디아 영애, 분위기에 휩쓸려 속아 넘어가지 않게 앞으로 더 훈련해 두게. 그리고 다음에 다시 만날 때까지 황실의 가계도 정도는 전부 외워 두는 편이 좋겠지?"

이시스가 그리 말하며 찻잔을 내려놓았다. 나디아는 한참 입을 벙긋이다가는 울상을 지으며 밖으로 나왔다. 밖엔 여러 시녀들이

기다리고 있었지만, 나디아는 체통을 지킬 정신도 없었다. 그녀는 문을 나서자마자 벽에 등을 기댔다. 졸아붙은 간은 좀처럼 원래의 크기로 돌아오지 않았다.

나디아가 가슴 위로 두 손을 올린 채 깊은 한숨을 내쉬었다.

"이래서 긴장된다니까……."

✣ ✣ ✣

시간은 순리대로 흘러 프리모가 기대했던 일들을 그의 앞으로 성큼 가져다 놓았다. 진척되는 계획마냥, 초대한 인물들 역시 차근차근 회장으로 들어서고 있었다. 대륙의 차기 패자를 선포하는 자리였으므로 연회의 규모는 대단히 성대했다. 고르고 고른 중요한 이들만 초대했음에도 그 수가 적지 않았다.

모든 것이 순조로웠기에 몰려드는 인파에도 프리모는 진심 어린 미소를 지어 보일 수 있었다. 그 옆엔 이시스도 함께였다. 혼자 힘으로 오른 자리가 아니니만큼 그동안의 지지자들에게 충분한 성의 표시를 해야 했다.

방문객 중엔 아직 셀렌 영지로 돌아가지 않은 벨리타도 포함되어 있었다. 그녀의 등장은 몹시 이례적이었다. 프리모의 세력으로 규합되지 않은 황손 중에서는 참석한 이가 없었기에 순간 시선이 모여들었다.

하기야 황실 가족들의 불참이 자의에 의했다고 보기는 어려웠다.

불구가 되거나 감금되었거나, 수도원에 갇혔거나, 혹은 이미 죽었거나. 가장 온건한 게 벨리타처럼 팔려 가듯 먼 지방의 귀족과 혼인을 한 경우였다. 모두는 벨리타가 프리모의 앞길을 어떻게 저주할지 관심을 모았다. 그러나 벨리타는 그들의 기대를 배신하고 이시스를 본체만체 지나쳤다. 재밌는 싸움 구경을 놓쳤다며 귀족들은 평온한 낯 밑으로 아쉬움을 삼켰다.

정작 분란이 벌어진 건 다른 곳에서였다. 아탈렌타 대공 부부가 등장한 것이다. 대공비가 마녀라는 소문이 돌며 사교계에서도 '설마' 하는 의혹이 불거진 시점이었다. 대공비는 그 의심이 사실이라도 되는 것처럼 몸을 사리듯 외출 횟수를 현저히 줄였다. 뒤늦게 대공 부부가 신전을 찾아 치성을 드렸다는 이야기도 들려왔지만, 그것만으로 소문을 불식시키기는 역부족이었다. 순간 장내가 술렁였다.

팽팽히 당겨졌던 신경줄을 누군가 끊었다. 장내에 벨리타의 낭랑한 목소리가 울려 퍼진 것이다.

"어머……. 불길해라."

"벨리타 황녀님!"

뒤에 선 시녀가 깜짝 놀라 벨리타를 채근했다. 주변 사람들의 얼굴이 전부 사색이 되어 있었지만 벨리타는 아랑곳하지 않았다. 벨리타가 부채로 바람을 일으키며 말했다.

"이 기쁜 자리에 굳이 참석하는 건 무슨 의도인지 모르겠군. 본인도 세간에 도는 소문을 모르지 않을 텐데 말이야."

우스운 지적이었다. 설령 대공비가 정말 마녀라고 해도 벨리타는 그녀를 비난할 만한 입장이 아니었다. 벨리타는 프리모에게 불확실한 저주가 아닌 확실한 살수를 보냈던 여자였으니까.

대놓고 준 면박에 체면을 구기고 그냥 넘어갈 수는 없다. 아스티나의 옆에 서 있던 테리오드가 눈빛을 달리하며 벨리타를 응시했다.

"무례하시군요, 셀렌 자작 부인."

테리오드의 응대에 벨리타가 얼굴을 붉혔다. 비록 남편이 자작위에 있다고는 하나 그녀는 황녀였다. 한데 대공은 부러 존대를 생략하고 현재의 신분만을 입에 담은 것이다. 아무리 대공이라고 해도, 벨리타가 아직 황실에 머물렀던 때라면 그녀를 이런 식으로 취급하진 못했으리라.

벨리타는 더 이상 그녀를 비호해 줄 황가의 연줄이 존재하지 않다는 사실을 뼈저리게 느꼈다. 벨리타의 어머니는 아들을 잃은 후 황후에 의해 별궁에 처박힌 지 오래였다. 황제도 황자를 잃은 후비에겐 별다른 관심을 두지 않았다. 하물며 이미 지참금을 내준 딸이야 더 말할 것도 없다.

벨리타의 시선이 순간적으로 이시스를 향했다. 벨리타의 눈빛엔 온갖 질시와 증오, 그리고 승자를 향한 미세한 패배감이 어려 있었다.

그러나 벨리타는 곧 아무렇지 않은 척 표정을 가다듬었다. 셀렌 자작은 황녀 출신의 부인을 맞이하기에 신분만 미비할 뿐, 금전적인 부분에선 전혀 모자람이 없었다. 그의 영지엔 커다란 광산이 포함되어 있었고 그중 과반수는 다이아몬드가 채굴되는 곳이었다. 벨리타는 그게 이시스의 마지막 체면치레였을 것이라 짐작했다. 벨리타를 어느 곳 하나 잘난 부분이 없는 남자에게 시집보냈다면 피도 눈물도 없다며 여론의 질타를 받았을 테니까.

벨리타는 사근한 목소리로 단어 마디마디에 칼날을 세웠다.

"어머, 대공 전하. 무례라니요. 본인의 축하를 정말 축하로 받아들일 수 없을 주최자를 이해하신다면 알아서 참석을 피해 주는 것이 예의일 터……. 그간 두문불출하시던 대공비께서 굳이 이 자리를 찾으신 의도를, 전 도무지 좋게 받아들일 수가 없네요."

금방이라도 싸움이 벌어질 태세에 모두가 숨을 죽였다. 그러나 생각 외의 거물이 등장인물로 나선 것과는 달리, 마무리는 의외로 싱거웠다. 이 연회의 주인 격인 프리모가 나서서 분위기를 정돈한 것이다.

"벨리타, 그게 대체 무슨 말이냐. 기쁜 자리에서 못 하는 소리가 없구나. 소란을 벌이고 싶지 않으니 그만 자리에 앉아라."

프리모가 점잖게 이복 누이를 타일렀다. 벨리타는 마지못해 프리모의 명을 따랐다. 프리모는 성큼 테리오드의 앞으로 다가가 친근히 악수를 청했다.

"내 대신 누이의 무례를 사과하오. 셀렌 자작이 바빠 함께 참석하지 못했다 하니 아무래도 그것 때문에 심술이 난 모양이야."

"……전하께서 황태자위에 오르시는 기쁜 날이니, 전하를 보아 이번은 그냥 넘어가도록 하지요. 제국의 새로운 태양이 되신 걸 미리 축하드립니다."

테리오드가 마지못한 얼굴로 프리모의 손을 맞잡았다. 불쾌함을 그대로 전시한 태도였지만 프리모는 사람 좋게 웃어 보일 뿐이었다.

대공이 팔불출이라는 소문은 모두가 익히 알고 있는 바였으나, 그녀를 비호하기 위해 프리모 앞에서까지 불편한 심기를 드러낼 줄은 몰랐다. 쉽게 물어뜯을 수 없는 상대임이 밝혀지자 대공비를 향한 호기심 어린 시선이 언제 그랬냐는 듯 자취를 감췄다.

모두가 자리에 착석하고 본격적으로 연회가 시작되었다. 후계자의 잔은 이미 물려주었기에 이 자리는 형식적인 의미밖에 없었다. 따라서 본식의 길이는 비교적 짧았다. 우선 황제가 프리모를 단상 앞에 세운 뒤 짧은 의식을 치렀다. 그간 프리모의 수족이 되었던 이들은 새 후계자의 이름을 연호하며 흥분한 기색을 드러냈다.

그다음부터는 성대한 술판이 벌어졌다. 준비한 음식과 술을 먹고 마시며 자연히 분위기가 점점 들떴다. 맛있는 음식은 혀를 즐겁게 했고 달콤한 포도주에 물든 뺨은 혈색 좋게 반짝였다.

"전하, 멋들어진 건배사를 한번 해 주시는 것은 어떻습니까."

프리모의 옆에 있던 귀족 하나가 건배를 권했다. 프리모는 아첨을 경멸하는 듯하면서도 정작 티 나지 않게 칭찬하면 무척이나 좋아했기 때문이다. 그러나 의외로 프리모는 냉큼 그 기회를 받아들이지 않았다. 그는 대신 이시스에게 자리에서 일어설 것을 종용했다.

"이시스, 오늘의 이 기쁜 자리는 네 덕에 열릴 수 있었다고 말해도 틀리지 않다. 네가 물심양면으로 도운 덕분이니 내 너를 치하하지 않을 수 없구나. 축사를 네게 양보할 테니 나를 위해 행운의 말을 기도해 주렴."

중책에 앉고 나니 철모르던 아들도 드디어 정신을 차린 걸까. 황제의 얼굴에 자연히 흐뭇한 미소가 떠올랐다. 그가 같이 나서 이시스를 채근했다.

"그래, 이시스. 네 오라비가 저리 바라는데 이 기특한 청을 무시할 셈이냐? 얼른 일어나 보려무나."

아버지까지 나서자 황녀도 겸양의 말만 꺼내고 있을 수는 없었다. 결국 이시스는 수줍은 표정으로 일어나 축배를 들었다.

"그럼 부끄럽지만 제가 먼저 잔을 들지요. 제국의 역사에 길이 남을 새로운 황제를 위해 이 술을 바치겠습니다."

사건은 순식간에 벌어졌다. 모두가 새로운 후계자의 이름을 연호했고, 흥분의 정점에서 이시스가 단번에 잔을 들이켰다.

그리고 그와 동시에 황녀의 몸이 힘없이 허물어졌다.

좌중의 눈이 커졌다. 너무도 비현실적인 상황이었기에 그 누구도 무슨 일이 벌어진 것인지 곧바로 이해하지 못했다. 믿을 수 없는 사건에 이것이 질 나쁜 상황극이라고 생각하기라도 하는 모양새였다. 그러나 그들의 기대와 달리 이시스의 몸이 경련하며 입가에선 붉은 선혈이 흘러나왔다.

가장 먼저 정신을 차린 건 프리모였다. 프리모는 그대로 상 위를 뛰어올라 여동생에게 건너갔다. 접시 깨지는 소리와 함께 귀부인들의 비명이 천장을 두들겼다. 프리모가 이시스의 몸을 끌어안으며 그녀의 뺨을 두드렸다.

"이시스! 이시스!"

황녀의 낯빛은 창백했다. 한참 이시스의 어깨를 흔들던 프리모가 핏줄이 터진 눈을 들었다.

"독이다! 누가 내 누이의 잔에 독을 탔어!"

주변은 온통 소란스러웠다. 나디아는 벌벌 떨리는 몸을 진정시키며 황급히 프리모의 옆으로 다가갔다. 황녀의 얼굴을 자세히 본 순간 나디아는 제 입가를 감싸지 않을 수 없었다. 이시스의 뺨엔 핏기 하나 존재하지 않았다. 나디아는 반사적으로 이시스의 옆에 앉아 있던 대공비를 돌아보았다. 바로 옆에서 사람이 쓰러졌는데도 대공비가 내비친 건 약간의 놀람뿐이었다.

잘 맞춰진 각본이라도 되는 것처럼, 때맞춰 다른 누군가가 끼어들었다. 내내 몸을 부들부들 떨고 있던 시종 하나가 털썩 무릎을 꿇은 것이다. 그가 눈을 질끈 감으며 소리쳤다.

"대공비 전하의 짓입니다!"

싸늘한 정적이 온 회장을 휘감았다. 조심스럽게 이시스를 내려놓은 프리모가 흉흉한 얼굴로 시종에게 다가갔다. 프리모는 덥석 시종의 멱살을 잡아 올리며 으르렁거렸다.

"그게 무슨 말이냐."

"대, 대…… 대공비 전하가 이시스 황녀님의 잔에 혼란을 틈타 무언가를 집어넣는 것을 보았습니다."

프리모의 무서운 기세에 시종은 제대로 눈을 뜨지도 못했다. 프리모가 재차 그를 겁박했다.

"그런 수상한 짓을 보았는데 왜 미리 말하지 않았지? 무슨 의도로 함부로 거짓을 나불거리는 게냐!"

"저, 정말입니다. 워낙 찰나의 일이었던지라, 억측일지도 몰라 차마 미처 말하지 못했습니다……."

그리 답한 시종이 결국 엉엉 울음을 터트렸다. 프리모는 사납게 그의 멱살을 놓았다. 이번에 그가 다가선 것은 대공비 쪽이었다. 프리모가 흉흉한 눈으로 물었다.

"정말이오?"

아스티나는 당황하지도 않고 대꾸했다.

"날조입니다."

"그렇다면 그대가 이시스의 잔에 수상한 것을 넣었다는 저 증언은 또 무엇이오?"

프리모가 지지 않고 맞받아쳤다. 이러한 상황에서는 누구든 당황하기 마련이거늘, 대공비의 태연한 태도는 범인의 것이라 보기 어려웠다. 아스티나는 논리적으로 의심을 격파했다.

"제가 왜 모두가 보는 앞에서 전하를 독살하려 하겠습니까? 그럴 계획이 있었다면 제 손을 더럽히는 대신 아랫것들을 시켰겠지요."

"설마 누가 황제와 함께하는 만찬에서 황녀를 시해하려 하겠느냐? 틈새를 잘 노렸지만 애석하게도 그만 들키고 말았구나."

프리모가 코웃음을 치며 아스티나를 쏘아보았다. 그는 이미 대공비가 범인임을 확신한다는 듯한 태도였다.

"이시스의 궁은 내가 비호하고 있어 경비가 삼엄하지. 식사 전에은 식기로 독이 들어 있는지 확인하니 약을 쓴 것은 필히 같은 테이블에 앉아 있는 자일 것이다."

프리모의 추측은 그럴듯했으나 경비대원들은 좀체 앞으로 나서지 못했다. 발 빠르게 뒤로 저만치 물러선 귀족들 역시 마찬가지였다. 그도 그럴 것이 대공비가 어디 보통 신분이던가? 대공의 병력으로 과거의 명성에 이런저런 흡집이 난 상태라고는 하나 그래도 아탈렌타였다. 아직 대공비가 진범이라고 판명 나지도 않은 상황에서 그녀를 함부로 매도할 수는 없었다. 시종 하나의 말만 믿고 아탈렌타와 척을 지기엔 그들은 잃을 것이 많았다.

미적지근한 반응에 프리모는 내심 짜증을 누르며 주변을 둘러보았다. 역시 미비한 신분을 가진 자의 증언으로 대귀족을 억류하기는 역부족이었나. 나중에 데니스가 신의 뜻을 들어 여론을 조작하기로 예정되어 있긴 했으나, 프리모는 좀 더 확실한 한 방을 원했다.

이럴 때 이시스가 있었더라면 좀 더 쉽게 좌중을 휘어잡을 수 있었을 것을. 프리모의 눈가에 약간의 아쉬움이 스쳤다. 그러나 도움이 되어 줄 이시스는 이미 독을 먹고 쓰러진 상태이니 이제 와 후회해도 의미는 없었다.

다행히도 프리모는 이내 좋은 먹잇감을 찾아낼 수 있었다. 연신 이시스의 등을 두드려 주고 있던 나디아를 발견한 것이다. 프리모는 반색하며 나디아에게로 시선을 고정했다. 나디아는 분위기에 휩쓸리기 쉬운 여자였다. 그녀를 건드리면 원하는 답이 나올 듯도 했다.

프리모는 나디아에게로 성큼 다가가 그녀의 팔을 쥐고 흔들었다. 넋을 빼고 있던 나디아의 눈동자에 그제야 초점이 돌아왔다.

"나디아 영애는 보지 못했소?"

"예? 전……."

"똑똑히 말하시오! 그대가 이시스의 옆에 앉아 있지 않았소! 내 누이를 죽이려 한 대공비의 행각을 보았느냐 이 말이오!"

나디아는 혼란에 빠졌다. 빨리 이시스를 추슬러야 할 것 같은데 궁의는 아직도 도착하지 않고 있었다. 이 역시 프리모가 궁의의 거처와 먼 연회장을 선택하는 수를 쓴 덕분이었다.

뼈가 비치도록 마른 이시스의 등은, 정말이지 해골마냥 차가웠다. 그 서늘한 감각에 나디아는 손을 잘게 떨었다. 물이라도 억지로 넘기게 하여 마신 술을 토해 내게 해야 하는 것 아닌가? 아니, 그 전에 시해범을 붙잡는 것이 먼저인가? 만일 저 시종이 대공비에게 누명을 씌우는 것이라면? 아니면 정말 대공비의 행각이 맞을까?

온갖 생각의 소용돌이가 나디아를 좀먹었다. 나디아가 마지막으로 떠올린 건 피살된 당사자, 즉 이시스와의 마지막 대화였다.

'그래. 오늘은 오라버니가 황태자위에 오르는 영광스러운 날이 아니던가? 드디어 고지에 다다랐는데, 혹여 무슨 일이라도 벌어질까 심히 마음이 불안하군. 그대가 내 심려를 조금 덜어 줬으면 좋겠어.'

하필 이시스 황녀에게 대공비가 수상하다는 이야기를 듣자마자 이런 사건이 벌어지다니, 어떻게 봐도 이상하지 않은가?

대공비가 정말 마녀라면, 이시스가 자신을 의심하고 있다는 사실을 이미 인지했을는지도 모른다. 나디아는 허리께부터 소름이 돋아나는 것을 느꼈다. 이미 다른 증인은 확보된 상태다. 시종이 목숨을 걸고 밝힌 진실이었다. 황녀의 죽음과 더불어 그의 용기까지 헛되게 할 수는 없었다.

나디아는 눈을 질끈 감았다. 그녀의 결연한 외침이 회장 안에 울려 퍼졌다.

"예, 저도 보, 보았습니다!"

증인이 둘로 늘어나자 좌중이 술렁였다. 누가 사주했을지도 모를 시종이 아닌, 엄연한 백작가의 영애가 한 발언이었다. 다르게 받아들여질 수밖에 없었다. 게다가 나디아와 프리모 황자의 혼담을 주선한 게 바로 이시스가 아니던가?

프리모와 나디아는 이시스와 한 몸에 가까운 인물들이라 말해도 큰 어폐가 없었다. 그런 그들이 황녀의 죽음에 있어 거짓을 날조할 리는 없다. 날카로운 시선들이 동시에 아스티나의 등을, 뺨을, 눈을 찔렀다.

그러나 아스티나는 태연히 이렇게 반문했다.

"그렇다면 확인해 보지요. 분명, 나디아 영애께서는 제가 황녀님의 잔에 무엇을 넣었는지 보았다고 말씀하셨지요?"

나디아는 입술을 깨문 채 고개만 끄덕였다. 아스티나의 눈이 가늘어졌다.

"영애, 그렇다면 제가 어떤 색의 약물을 집어넣었는지 기억하십니까?"

순간 나디아는 숨을 들이켰다. 그녀는 몸을 벌벌 떨며 구원자를 찾는 것처럼 황급히 프리모를 돌아보았다.

"그건……."

"고체였습니까, 액체였습니까? 아니면 가루로 되어 있었는지요."

나디아의 뺨이 이시스의 것마냥 창백해졌다. 아스티나가 고요히 재차 물었다.

"어떤 색이었습니까?"

나디아는 대답하지 못했다. 아스티나는 눈만 굴려 무릎을 꿇은 시종을 돌아보았다.

"그래, 그대는 어떠한가, 그대도 나디아 영애와 같은 것을 보았을 테니, 필히 나에게 같은 답을 들려줄 테지?"

"저, 전 멀리 있어 그, 그런 것까진 보지 못했……."

그때 대공이 앞으로 나섰다. 테리오드는 아스티나를 비호하듯 그녀의 어깨를 끌어안았다. 테리오드의 호통이 온 연회장을 울렸다.

"무언가를 넣는 것은 보았는데 그게 무엇인지는 알지 못한다니. 이게 말이나 되는 소리인가!"

테리오드의 씹어 먹을 듯한 시선에 시종이 고개를 조아렸다. 테리오드는 고개를 돌려 이번엔 나디아를 쏘아보았다.

"나디아 영애, 그대의 발언에 책임질 수 있소?"

"예?"

"황녀를 시해하려 한 것은 분명 중죄요. 영애의 오판으로 누군가가 끔찍한 죄를 뒤집어쓸 수도 있다는 뜻이오. 다시 한번 묻지. 영애는 지금 그대가 휘두른 혀의 무게를 책임질 수 있소?"

나디아는 치맛자락을 말아 쥐었다. 온실 속에서 평탄하게만 자라온 그녀에게 이 사건은 감당하기 힘든 크기였다. 황녀는 피를 토하며 쓰러진 데다, 그 범인으로 의심되는 자의 응대도 만만치 않았다. 나디아는 할 수만 있다면 시간을 연회 직전으로 되돌리고 싶었다. 그렇다면 이시스의 잔을 미리 빼돌려 그녀를 구할 수 있을 텐데.

나디아의 눈가에서 커다란 눈물방울이 떨어지기 직전, 프리모가 앞을 막아섰다.

"모든 것이 다 들통난 후인데도 세치 혀가 길구나! 코앞도 아니고, 거리가 떨어져 있는데 어찌 형태까지 살필 수 있었겠나? 이상한 걸 물고 늘어지는군!"

프리모는 누이를 잃은 오라비의 비통함을 썩 그럴듯하게 연기해냈다. 그가 일그러뜨린 얼굴을 감싸며 소리쳤다.

"마녀라는 소문에도 그대들을 믿어 이 기쁜 자리까지 초대했거늘, 그 신의에 대한 보답이 바로 내 누이의 죽음인가?!"

프리모는 누이에 이어 제 약혼자까지 겁박한 파렴치한들을 무섭게 노려보았다. 그러고는 나디아를 품에 가두어 그녀의 불안한 얼굴을 감췄다. 프리모가 나디아의 뺨을 감싸며 다정히 물었다.

"괜찮소, 나디아? 두려워할 것 없소. 내가 악독한 여자에게서 그대를 지킬 테니."

그의 흉흉한 시선이 경비대원을 스쳤다. 프리모가 팔을 휘두르며 악을 쓰듯 소리쳤다.

"뭣들 하느냐, 대공비를 연행하라!"

주춤대던 경비대원들이 결국 아스티나에게로 다가섰다. 증인이 둘이나 나온 마당이니 조사를 피해 갈 수는 없었다. 그들은 좀처럼 움직이지 않는 아스티나를 우악스럽게 잡아끌었다. 대공이 대공비의 팔을 비튼 경비대원을 폭행한 것을 끝으로, 연회는 처참하게 마무리되었다.

대공비가 잡혀 들어간 후, 기다린 것마냥 무서운 사실들이 잇따라 밝혀졌다. 범죄자를 잡아낸 일로 일약 유명세를 탔던 데니스 사제는 대공비가 황가를 저주하는 물건들을 사들였다는 정황을 밝혔다. 그러고는 어두운 기운이 아탈렌타 저택을 감싸고 있다는 둥의 열변을 토해 냈다. 썩 그럴듯한 날조는 아니었으나 그건 대중에겐 아무래도 상관없는 일이었다.

대공비가 황녀의 암살을 시도했다니!

사람들은 눈앞에서 벌어진 사건에 주목했다. 프리모는 암살 시도에 대한 소문을 부러 자극적으로 부풀려 퍼트렸고, 대공비가 마녀라는 사실은 거의 기정사실화되었다. 대공비가 아카데미에서 보였던 우수한 성적마저도 헐뜯는 자들에겐 흠으로 비쳤다.

검을 잘 쓴다는 사실도, 타인을 휘어잡는 유창한 말솜씨도, 심지어는 어릴 때 내보인 천재적인 기질까지 모두 아스티나가 마녀라는 증거가 되었다. 수도의 선술집만 지나쳐도 그 안에서 흘러나오는 대공비에 대한 온갖 유언비어들을 얻어들을 수 있었다. 개중 과격한 자들은 대공비를 끌어내어 참수시키라며 시위를 벌이기도 했다.

대공은 이곳저곳을 쏘다니며 탄원서를 모았지만 딱히 효과는 없어 보였다. 아탈렌타의 인장이 박힌 편지가 여러 차례 황실로 날아든 끝에, 결국 대공비는 차디찬 돌벽으로 된 감옥이 아닌 일반적인 손님방에 억류될 수 있었다. 완전한 해결은 아니었지만 황실 일원을 해치려 한 자에 대한 취급치고는 몹시 자비로웠다. 물론 대중들은 돈과 권력이 좋긴 좋다며 냉소적인 반응만을 내놓았다. 그러나 이시스가 끝내 정신을 차리지 못했다면 아무리 대공이라도 아내의 편안한 잠자리나 논할 수는 없었을 것이다.

다행히도 사건으로부터 닷새가 지난 후, 이시스 황녀는 제정신을 찾았다. 그야말로 하늘이 도운 천운이었다. 나디아가 계속해서 등을 두드려 주어 술 대부분을 토해 낸 덕분에 치사량을 넘기지 않을 수 있었다고 한다. 오래 섭식을 하지 못한 탓에 몸이 약해져 병상을 떠나진 못했지만 목숨을 보전한 것만도 기적이었다. 이시스 황녀가 마신 것은 맹독 중의 맹독으로, 그것을 마시고 살아난 자는 거의 존재하지 않는다고 봐도 무방했기 때문이다.

이시스 황녀는 범인을 알지 못했기에 그녀가 깨어났음에도 수사에 별다른 진척은 없었다. 나디아는 충격을 핑계로 몸이 약해졌다며 저택에 처박혀 외출하지 않았다. 결국 그들을 대신해 대공비가 마녀라는 주장을 내내 설파하던 데니스가 참고인 신분으로 황궁에 발을 들였다. 대공비가 마녀라는, 다소 형이상적인 주장이 얽혀 있었으므로 신전의 입김도 무시할 수 없었던 탓이다.

데니스는 콧대 높은 대공비를 짓밟아 줄 생각에 몹시 설레 있었다. 이시스의 생존이라는 변수가 마음에 걸리긴 했으나, 데니스는 그럭저럭 흡족한 기분을 유지할 수 있었다. 이시스야 후에 독을 먹은 후유증으로 외병을 하다 죽었다는 식으로 처리하면 되는 문제였다.

과연 삼엄한 경비를 여러 번 지나쳐 마주한 대공비는 전보다 초췌한 외양을 하고 있었다. 잠을 재우지 않았다거나 식사를 내주지 않은 건 아니었지만, 자유를 빼앗겼다는 사실만으로도 귀부인에겐 감당하기 힘든 일이었으리라.

데니스는 의자에 앉으며 친절한 미소를 입가에 머금었다.

"안녕하십니까, 대공비 전하. 오랜만에 다시 뵙는군요. 그간 잘 지내셨습니까?"

아스티나가 다리를 꼬며 무심히 응대했다.

"그럭저럭은요. 사제님께서는 묻지 않아도 꽤 잘 지내신 것 같군요. 뺨에 살이 좀 오르신 것도 같고……."

난데없이 체중 증가를 지적당한 데니스가 황당한 표정을 지었다. 하마터면 취조를 당할 것은 자신 쪽이라 그만 착각할 뻔했다.

그러나 지금 약자의 입장에 있는 건 어디까지나 대공비였다. 데니스는 노골적으로 비웃음을 입가에 머금었다.

"허, 참으로 마음 씀씀이가 깊으시군요. 그보다는 다른 걸 걱정해야 할 상황이신 듯한데 말입니다."

그가 불쾌한 낯으로 종이와 잉크, 그리고 펜을 꺼내 들었다. 데니스는 상단에 날짜를 적어 내린 후 가볍게 펜대를 돌렸다. 그가 마찬가지로 여상한 음성을 내어 물었다.

"대공과 혼인을 한 기일이 정확히 어떻게 되십니까?"

아스티나는 대답하지 않았다. 데니스는 눈을 들어 그런 아스티나를 한참 지그시 응시했다. 침묵이 지속되자 그는 어깨를 한번 으쓱이더니, 이어 다음 문항을 질문했다.

"대공 전하께서 병환을 딛고 일어서신 시기는 어떻습니까? 대공비께서 아탈렌타 영지로 내려가시기 전에 차도의 조짐은 있었는지요."

이번에도 아스티나에게선 대답이 돌아오지 않았다. 데니스는 자백하지 않으면 가중 처벌이 될 것이라 으름장을 놓았지만, 기실 침묵이야말로 가장 똑똑한 대응이 맞았다. 어차피 어떻게 대답하든 듣는 이의 입맛에 맞춰 제멋대로 해석될 문답이었다. 지금껏 아무 문제도 없었던 아스티나의 일생이 한순간에 악인의 태를 뒤집어쓴 것처럼 말이었다.

데니스가 겁을 주듯 늘어놓은 불이익과 몇 가지 처벌에 아스티나의 미간 사이가 좁혀졌다. 마침내 아스티나가 실소를 터트렸다. 아스티나는 양팔을 팔짱 끼고는, 그대로 데니스에게 경멸의 눈빛을 쏘아 보냈다.

"미련한 것……."

대공비의 목소리에서 느껴지는 선연한 멸시의 어조에 데니스는 입만 벙긋였다. 어이가 없어 말도 잘 나오지 않았다. 데니스가 황당하다는 양 되물었다.

"지금 저한테 하신 말입니까?"

겁에 질린 꼴을 좀 구경하러 왔더니, 대공비의 행동은 되레 그의 기분만 상하게 하고 있었다. 이해할 수 없는 당당한 태도에 혹 무언가 숨겨 둔 패라도 있나 의심이 샘솟을 지경이었다.

그러나 그것은 말도 안 되는 추측이었다. 대공비가 손을 쓸 것이 있었다면 이곳에 갇히기 이전에 행했어야 했다. 그녀의 앞날에 기다리고 있는 건 마녀재판과 평생 벗어날 수 없는 오명뿐이었다. 남편인 대공조차도 아내를 빼내지 못하고 있는 상황에 아직도 정신을 못 차리다니. 고이 자라 온 레이디가 마찬가지로 고결한 집안에 시집을 가더니, 이젠 천지 분간도 못하는 지경에 이른 게 틀림없었다. 지금 이 상황에서조차 제가 우위에 있는 줄 알고 건방진 태도를 유지하고 있지 않은가? 데니스는 그만 광소를 터트렸다.

"세상에, 당신의 꼴을 좀 보세요! 진짜 미련한 사람이 누구랍니까?"

이어 그가 아스티나의 눈앞에 대고 삿대질을 했다. 대공비가 누명을 쓰기 전에는 감히 취하지도 못했을 무엄한 행동이었다.

"분명 당신이 바깥에 있을 땐 그런 태도를 보여도 되었겠지만, 대공비 전하. 간언컨대 제가 그대의 인생을 쥐고 흔들 질문을 하고 있다는 사실을 잊지 마세요."

"그것은 신전의 의지인가?"

아스티나는 그나마 두르고 있던 존중의 태마저도 벗어던졌다. 날카로운 질문에 데니스가 느긋한 표정으로 대답했다.

"불신자들을 교화시키는 것은 분명 신의 종이 할 일이지요."

"불신자들을 교화시키기보다는 불태우는 쪽이 교회의 주특기가 아니었나?"

"교화할 수 없을 만큼 악에 물든 이들도 있으니, 그도 어쩔 수 없는 처벌이랍니다."

"그대는 신을 믿지 않는군. 머리가 나빠 신학을 이해하지 못한 게 아니라, 그저 이해할 생각도 없었던 거야."

아스티나는 자연스럽게 손을 뻗어 데니스의 앞에 놓인 종이를 집어 들었다. 갑작스러운 행동에 데니스도 그녀를 막지 못했다. 종이 위엔 그가 대공비와의 면담을 위해 적어 온 질문들이 쓰여 있었다. 그야말로 하나같이 의도가 분명히 읽히는 항목들이었다. 지금껏 존재했던 기현상들에, 아스티나와 조금이라도 접점이 있다면 곧바로 엮을 준비가 되어 있었다. 아스티나는 그것을 세로로 길게 찢어 내렸다. 반쪽으로 갈라진 종이를 미련 없이 놓으며, 그녀가 사근한 음성을 자아내어 말했다.

"신의 뜻을 거짓으로 지어내는 이를 어디 신자라 말할 수 있겠는가? 그대의 신은 카라벨라가 아닌 그대 자신이겠구나, 제 뜻을 신의 뜻이라 속여 내어 모두를 기만하고 있으니."

정곡을 찔린 데니스가 얼굴을 붉혔다. 그가 노한 목소리로 소리쳤다.

"지금 이게 대체 무슨 짓입니까? 이 일을 신전이 가만히 좌시하고만 있을 줄 안다면—"

"그대에게 신전을 입에 담을 자격이 있나? 그대는 사제가 아니야. 그렇다고 정치인도 아니지."

아스티나는 상체를 숙여 데니스에게 얼굴을 가까이 가져갔다. 그러고는 그의 탁한 녹빛 눈동자를 들여다보았다. 아스티나가 속삭이듯 물었다.

"제 그릇의 크기도 모르는 남자야, 그대는 지금 본인이 어떻게 보이는지 아는가? 그야말로 추악한 악마의 모습이라네."

아스티나는 다시 몸을 뒤로 물려 태연히 제자리에 앉았다. 데니스는 입술을 깨물며 눈을 감았다. 이어 느리게 숨을 한번 들이켜는 것으로 그는 평온을 가장할 준비를 마쳤다. 이윽고 그의 입가에 멀끔한 미소가 떠올랐다. 상대가 궁지에 몰리고도 제 처지를 아직 자각하지 못하고 있으니, 이번에도 다음을 기약해야 할 모양이었다.

"제대로 된 대답이 돌아올 것 같지 않으니, 저는 이만 일어서겠습니다."

데니스가 자리에서 몸을 일으키며 말했다. 그러나 몸을 돌리기 전, 그는 대공비에게 섬뜩한 음성으로 경고하는 것을 잊지 않았다.

"이틀 후 있을 재판에서도 어디 계속 그 건방진 입을 놀릴 수 있을지, 무척이나 기대하고 있는 바입니다."

"내 반드시 아쉽지 않게 보답하지."

아스티나가 낭랑하게 대꾸했다. 결국 성을 이기지 못한 데니스가 거칠게 문을 닫으며 밖으로 나갔다. 아스티나는 데니스가 손도 대지 않은 찻물을 물끄러미 응시했다. 적당히 식은 잔은 한 번에 들이켜기 딱 좋은 온도였다.

잠시 후, 방문객이 떠난 것을 확인한 시녀가 슬며시 방으로 돌아왔다. 시녀의 손엔 쪽지 하나가 들려 있었다. 시녀가 조심스럽게 손을 뻗어 그것을 아스티나에게 건네었다.

"대공비 전하. 이것을……."

"대공께서 보낸 것인가?"

시녀가 고개를 저으며 옅게 미소 지었다.

"아닙니다."

아스티나는 무심히 그것을 받아 들었다. 종이를 펴 내용을 확인한 아스티나의 눈에 곧 이채가 감돌았다.

✣ ✣ ✣

나디아는 아침이 밝자마자 이시스 황녀를 알현하기 위해 급히 황궁으로 마차를 달렸다. 안정을 취해야 한다며 내내 면회 신청을 거절하던 궁의가 마침내 방문을 허락한 덕분이었다. 주인의 체통을 걱정한 시녀의 비명에도 아랑곳 않고 복도를 달린 나디아가, 마찬가지로 쏟아지듯 이시스의 방문을 열고 들어섰다.

안쪽에선 이시스가 침대 위에 앉은 채 나디아를 기다리고 있었다. 다소 파리한 안색이기는 했지만 환자치고 상태가 양호했다. 나디아의 눈에 눈물이 고였다. 나디아가 반색하며 소리쳤다.

"황녀님!"

"많이 걱정했나?"

이시스의 다정한 물음에 나디아가 울컥한 듯 호흡을 눌렀다. 나디아는 빠른 걸음으로 다가가 이시스의 침대맡에 앉았다. 평생에 걸쳐 몸에 익힌 예의범절은 생각나지도 않았다. 나디아는 덥석 이시스의 두 손을 잡고는 그 위로 눈물을 떨구었다.

"얼마나 걱정했는지 몰라요. 세상에……. 이렇게 무사히 눈을 뜨셔서, 얼마나, 얼마나 다행인지……."

나디아는 말을 채 다 잇지도 못한 채 흐느꼈다. 핏기 하나 없던 이시스의 얼굴이 아직도 기억에 선연했다. 천천히 식어 가던 온기와 주변에 흥건했던 피까지도. 황녀가 살아나 이리 대화를 나눌 수 있게 된 게 마치 꿈만 같았다.

"여린 그대가 적잖이 마음고생을 했겠다 싶어."

"흑…… 흐흑, 아닙니다. 다시 황녀님을 뵐 수 있다니 어찌나 꿈 같은지……."

이시스는 손을 뻗어 나디아의 눈가를 닦아 주었다. 손끝에 묻은 나디아의 눈물을 들여다보던 이시스가, 무언가 석연치 않다는 듯 말을 꺼냈다.

"한데 영애, 대체 회장에서 무슨 일이 있었던 건가? 난 잘 기억이 나질 않아. 그저 잔을 들이켰을 뿐인데 속이 쓰려 와……. 정신을 차려 보니 다들 대공비가 내 잔에 독을 탔다고 말하더군."

"예……?"

나디아가 떨리는 음성으로 되물었다. 계속 보지 않은 것을 보았다고 말할 용기도, 그렇다고 사실을 고백할 용기도 없어 나디아는 내내 저택에 틀어박혀 지냈다. 한데 피해를 입은 이시스가 직접 범인에 대해 물어 온 것이다. 나디아는 저도 모르게 손가락을 움츠렸다. 이 상황을 대체 어떻게 설명해야 할까.

"그래, 나디아 영애가 증인이라고 하였지. 대공비가 범인이라는 말이 진실인가? 정말 대공비가 내 잔에 독을……."

이시스가 마침 생각났다는 듯 나디아를 보며 말했다. 그러나 이시스가 질문을 채 끝맺기도 전, 내내 불안한 얼굴을 하고 있던 나디아는 그대로 왈칵 울음을 터트렸다. 나디아는 이시스의 무릎에 얼굴을 묻은 채 알아듣기도 힘든 불분명한 음성을 쏟아 냈다.

"흐흑……. 황녀님. 제가 대체 어떻게 해야 할까요."

"아니, 영애. 왜 그러나?"

이시스에게서 의아한 물음이 돌아왔다. 나디아는 이야기를 꺼내기 전 잠시 숨을 골랐다. 황녀가 자신을 거짓말쟁이라고 매도할까 걱정스럽긴 했으나, 나디아로서도 할 말이 없진 않았다. 그도 그럴 것이 전부 황녀를 위해 행했던 일이 아닌가? 대공비를 감시해 달라 부탁했던 것은 이시스이니, 그녀에게만은 사실을 말할 수 있었다. 영리한 황녀라면 자신이 앞으로 어떻게 해야 할지 해결책도 내어 줄 것이다.

나디아가 울먹이며 입을 열었다.

"사실 전 아무것도 보지 못했습니다. 프리모 전하께서 호통치며 윽박지르시니 경황이 없었던 데다, 황녀님께서 대공비를 의심하셨던 게 생각나서 그만……."

이시스가 나디아의 말을 듣다 말고 그만하란 듯 손을 내밀었다. 온화했던 황녀의 표정은 어느새 심각하게 굳어 있었다. 생각지 못한 반응에 나디아가 당황하여 입을 다물었다. 이시스가 믿을 수 없다는 듯 나디아에게 되물었다.

"설마 모두에게 거짓을 고하였다 이 말인가?"

나디아의 목에서 딸꾹질이 터져 나왔다. 나디아가 불규칙적으로 달싹이는 입을 틀어막으며 대꾸했다.

"예? 예……."

"그대는 아무것도 보지 못했고?"

황녀의 태도는 분명 방금과는 확연히 달랐다. 처음 보는 날카로운 눈빛은 낯설게 느껴지기까지 했다. 언제나 이시스의 친절한 모습만을 보아 왔던 나디아는 적잖은 충격을 받았다. 혹시 자신이 거짓을 고하였다는 말에 실망한 것인가.

나디아는 황급히 제 잘못에 정당성을 부여했다.

"시종이, 시종의 증언이 이미 존재하지 않습니까? 그가 보았다고 하니 아마 사실이 맞을 것입니다."

그러나 이시스는 머리가 아프다는 듯 관자놀이만 문질렀다. 나디아가 이시스의 눈치를 보며 조심스럽게 물었다.

"혹시 제게……. 실망하셨습니까?"

그 와중에도 황녀의 환심이 달아날 것만 염려하는 가련한 여인을 보며, 이시스는 어이없다는 듯 헛웃음을 터트렸다. 나디아는 이시스가 절레절레 고개를 흔드는 모습을 불안한 눈으로 좇았다. 이시스는 깊이 한숨을 내쉬더니, 이내 나디아를 타이르듯 말했다.

"허……. 나디아 영애. 이건 그런 문제가 아닐세. 나와는 전혀 상관이 없는 일이지. 왜 내가 대공비의 동태를 살피는 데만 그치고 별다른 수를 쓰지 못했겠는가? 다 아탈렌타의 이름 때문이 아니겠는가? 그들은 섣불리 들쑤실 수 없는 상대란 말일세."

이시스에 말에 나디아는 겁에 질렸다. 그제야 자신이 무슨 짓을 저지른 것인지 자각한 것이다. 만일 대공비가 범인이 아니라면 어떤 보복이 돌아올지 감히 상상도 할 수 없었다. 대공이 얼마나 대공비를 아끼는지는 나디아도 직접 확인한 바가 아니던가?

나디아는 대공비의 팔을 함부로 잡았다는 이유로 대공의 분노를 맞닥뜨렸던 경비대원을 기억했다. 그녀 자신을 노려보던 형형한 눈빛 역시 선명히 떠올릴 수 있었다.

대공은 나디아를 똑바로 응시하며 이렇게 말했다.

'나디아 영애, 그대의 발언에 책임질 수 있소?'

만일 나디아가 그녀의 주장을 책임질 수 없다면, 대공은 과연 어떤 행동을 취할 것인가?

나디아가 다급히 이시스의 옷깃을 붙들었다.

"하, 하면 전 이제 어떡하지요? 이제 와 모르는 일이라고 할 수도 없지 않습니까?"

이시스는 그런 나디아를 진정시키듯 등을 쓸어 주었다.

"분명 그대에게 재판에 증인으로 참석하라는 요청이 왔을 테지?"

"예? 예, 연락이 오기는 하였는데……."

"오라버니 때문에 영애가 아탈렌타와 맞설 필요는 없네. 정말 대공비의 행각이 맞다면 재판에서 밝혀질 것이니, 영애는 아프다는 핑계를 들어 재판에 불참하도록 해."

"그, 그래도 될까요?"

나디아로서는 반가운 제안이었지만 여전히 약간의 불안감이 마음속에 있었다. 나디아도 재판에 불참하는 게 흠 잡힐 일이라는 사실쯤은 알고 있었다. 그에 뒤따를 프리모의 분노 역시 걱정되기는 마찬가지였다. 그러나 더 두려운 것은 거짓말이 밝혀졌을 때의 후환이었다. 아탈렌타의 원한은 단순히 몇 마디 비난을 듣는 것만으로 끝날 무게가 아니었으니까. 이시스 역시 그 점을 지적했다.

"만에 하나라도 대공비가 범인이 아니라면, 그대는 오라버니와의 결혼은커녕 변방으로 내쫓겨 평생을 괴롭게 보내게 될 거야. 영애도 그걸 원하지는 않을 것 아닌가?"

"하지만 황녀님께서는 대공비 전하를 의심하고 계셨던 것 아니세요? 시종의 말에 의하면 정말 대공비가 범인일 수도……."

"나디아 영애, 대공비가 설령 진짜 범인이라고 해도 그대가 거짓을 말했다는 사실이 달라지진 않지 않는가?"

나디아는 무어라 반박하기 위해 입을 열었지만, 이시스가 그녀를 다그치는 게 먼저였다.

"생각해 보게. 그대는 그 시종과 만나지도 않은 상태에서 입을 맞출 수나 있겠어? 대공비가 언제쯤 독을 넣었는지 설명할 수는 있겠나?"

나디아는 결국 입을 다물었다. 두 증인의 진술이 엇갈린다면 불참보다 더 끔찍할 결과를 낳을 것이다. 시종이 한 발언의 진위마저도 의심받을 테니 말이었다.

이시스가 나디아를 타이르듯 말을 맺었다.

"지금은 확실하지도 않은 범인을 잡는 것보다 그대의 안위를 보전하는 게 더 중요해. 부디 내 말을 듣게나."

자비로운 이시스의 배려에 나디아가 홀린 듯이 고개를 끄덕였다. 황녀가 이렇게까지 말하는데 그 의견을 거스르는 것도 예의가 아니지 않은가?

어디로라도 도망치고 싶은 상황에, 이시스는 친절하게도 나디아에게 활로를 찾아 준 것이었다. 마다할 이유가 없었다. 만일 자신이 말을 바꾼 일로 프리모가 실망한다고 해도 이시스의 설득이 있다면 금방 마음을 풀게 될 것이다.

결심이 선 나디아가 재차 크게 고개를 끄덕였다.

"네, 황녀님. 그렇게 하겠습니다. 재판에 불참할게요."

이시스의 입가에 흡족한 미소가 떠올랐다. 나디아가 그동안 계속해서 보아 왔던, 자비로운 황녀의 모습이었다.

⁂

재판 일자는 빠르게 다가왔다. 고대하던 기일에 원고 측은 큰 당황과 마주쳐야 했는데, 바로 결정적인 증인으로 등장했던 나디아 아벨라르 영애가 불참을 선언한 탓이었다. 그녀는 사건에 의한 충격으로 제대로 서 있기도 힘들다는 핑계를 들어 저택에서 나오지 않았다. 정작 독을 마신 이시스 황녀는 재판정에 모습을 드러냈으니 퍽 우스운 변명이었다.

그렇다고 이시스 황녀가 건강한 외양을 하고 있었던 건 아니었다. 그녀의 안색은 전과 비교해 확연히 초췌해져 있었다. 가련한 모습에 자연히 모두의 동정이 모였다. 이시스가 걸음을 제대로 딛지 못하고 비틀거리자, 옆에 서 있던 프리모가 그녀를 부축하며 물었다.

"이시스, 몸은 좀 괜찮느냐?"

퍽 다정하게 들리는 음성이었다. 놀랍게도 그의 걱정은 가식만은 아니었다. 프리모는 이시스가 살아남은 게 아쉬웠지만, 그렇다고 전처럼 그녀를 열렬히 처리하고 싶지도 않았다. 이시스가 없는 삶이 얼마나 귀찮은지를 간접적으로 체험한 덕분이었다.

이번 재판을 준비하며 프리모는 생에서 가장 바쁜 시간을 보내야 했다. 대공비가 골동품을 사들였다는 암시장의 주인을 잡아 오는 것은 특히나 번거로웠다. 그들이 오래 장사를 이어 올 수 있었던 것은 공권력과도 연줄이 있었기 때문이었다. 제 치부가 드러날까 관처에서는 수사를 꾸물거렸고, 결국 프리모가 직접 근위대원을 대동한 끝에야 현장을 잡을 수 있었다.

그럼으로 인해서 프리모는 제 밑을 따르는 귀족들의 앙탈을 함께 감내해야 했는데, 그들이 바로 그 암시장의 오랜 단골이었기 때문이었다. 결국 프리모는 재판만 끝나면 지배인을 얌전히 돌려보내 주리라 약조하는 것으로 불만을 일단락시켰다. 따라서 암시장의 지배인은 재판 전까지 프리모의 취향과 맞지 않게 꽤나 안락한 시간을 보낼 수 있었다. 안심한 남자는 대공비가 사들인 골동품의 규모를 낱낱이 고해바쳐 가며 부지런히 수사에 협조했다.

모두가 자리에 착석하고 잠시 후, 곧이어 사건의 주인공이 등장했다. 대공비는 의연한 표정으로 기사들의 인도를 받아 재판정 앞에 섰다.

대공비가 입고 있는 것은 장식이 많지 않은 흰색의 드레스였다. 해가 아직 정수리에 있을 무렵 시작된 재판이었으므로 동그랗게 뚫린 천장에선 한 줄기 빛이 흘러들고 있었다. 대공비는 정확히 그 가운데에 섰다. 마녀라는 명성이 어울리지 않게도, 빛을 받은 그녀의 모습은 퍽 성스럽게 비쳤다.

몇 가지 간단한 절차를 마친 끝에 본격적인 재판이 시작되었다. 데니스는 참고인과 증인 격으로 재판정 단상 위에 올랐다.

"안녕하십니까. 카라벨라 교단의 수석 사제인 데니스 조르단입니다."

꾸벅 인사를 마친 데니스가 천천히 법정 증인 선서를 마쳤다. 그의 눈은 신앙심으로 반짝이고 있었다.

"좋습니다. 데니스 사제, 그대가 본 것을 말하세요."

재판장이 안경을 쓰며 데니스에게 발언을 허락했다. 데니스는 몹시 떨린다는 듯 길게 숨을 들이켰다. 그가 이어 결연한 어조로 증언을 시작했다.

"예, 이는 거리에서 정화 의식을 벌이던 때의 일입니다. 2주 전, 저희는 수상한 것을 목격했습니다. 평민들의 옷으로 변복한 대공 전하와 대공비 전하께서 부정한 물건을 사들이고 돌아오는 현장에서 마주친 것이지요."

"그 부정한 물건이 무엇입니까?"

"어두운 기운을 한껏 머금은 도자기였습니다. 그것 외에도 많은 물건들이 있었습니다만, 앞선 말씀드린 자기에서 흘러나오는 기운이 특히나 흉흉하여 멀리서부터 눈에 띄더군요. 저희 신전은 그 물건에 황가를 향한 저주를 담을 예정이었으리라 짐작하고 있습니다."

황가를 향한 저주라니, 그렇다면 대공비가 죽이려고 한 게 이시스 황녀뿐만이 아니었단 말인가?

데니스는 모두의 궁금증에 보답하듯 침통히 말을 이었다.

"아무래도 저주를 위해 사들였던 준비품을 교단에 빼앗기자, 보다 직접적인 수를 써 이시스 황녀님을 암살하려 한 듯싶습니다."

데니스가 천천히 눈을 돌려 아스티나 쪽을 응시했다. 그가 사뭇 당당한 태도로 물었다.

"안 그렇습니까, 로제 앤더슨 부인?"

생소한 부름에 재판을 참관하던 사람들의 눈이 호기심으로 물들었다. 만족스런 반응이 돌아오자 데니스의 입가에 비뚜름한 미소가 걸렸다.

"로제 앤더슨이라는 가명은 제가 대공비 전하와 마주쳤을 적, 그녀의 입에서 나왔던 소개입니다. 당당히 신분을 밝히고 정식으로 조사를 요청하셔도 되었을 것을, 왜 대공비 전하께서는 정체를 숨기려 했을까요?"

물론 암시장에 갔다가 돌아오는 길 신문을 당했을 때 본명을 대는 얼간이는 아무도 없을 것이다. 골동품 수집에 조예가 있는 귀족들은 내심 찔려 헛기침을 내뱉었으나, 대공비의 편을 들어주지는 않았다. 사건의 단면만 본다면 모르는 사람의 입장에선 몹시 의뭉스러운 일이었다.

목적을 이룬 데니스는 짧게 묵례를 하며 발언을 마쳤다.

"이상입니다."

다음으로 등장한 것은 암시장의 지배인이었다. 그는 안쓰럽게도 대단히 몸을 떨고 있었으며, 좀처럼 대공 부부 쪽으로 눈을 돌리지 않았다.

재판장은 데니스가 증거로 제출한 도자기를 손가락으로 가리켰다. 불길한 기운이 붙어 있다고 하니 아무래도 직접 만지기가 꺼림칙했던 탓이다.

"이것이 그대가 운영하는 상점에서 판 물건이 맞는가?"

"예."

지배인이 고개를 조아리며 대답했다. 재판장이 다시금 물었다.

"누구에게 팔았지?"

"대공 부부 전하께서 구매해 가셨습니다."

관중이 재차 술렁였다. 이것으로 대공비는 더 이상 빠져나갈 구석이 없게 되었다. 어쩌면 대공까지도 함께 역모죄를 뒤집어쓸 수 있는 발언이었다. 재판장의 눈이 날카로워졌다.

"대공비가 그 외에 또 무엇을 사 갔지?"

"도자기와 그림, 그리고 고서적 같은 것들이었습니다."

"그것들의 용도는 무엇이라고 하던가?"

질답이 진행될수록 프리모의 입가엔 만족스러운 미소가 걸렸다. 프리모는 아스티나가 고서적을 좋아하는 걸 알고 있었다. 대공비는 후계자의 잔을 찾아 준 공적에 대한 대가로 고작 서적을 요구한, 예사롭지 않은 전적을 가지고 있었으니까.

당시 프리모는 그녀가 제정신이 아니라고 생각했으나, 지금은 그 사실을 몹시 반갑게 여기고 있었다. 그 물건을 수집한 데 있어 썩 그럴듯한 대의가 존재하지는 않을 터였다. 당연히 취미로 사들인 물건이 아니겠는가? 골동품을 좋아한다고 변명해도 그건 마녀라는 자백과 같은 뜻으로 받아들여질 뿐일 것이다. 데니스 역시 프리모와 생각이 같았고, 따라서 이어진 질문에 지배인이 대답을 우물거리리라 예상했다.

그러나 지배인은 대공비 쪽을 흘긋 쳐다보더니, 겁에 질린 표정으로 눈알을 아래로 굴렸다. 이윽고 그가 약간의 흐느낌과 함께 말했다.

"그것들은…… 아탈렌타의 보물들이었습니다."

너무도 의외의 발언이었던지라 대개는 그 말을 곧바로 알아듣지 못했다. 모두가 침묵하는 와중, 재판장만이 재차 반문했다.

"아탈렌타가의 보물들이라 하였나?"

"예, 대공비 전하께선 암시장으로 흘러들었던 아탈렌타의 보화들을 되찾으러 오셨다고 말씀하셨습니다……."

지배인의 말이 무엇을 뜻하는지 이해한 데니스의 표정이 천천히 굳어 들었다.

저 버러지가 대체 뭐라고 지껄이고 있는 건가. 그런 사실이 있다면 진작 고해바쳤어야 했다. 그랬다면 데니스가 도자기에 관한 건을 포기하고 다른 수를 포진해 둘 수 있었을 테니 말이었다. 그러나 지배인은 한사코 자신은 아무것도 아는 게 없다고만 말했다. 대공비가 구매해 간 물건의 이력까지 서슴없이 내주기에 그게 정말인 줄로만 알았는데, 정작 중요한 정보는 내어 주지 않고 있었던 것이다.

데니스는 혼란스러운 기색을 숨기려 애썼다. 그는 이 계획의 첫 마디부터 다시 되짚어야만 했다. 이시스가 암시장 근처는 가지 않아도 된다고 말했던 건 공을 독차지하기 위해서가 아니었던가?

이시스는 대공비가 사들인 물건에 관해 단 한 번도 언급한 적이 없었다. 그야말로 아무것도 모른다는 듯이. 대공비의 치부라 생각한 현장을 하필 그곳에서 포착했던건, 그야말로 단순한 우연일 뿐이었을까? 그도 아니면 이 모든 게 전부 황녀의 계획이었나?

무언가를 섣불리 결론 내리기엔 주어진 단서가 너무도 적었다. 데니스는 아스티나가 선 재판정의 중심으로 시선을 돌렸다. 아스티나는 가문의 치부가 부끄럽다는 듯 고개를 숙이고 있었다. 타인의 눈엔 더없이 안쓰럽게만 비치는 모습이었지만, 기실 그것은 눈가에 밴 만족스러운 기색을 숨기기 위해서였다.

아스티나는 증인에 관한 건을 잘 처리했다던 쪽지의 내용이 그대로 실현됐음에 흡족함을 느꼈다. 그 은밀한 접촉을 시도한 주인공은 다름 아닌 이시스였다. 이미 판은 벌어졌고, 아스티나는 범인으로 몰려 억류된 상태였으니 남은 일을 처리하는 건 바깥에 남은 자의 몫이였다.

프리모는 아탈렌타를 견제하고 있었으므로 대공에게 증인을 건드릴 틈을 주지 않았다. 암살 사건이 발생하자마자 지배인은 황궁의 삼엄한 경비 속에 억류되었다. 그러나 이시스에게 황궁은 제 앞마당이나 다름없는 공간이었다. 먹잇감이 코앞에 목덜미를 들이민 것과 진배없었다. 무엇보다 이번 암살 사건으로 완전한 피해자의 입장이 된 이시스는 행동반경이 몹시 자유로웠다. 이시스가 실제로 깨어난 것은 공식적인 발표보다 이른 시기였고, 그녀는 병상에서 일어난 즉시 행동을 개시했다.

이시스가 지배인에게 요구한 게 그다지 어려운 일은 아니었다. 당연히 거짓을 고하는 것보다는 사실을 나열하는 게 더 간단할 일일 테니까. 물론, 이시스는 그 물건들이 대공가의 보물이라는 사실을 미리 알려서는 안 된다는 단서를 붙였다.

고귀한 태생들의 비위를 맞추며 살아남은 지배인은 기민하게 어느 쪽에 붙어야 살아남을 수 있는지를 알아챘다. 실제로 이시스는 프리모 수하의 귀족들을 뒤흔들어 지배인의 안위를 보장해 주었다. 그 일로 남자도 약속이 지켜지리란 나름의 신뢰를 가졌으리라. 지배인은 후에 내려질 처벌을 걱정하는 것처럼 겁에 질린 표정을 지어 보였다.

썩 그럴듯한 연기에 모두의 웅성임이 커졌다. 지금 지배인은 스스로 아탈렌타의 장물을 취급했다는 사실을 밝힌 셈이었다. 자신에게 불리한 사실을 거짓으로 증언할 리도 없으니 발언에 대한 신뢰성이 커지는 건 당연한 일이었다.

그때 아스티나가 흐느끼며 입을 열었다.

"제가 보다 상세히 설명드려도 되겠습니까?"

대공비의 음성은 몹시 처량한 구석이 있었다. 상황을 뒤엎을 수 있는 증언이 나왔으니 당사자의 입장도 들어 보아야 했다. 재판장이 선선히 허락했다.

"피고는 발언하시오."

"증인이 말한 대로 대공 전하와 제가 사들인 물건들은 전부 아탈렌타들의 보고입니다. 부끄러우나, 대공 전하께서 몸이 안 좋으실 때 가신들을 제대로 단속하지 못하여 불미스러운 일이 많았습니다. 그들은 주인이 없는 틈을 타 아탈렌타의 재산을 빼돌려 장물로 팔아 치웠고, 그중 대부분이 증인의 사업장에 있었습니다. 저희는 수도로 올라온 김에 그것들을 되찾고자 한 것입니다."

"하, 그렇게 당당하시다면 왜 사실을 밝히지 않고 가명을 사용했습니까? 본래 대공가의 보물이라면 돌려받으려 할 만도 하거늘, 신전에 반환을 요청하지도 않지 않았습니까!"

데니스가 황급히 끼어들었다. 덕분에 좌중은 대공비가 가명을 사용했다는 사실을 상기할 수 있었다.

그러나 데니스의 지적이야말로 아스티나가 기다렸던 바였다. 아스티나가 더욱 서럽게 어깨를 떨며 말했다.

"가문의 보고가 밖을 나돌아다니는 이 불명예스러운 일을 어찌 함부로 떠벌릴 수 있단 말입니까? 당연히 비밀리에 처리해야 할 일이었어요. 게다가 사제님께서 그 도자기에서 불길한 기운이 느껴진다고 하시니, 저희로선 돌려 달라 고집하기도 불안하지 않았겠습니까?"

재판정에 모인 대부분의 귀족이 공감하는 표정을 지었다. 가문의 보고가 밖을 나돌아다니는 건 곧 물건을 팔아 치워야 할 정도로 경제적으로 사정이 좋지 않거나, 아니면 관리가 제대로 되지 않고 있다는 뜻이었다. 어느 경우든 그리 밖에 내보여 좋은 일은 아니었다. 병력으로 사교계에서 오래 자리를 비웠던 대공이라면 그러한 소문에 더욱더 민감했을 것이다.

대공비가 호소하듯 말을 이었다.

"대공가의 명예를 위해 입을 다물어 왔으나, 침묵이 길어질수록 제겐 마녀라는 오명이 덧씌워질 뿐이더군요. 그러나 제게 그런 능력이 있었다면 왜 그 저주받은 물건을 다시 아탈렌타로 가져가려 했겠습니까? 대공 전하께서 병환을 앓으셨던 이유가 바로 그 때문이었을지도 모르는데요."

실제로 아탈렌타의 보고가 도난당한 시기와 대공이 건강을 되찾은 시기는 어느 정도 공교롭게 맞아 들었다. 아스티나는 신전이 발견한 불길한 기운을 전면으로 부정하는 대신, 그것을 자신에게 유리한 방향으로 회유했다. 그럴듯한 가설은 진실보다 더욱 현실감 있게 받아들여졌다.

곰곰이 생각하던 재판장이 지배인에게 물었다.

"본래 그것이 아탈렌타의 물건이었다는 사실을 확인할 수 있소?"

"예, 정리해 놓은 관련 장부를 제출하겠습니다."

지배인은 기다렸다는 듯이 뒤편에서 대기하던 직원에게 종이 뭉치를 전달받았다. 그가 제출한 장부엔 아탈렌타의 가신들에게서 물건을 사들인 흔적이 꼼꼼히 적혀 있었다. 당연히도 조작의 흔적은 없었다. 재판장이 별다른 이의를 제기하지 않자 자연히 여론은 대공비의 결백 쪽으로 쏠렸다. 데니스는 대공비를 마녀로 모는 수작이 더는 통하지 않을 것임을 직감했다.

지난번 면회했을 적 자신감에 차 있던 이유가 이것 때문이었나. 데니스는 입술을 깨물었으나, 곧 평상심을 되찾았다. 감금된 상태에서 지배인을 어떻게 구워삶았는지는 몰라도 데니스에겐 확실한 패가 하나 더 남아 있었다. 어차피 대공비가 마녀라는 소문은 황녀 암살 사건에 대한 그럴듯한 뒷이야기를 덧붙이기 위한 수작에 불과했다. 데니스가 유감스럽다는 듯 점잖게 끼어들었다.

"저희 신전에서는 그 물건에서 불길한 기운을 읽었을 뿐, 그에 담긴 의도까지 알고 있는 건 아닙니다. 만일 마녀라는 추측이 오해였다면 이에 대해 대공비 전하께 심심찮은 위로의 말씀을 드리겠습니다."

신전 측에서 빠르게 대공비의 주장을 받아들이자 웅성거림은 더욱 커졌다. 그러나 데니스의 연이은 발언은 과열된 분위기에 찬물을 끼얹는 듯했다.

"하지만 그것이 이시스 황녀 전하를 암살하지 않았다는 증거가 될 수는 없지요. 이미 그 건에 관한 확실한 증인이 존재하니까요."

데니스가 비뚜름하게 입꼬리를 끌어 올리며 말을 마쳤다. 나디아가 재판에 불참했기는 하나 프리모 측에서 만들어 낸 증인은 하나 더 있었다.

재판장은 데니스의 요구대로 대공비의 범죄를 주장했던 시종을 불러들였다. 기다렸다는 듯 등장한 시종은 연회장에서 했던 주장을 반복했다. 대공비가 혼란을 틈타 이시스의 잔에 약을 타 넣는 것을 보았으나, 혹 오해일 수도 있어 미처 사전에 알리지 못했다는 것이 요지였다.

시종이 발언을 끝마친 후, 데니스가 통탄스러운 기색으로 입을 열었다.

"시종의 증언을 듣고 저희는 약의 특성에 주목했습니다. 독의 출처로 범인의 실마리를 잡을 수 있을지 모른다는 가정 때문이었지요."

그러고는 탁상에 놓여져 있던, 손가락 세 마디 정도 크기의 돌을 집어 들었다. 데니스가 목소리를 높여 말했다.

"이것은 계관석입니다. 금과 은, 구리를 생산하는 광산에서 채굴되는 광석으로 대개 발연제로 쓰입니다."

데니스는 모두가 그것을 볼 수 있도록 들어 올렸다. 피에 젖기라도 한 양 붉은빛을 띤 광석이었다. 저 돌이 무엇이기에 생뚱맞게 이 자리에 등장했을까.

데니스는 금방 좌중의 궁금증을 해결해 주었다.

"이것을 분리하여 정제하면…… 저희가 익히 아는 비소가 되지요."

그의 싸늘한 음성이 재판정을 울렸다. 데니스가 내비친 매서운 눈빛에 모두가 숨을 죽였다. 이시스가 마신 독극물이 비소라는 사실은 그녀를 진찰했던 궁의에 의해 이미 밝혀진 상태였으니까.

데니스가 낮게 깔았던 목소리의 크기를 키우며 계관석을 흔들어 보였다.

"계관석은 빛에 약하기 때문에 어두운 곳에서 보관하다가 사용할 때만 꺼내야 하는, 몹시 까다로운 광물입니다. 정제된 형태의 비소는 황궁에서 민간인 사이의 유통을 금지해 쉽사리 구할 수 있는 물건도 아니지요. 일전에 황가에 이 독극물을 이용한 불미스러운 일이 있었음은 모두가 익히 잘 알고 계실 겁니다."

그 말에 황제가 불쾌한 듯 코를 찡긋였다. 데니스가 언급한 것이 다름 아닌 황실의 치부였기 때문이다. 피델리오 2세의 친모였던 카

테리나 황비가 태황후 자리를 노리고 에델린 황후를 암살하려 한 사건이 바로 그것이었다. 그때 사용된 독극물 역시 비소였다.

이후 황궁에서는 국가에 인가를 받은 자만이 관련 약품을 유통할 수 있도록 법을 제정했다. 그것은 곧 용의자 선상이 상당히 좁혀진다는 소리이기도 했다.

"존경하는 재판장님. 아시겠지만 아탈렌타령이 있는 남부엔 수많은 광산이 존재하며, 제국에 유통되는 대부분의 광물은 그곳에서 채굴됩니다. 그들만큼 이 독극물을 구하기 용이한 이가 또 있을까요? 저는 아탈렌타가에서 보유하고 있는 이 계관석에 관해 면밀한 조사를 요청하는 바입니다."

프리모가 탐냈던 아탈렌타의 자원이 이번만은 대공의 목을 옭아매는 족쇄가 되었다. 사람이 하는 일엔 빈틈이 생기기 마련, 기록된 채굴량과 실제로 적재된 광석의 양엔 분명 차이가 있을 것이었다. 만일 아탈렌타령에서 철두철미한 관리를 해 왔다고 해도 말단 하나를 매수하는 건 눈 감고도 해치울 수 있는 일이었다.

데니스는 흡족한 기색으로 발언을 마무리했다.

"이상입니다."

데니스는 재판장의 판결을 기다리는 눈빛으로 섰다. 그러나 재판장은 데니스의 기대를 배반하는 말을 했다.

"데니스 사제의 주장은 잘 들었소. 판결에 앞서 마지막 증인은 앞으로 나오시오."

데니스는 의외의 상황에 황급히 뒤를 돌아보았다. 다른 증인이 존재한다니 그것이 무슨 소리인가. 데니스가 준비한 건 그를 배신한, 빌어먹을 암시장의 지배인과 방금 나섰던 시종뿐이었다.

혹 나디아 영애가 이제라도 참석을 결심한 것인가?

그러나 앞으로 나선 이는 예상과는 전혀 다른 사람이었고, 그자의 정체는 그 의외성만큼이나 데니스를 오싹하게 했다. 아니, 어쩌면 더 충격을 받은 건 프리모 쪽이었을지도 모른다. 프리모는 아예 의자에서 일어나 난간 밖을 내다보기까지 했다. 프리모의 눈이 더 없는 충격으로 물들었다.

"엘로이즈 자작가의 차녀인 아가타 엘로이즈입니다."

아가타가 침실에서 프리모에게 늘 내보였던 것과는 다른, 총명한 눈빛을 밝히며 등장했다.

아가타 엘로이즈, 공식적으로는 엘로이즈 자작가의 영애이자 비공식적으로는 프리모 황자의 정부인 여자였다. 그녀는 모두가 알고 있지만, 동시에 누구도 공석에서는 좀처럼 입에 담지 않는 존재였다. 음지에서만 떠받들어졌기에 프리모가 후계자로 자리매김했던 황실 연회에도 초대받지 못한 여자다. 한데 당최 그녀가 무슨 사연으로 증인을 자처한 것인가? 자연히 모두의 호기심이 모여들었다.

소란이 어느 정도 잦아들었을 즈음, 아가타가 낭랑한 음성으로 입을 열었다.

"저는 이번 사건의 진범을 알고 있습니다."

"진범이라니? 그게 누구인가?"

재판장이 미간을 찌푸리며 되물었다. 재판이 마무리되어 가는 시점에 등장한 충격 발언에 사건의 향방은 다시 걷잡을 수 없어졌다.

아가타가 그녀를 찌르는 시선 속에서 또박또박 대답했다.

"프리모 황자 전하이십니다."

싸늘한 정적이 재판정에 내려앉았다. 몇몇 심약한 이들은 그만 제 입을 틀어막기까지 했다. 혼란스러운 일이었다. 좌중은 감히 아가타의 의중을 짐작할 수조차 없었다.

아가타는 분명 프리모의 여인이었다. 만일 프리모가 이시스를 살해하려 한 게 사실이라고 해도, 아가타는 그것을 숨겨야만 하는 입장이라는 소리였다. 황자의 비호 아래에서 대단한 위세를 펼쳐 왔던 그녀가 직접 그를 고발한 것이다.

재판장이 머리가 아프다는 듯 이마를 짚었다.

"프리모 황자 전하께서 이시스 황녀 전하를 암살하실 이유가 있나?"

"분명 육안상으로 두 분의 사이는 좋아 보였고, 황녀님께서도 황자님을 위해 무던히 힘쓰셨으나…… 황자님께서는 언제나 황녀님께 열등감이 있으셨습니다."

연인을 고발하게 된 여자의 마지막 고뇌였을까? 아가타의 음성은 미세하게 떨리고 있었다.

황제가 불편하다는 듯 헛기침을 하며 고개를 돌렸다. 프리모가 이시스에게 묘한 경쟁심을 품고 있다는 것은 이미 궁내에 공공연한 사실이었다. 이시스는 프리모에게 늘 조언을 하는 입장이었고, 그것이 언제나 프리모의 구미에 맞아떨어진 건 아니었다. 그러나 프리모는 이시스의 말에 따라야만 하는 입장이었다. 그녀의 말은 한 번도 틀린 적이 없었으니까. 프리모는 스스로의 무능을 실감할 때마다 궁인들에게 패악을 부리는 것으로 상한 기분을 풀곤 했다.

아가타는 몹시 긴장된다는 듯 천천히 숨을 들이켰다. 아가타가 고해하듯 마른 입술을 열었다.

"여기 계신 모두가 아시다시피 저는 이 증언으로 얻을 게 아무것도 없습니다. 저는 프리모 전하와 연인 관계에 있었으며, 그분께 아주 많은 걸 받은 입장이에요. 하지만, 하지만……."

아가타는 말을 잇다 말고 굵은 눈물을 뚝뚝 떨구었다. 그녀의 얼굴은 사랑하는 연인과 사별한 이마냥 처량했다. 실제로도 아가타는 지금 그녀의 연인과 영원한 이별을 고하고 있는 셈이었으니 그리 틀린 비유도 아니었다.

아가타가 손수건 속에 얼굴을 묻으며 흐느꼈다.

"흐윽……, 흑. 너무도 두려웠습니다. 사람에겐 인륜이란 게 있는 법인 것을, 흑. 어찌 누이를 살해하란 명을 내리신단 말씀이십니까? 패륜을 저지른 살인마를 더 이상 사랑하지 않기로 한 것이 제 마지막 양심이었습니다."

프리모로서는 어이가 없어 뒷목을 붙잡고 싶은 심정이었다. 이시스를 죽이라고 속살거렸던 건 바로 아가타 본인이 아니었던가? 그녀의 의도가 무엇이든 지금 이 상황이 말하는 바는 분명했다.

아가타는 프리모를 배신했다.

아가타가 욕심 가득한 표정으로 무엇을 속살거렸었는지 안다면, 지금 그녀를 향해 쏟아진 동정의 시선도 금방 돌아설 것이었다. 그러나 아가타의 꼬드김을 밝힌다면 그와 함께 프리모의 범죄를 자백하게 되는 셈이었다.

프리모의 눈에 형형한 안광이 비쳤다. 당장 그녀의 머리채를 잡고 끌어내어 흠씬 두들기고 싶은 기분이었다. 어젯밤만 해도 제 품에서 아양을 떨었던 여자의 변심이 더없이 소름 끼쳤다. 이러한 매도를 가만히 듣고만 있다간 여론을 완전히 등지게 될 것이었다.

아가타의 오른편에 선 데니스가 재빨리 프리모를 대신해 나섰다.

그가 싸늘한 목소리로 아가타를 면박했다.

"심증일 뿐입니다. 곧 제국을 물려받으실 황자님께서 대체 왜 누이에게 열등감을 가지겠습니까? 모든 건 저 여인의 한낱 뇌내망상일 뿐입니다. 공상에 빠져 황실의 일원을 모함하다니, 본보기를 보여 저 여인을 크게 벌해야 할 것입니다."

"그래, 심증만으로는 아무것도 단언할 수 없네. 데니스 사제는 독의 출처 역시 파헤쳐 주지 않았나? 대공가에 대한 조사가 우선이네."

재판장이 분위기를 수습하고자 데니스의 말을 거들었다. 그러나 데니스의 협박에 가까운 발언에도 아가타는 의연한 표정을 지었다. 그녀가 담담히 대답했다.

"예, 하지만 데니스 사제님이 제시하신 건 단순한 심증뿐이었지요. 저는 독의 출처에 관한 확실한 증거를 가지고 있습니다."

"증거라니?"

재판장이 당황한 음성으로 되물었다. 대공비를 판결 내리는 것만도 부담스러운 상황에 계속해서 더한 거물이 등장하고 있었다. 차라리 이쯤에서 그만 덮고 넘어가고 싶은 심정이었으나, 아가타는 분명한 열쇠를 쥐고 있는 듯 보였다. 재판장은 차마 황실 사람들이 앉은 자리에는 눈길도 주지 못했다. 현명한 판단이었다. 황자의 무시무시한 표정을 마주했다면 판결에 온전히 집중하긴 힘들었을 테니까.

프리모의 손은 어느새 분노로 떨리고 있었다. 손톱이 박혀 든 살갗이 하얗게 질려 들었다. 그는 순간적으로 이시스를 암살하며 남겼던 몇 가지 흔적들을 떠올렸다. 적들이 파헤치기엔 까다로우나 온전히 그의 편에 있었던 자라면 알 수밖에 없는.

아가타는 모를 수가 없었다. 그녀는 프리모의 모든 걸 알고 있는 존재였다. 한낱 여인은 들어도 이해하지 못하리라 여겨 모든 계획을 떠벌려 왔기에!

"셀렌 영지는 지리상 아탈렌타와 같은 남부에 위치해 있지요. 셀렌 영지는 품질 좋은 다이아몬드가 채굴되는 것으로 유명하나, 그 유명세에 가렸을 뿐 다른 광석들 역시 함께 생산하고 있습니다. 그리고 셀렌 자작 부인인 벨리타 황녀 전하께서는 이시스 황녀 전하와 오랜 악연이 있는 분이시지요."

"그대의 주장대로라면, 암살 사건을 주동한 황실의 인원이 하나가 아니란 말인가?"

재판장이 조심스럽게 질문했다. 아가타가 결연한 표정으로 고개를 끄덕였다.

"예, 프리모 황자 전하께서는 벨리타 황녀 전하와 결탁하여 그의 형제를 살해하려 하셨습니다."

재판장은 그만 눈을 감았다. 개인의 힘으로는 막을 수 없는 거대한 흐름이 이미 그를 덮쳤다. 그가 침통한 음성으로 물었다.

"그에 대한 증거가 있다고 말했었지. 그것이 무엇이오?"

"프리모 황자 전하와 벨리타 황녀 전하 사이에서 오간 서신입니다. 제가 직접 읽어 드려도 되겠습니까?"

"그러시오."

재판장의 허락에 아가타가 나서 서신을 꺼내었다. 지금 이 상황과는 어울리지 않는 평가였으나, 아가타의 움직임은 그야말로 귀족적인 우아함을 담고 있었다. 그녀가 귀에 꽂히듯 크고 분명한 목소리로 편지를 읽어 내렸다.

[사람을 보내 전하신 말씀은 확인하였습니다. 혼인 전엔 마냥 어려운 사이였는데, 이제라도 오라버니께서 손을 내밀어 주시니 기쁜 마음이 한정 없습니다. 셀렌 영지에서 피는 벨다 꽃이 잘 영글었으니 곧 담금주를 만들 때입니다. 모든 준비가 순조로우니 염려는 하지 않으셔도 될 듯합니다. 맛이 잘 우러나면 황궁에도 선물로 한 병 보내 드리도록 하겠습니다.]

벨다 꽃은 광산 지대에서 피어나는 붉은 꽃이었다. 벨다 꽃의 외양을 아는 모두는 방금 전 데니스 사제가 들어 올렸던 계관석의 생김을 떠올렸다. 그 선명한 붉은빛을.

의심스럽게 비쳐지는 문장이긴 했으나 대개는 사건을 견지하는 태도를 놓지 못했다. 이것만으로 벨리타 황녀를 추궁할 수는 없었다. 범행에 대한 직접적인 단서가 들어 있는 것은 아니었기 때문이다.

그러나 아가타가 프리모의 답신을 읊기 시작했을 때, 모두는 탄식하지 않을 수 없었다.

[갑자기 웬 담금주 타령을 하는 것이냐? 술 따위에는 관심 없으니 내가 전한 제안을 잘 생각해 봤는지나 답하라. 네년도 이시스를 처리하고 싶어 내게 말을 붙인 것 아니었느냐?]

답답했는지 프리모의 편지는 짜증스럽게 휘갈겨져 있었다. 벨리타가 은어를 섞어 가며 나름대로 행적을 숨기려 한 것과 달리, 프리모는 그 뜻을 제대로 이해하지도 못한 눈치였다.

수준 낮은 화법에 귀족들 사이에서 헛웃음이 터져 나왔다. 그엔 일을 주먹구구식으로 처리한 동업자 때문에 막다른 길에 몰린 벨리타에 대한 약간의 연민도 섞여 있었다.

가만히 듣고 있던 데니스마저도 한심하다는 듯 혀를 차며 그만 고개를 돌렸다. 그러나 프리모가 같은 자리에서 눈을 부라리고 있었기에 그들은 곧 입을 다물었다.

프리모의 얼굴이 시뻘겋게 달아올랐다. 그가 소리쳤다.

"이는 전부 마녀의 공작이오!"

그의 항변에도 주변의 반응은 싸늘하기만 했다. 재판장은 아가타에게서 편지를 받아 내용을 확인하고는, 대기하고 있던 필적 감정사에게 넘겼다. 황족의 필체는 대조가 필요하지 않을 만큼 공들여 익힌 바였다. 감정사는 곧 그 글씨가 프리모의 것이 맞음을 알아차렸다. 감정사가 벌벌 떨며 말했다.

"벨리타 황녀님과 프리모…… 황자님의…… 필적이, 맞습니다."

중압감을 견딜 수 없었던 듯, 남자는 프리모의 이름을 말할 때만은 눈을 질끈 감았다. 프리모는 그만 자리를 박차고 일어섰다. 프리모가 광인처럼 소리쳤다.

"이 모든 건 모함이야! 이시스, 네가 말해 보아라. 내가 네게 어찌 그런 짓을 하겠……."

순간 이시스는 소름이 끼친다는 듯 프리모가 뻗은 손을 쳐 냈다. 그녀가 몸을 휘청이며 믿을 수 없다는 투로 되물었다.

"오라버니께서…… 저를……?"

그와 동시에 황제가 자리에서 벌떡 몸을 일으켰다. 그의 눈엔 노기가 일렁이고 있었다.

"프리모, 이게 정말이냐. 정말 네가 이시스를……!"

황제는 왈칵 화를 쏟아 내다가, 그만 입을 다물었다. 프리모는 그의 후계자였다. 황제까지 나서 그를 질책했다간 프리모의 세력은 회복조차 여의치 않게 될 것이다. 황제는 깊이 탄식하며 그만 제자리에 주저앉았다.

황녀가 쓰러졌던 연회장마냥, 재판정의 분위기도 난장판이었다. 재판장은 혼란의 아귀 속에서 고요히 판결을 내렸다.

"판결을 내리겠소. 본 법정에서는 피고인 아스티나 반 아탈렌타의 무죄를 선고하오. 이시스 폰 피델리오 황녀 살인 미수 사건의 피고인이 달라졌으니, 조사를 거친 뒤 사흘 후 다시 재판을 개최하도록 하겠소."

✣ ✣ ✣

"어흐흑, 흑, 내 아들이, 내 아들이……, 흑……. 이 일을 어찌하면 좋아."

이사벨 황후가 큰 소리로 울음을 터트렸다. 초상이라도 난 듯한 분위기에 시녀들은 어찌할 줄 모르고 눈치만 보았다. 이시스 황녀가 독을 먹고 쓰러졌을 때에도 이 정도는 아니었다. 식사도 넘기지 못한 황후는 몸도 채 제대로 가누지 못하고 있었다.

기실, 황후가 서 있는 현 지점을 생각하면 그리 과민한 반응은 아니었다. 프리모를 황제로 세우기 위해 그동안 들인 공이 얼마이며, 그 시간은 또 얼마인가? 손에 피를 묻히는 것도 주저 않고 모든 일을 해치워 왔거늘, 황궁에서 보냈던 30년에 가까운 세월이 하루아침에 물거품이 된 것이다. 프리모가 그의 방에 구류되었다는 소식에 지난밤 황후는 까무룩 정신을 놓기까지 했다.

"황후님, 이시스 황녀 전하께서 도착하셨습니다."

방문을 열고 들어온 시녀가 조심스럽게 말을 전했다. 기다렸던 소식에 황후가 반색하며 고개를 들었다.

"그래? 어서 들라 하여라."

그녀가 이토록 반갑게 딸을 맞아들인 적이 또 없었다. 황후는 체통 없이 문가로 뛰쳐나가기까지 했다. 문을 열고 들어오던 이시스는 달려 나온 어미를 보고는 짐짓 당황하여 제자리에 멈춰 섰다. 황후는 감정이 북받친 듯 그대로 딸을 끌어안았다.

"이시스, 내 딸. 어쩜 얼굴이 반쪽이 되었구나."

황후가 안쓰럽다는 듯 이시스의 뺨을 쓰다듬었다.

"자, 어서 와 앉으렴. 이게 다 무슨 일인지 모르겠구나."

황후와 이시스는 테이블을 사이에 두고 마주 앉았다. 상 위엔 황후가 신경 써서 준비한 다과가 늘어져 있었다. 모두 이시스가 좋아했던 것들이었다. 황후의 딸에 대한 기억이 열세 살 무렵의 취향에만 머물러 있었다는 게 문제였지만.

이시스는 호두가 잔뜩 들어간 사과 크럼블에는 손도 대지 않았다. 열병을 심하게 앓았던 열일곱 이후 견과류에 알러지가 생겨 되도록 입에 대지 않았던 탓이다. 이시스는 차만 홀짝이며 좀처럼 입을 열지 않았다. 언제나 어머니에게 살갑게 말을 붙여 왔던 것과는 사뭇 다른 태도였다.

황후는 몸이 달은 듯 이따금 손을 떨거나, 눈을 불안하게 굴리거나 했다. 이내 결심을 마친 황후가 방 안에 있던 시녀를 모두 내보냈다. 그러고는 이시스의 눈치를 보며 조심스럽게 물었다.

"혹시 아버지는 만나 보았니? 황제 폐하께선…… 네 오라비를 어떻게 하신다니?"

"글쎄요, 저도 아직 폐하를 알현하진 못해서요."

이시스가 여상한 태도로 대답했다. 실제로 이시스는 재판이 끝난 후 황제를 사석에서 만난 적이 없었다. 이시스가 먼저 이야기를 나누어야 할 것은 필히 어머니가 되어야 했기 때문이다.

"이시스, 얘야. 이 어미를 좀 보렴. 심장이 떨려 도저히 잠을 잘 수도, 식사를 넘길 수도 없구나. 분명 너도 힘들 테지만…… 이 어미를 생각해서라도 프리모를 도울 수 없겠니? 네 오라비를 용서해 달라고 폐하께 빌란 말이다."

더 이상 참을 수 없었던 황후가 곧장 본론을 꺼냈다. 자연히 이시스의 입꼬리가 굳었다. 황후가 불러들였을 때부터 이미 예상한 바였지만, 막상 친모의 편애를 실제로 마주한 기분이 그리 좋지만은 않았다. 그도 그럴 것이 황후가 이시스의 목숨보다 프리모의 세력을 더욱 신경 쓰고 있다는 걸 확인받은 셈이었으니까.

그녀는 딸을 죽이려 한 아들이 그리도 귀했을까. 그래서 아들의 패륜은 입에 담지도 않은 채 딸의 이해를 기대하는가.

그녀의 딸은, 그녀의 자식이 될 수 없었나?

그러나 그 미련한 기대는 새삼 이시스를 괴롭히지 못했다. 황후가 그러한 것처럼, 애석하게도 이시스 역시 그녀의 어미가 그다지 소중하지 않았다.

이시스가 자애로운 미소를 입가에 띤 채 입을 열었다.

"제가 왜요?"

"뭐?"

표정과 상반된 싸늘한 음성에 이사벨 황후는 잠시 이시스의 말을 이해하지 못했다. 이시스가 분명한 음성으로 재차 되물었다.

"제가 대체 왜 그래야 하지요?"

이시스의 반항적인 태도에 황후는 아연한 기색이 되었다. 그러나 황후는 곧 정신을 다잡았다. 프리모 때문에 죽을 뻔한 이시스로서는 저렇게 반응하는 것이 당연했다.

"이시스, 그게 무슨 말이냐? 네 오라비가 없으면 네가 어찌하려고? 네 오라비가 황제가 되면 너 역시 덕을 보는 게다! 네 오라비가 실각되면 우리 모두 기회를 잃는 것이고! 어째서 이 간단한 이치를 알지 못해? 네 오라비가 실수를 한 번 했다고는 해도, 그래도 너희는 오누이다. 네가 한번 참고 넘어가 준다면 프리모가 너를 더욱 아끼지 않겠니?"

황후가 다그치듯 말했다. 이사벨 황후는 자신의 딸이 영민하다는 사실을 익히 잘 알고 있었다. 지금 당장은 프리모가 미워도, 그를 버렸다간 결국 이시스 역시 무너질 것이었다.

그러나 말이 끝나기가 무섭게 이시스는 황후가 처음 보는 경박한 웃음을 흘렸다. 천장에 가 닿을 만치 커다란 소리였다. 황후는 어찌할 바를 모르고 딸의 낯선 모습을 바라보기만 했다.

이시스가 한순간 표정을 굳히며 말했다.

"기뻐하세요, 이 모든 게 어머니의 은덕이십니다. 어머니께서 프리모를 이렇듯 더없는 망나니로 길러 내신 덕에 제가 기회를 얻지 않았습니까."

황후는 이시스의 말을 이해할 수 없었다. 단 한 번도, 꿈에라도 상상조차 해 본 적 없는 이야기였기 때문이다.

"이시스, 그게 대체…… 도대체 그게 무슨 소리니……?"

황후가 떨리는 음성으로 되물었다. 이시스는 입가에 걸린 조소를 지우지도 않은 채 그런 어미를 조롱했다.

"세상에, 가여운 황후 폐하. 당신의 아들에게 그 모든 계획을 생각해 낼 머리나 있었겠습니까?"

황후의 등허리부터 소름이 타고 올랐다. 이렇게까지 말하자 그녀도 딸이 무엇을 말하고 있는지 알아채지 않을 수 없었다. 이시스는 지금 스스로 오라비를 궁지로 몰아넣었다고 말하고 있었다.

황후로서는 도저히 이해할 수 없는 행동이었다. 그간 이시스는 프리모를 황제로 만들기 위해 무던히도 애써 왔고, 이젠 그 결실이 눈앞에 있었다. 그런데 왜 이제 와 이시스가 프리모에게서 돌아선단 말인가?

계략의 시초도 짐작할 수 없긴 마찬가지였다. 이 재판엔 너무도 많은 것들이 얽혀 있었기 때문이다. 마녀로 몰린 대공비가 그러했고 그녀를 공격한 카라벨라 교단이 그러했으며, 그 틈새에 끼어든 나디아가 그러했다. 어디서부터 어떻게 손을 썼는지 갈피조차 잡히지 않았다.

황후는 경련하는 손을 진정시키기 위해 무던히도 애썼다. 황후가 오른손으로 왼손을 그러쥐며 말을 더듬거렸다.

"이시스, 네가, 네가 왜……?"

"프리모는 황제의 그릇이 아니었어요. 그걸 몰라보신 게 어머니가 실패하신 이유지요."

"그래서, 네가 다른 누굴 택하려고! 네가 네 친오라비를 두고 누구와 손을 잡겠다는 말이야?!"

발악하듯 소리치던 황후는 문득, 얼마 전 궁으로 돌아온 벤자민을 상기해 냈다. 황후는 먼 과거에 치워 버렸던 황자들에겐 별다른 관심이 없었지만, 그중 벤자민만은 똑똑히 기억하고 있었다. 벤자민이 어릴 적부터 영민함을 드러냈기 때문이기도 하나, 가장 큰 이유는 바로 그의 누이 때문이었다. 황후는 이시스가 한때 끈 떨어진 황녀와 어울리며 별종처럼 굴었던 것을 기억했다.

에일베스, 그래. 벤자민의 누이는 바로 그런 이름이었다. 프리모가 죽인 황녀의 뒤처리를 대신 해 주었던 게 바로 이사벨 황후였기에 그 이름 정도는 외고 있었다. 에일베스가 살해당한 후 프리모에게 굽히고 들어오는 이시스를 보며, 황후는 이제야 딸이 오라비 무서운 줄 알았다고만 여겼다. 처음에 약간의 의심이 있었던 것도 사실이나 이시스가 프리모에게 충성한 게 자그마치 햇수로 8년이었다. 속내를 숨기고 도사리기엔 너무도 긴 시간이었다.

한데 그동안 이시스는 그저 복수의 칼날을 닦고 있었을 뿐이란 말인가?

"너, 설마 벤자민을 프리모 대신 황제로 세우겠다는 게냐?"

황후가 두 눈을 부릅뜬 채 갈라진 음성으로 물었다. 그럴듯한 추측이었으나 이시스는 그 대답에 대단한 염증을 느꼈다. 이시스가 따분히 대답했다.

"아니요."

"그럼 누구야, 그놈이 아니면 누구냔 말이냐!"

이시스는 그만 실소를 터트렸다. 이시스가 경멸을 숨기지 않으며 황후를 흘겼다.

"어머니는 언제나 그러셨지요. 제가 앞에 앉아 있어도 보이지 않는 듯, 말해도 들리지 않는다는 듯……."

황후는 순간 딸의 뜻을 완벽히 이해했다. 황후의 눈이 더 이상 커질 수도 없을 만치 커졌다. 황후가 비명 치듯 소리쳤다.

"말도 안 돼! 네가 어찌 그런 무엄한 꿈을 꾼단 말이야? 그따위 망상 때문에 지금 네 오라비의 미래를 진창으로 처박았다고 말하는 게야?"

"제가 품은 대의가 망상인지 아닌지는, 이미 증명해 드린 것 같은데요."

이시스의 대답에 황후는 입술을 깨물었다. 실제로 이시스는 프리모를 치워 내는 데 성공했고, 황후는 궁지에 몰렸다. 그것이 너무도 분하여 황후는 제 앞에 앉은 것이 그녀의 딸이란 사실도 잊고 발악했다.

"다른 황자들은 어쩔 셈이냐? 프리모가 없어지면 그들이 가만있을 것 같니?"

"그들은 제스퍼레오가가 짓밟아 이미 위세가 땅에 떨어진 세력들이 아닙니까. 그리고 그중 몇은 이미 저와 뜻을 같이하기로 했답니다."

프리모가 벌레를 처리하듯 의미 없이 죽여 치운 황손들은 에일베스 외에도 수없이 많았다. 인간의 관계란 다면적이어서 적의 적을 같은 편으로 여기기도 한다.

미처 생각지 못한 조력자들에 황후는 숨을 들이켰다. 황후는 이시스의 빈틈을 지적하기 위해 필사적으로 머리를 굴렸다.

"그래, 그동안 숨어 있다가 나온 벤자민은 어떡하려고? 그 애가 요즘 폐하의 방에 자주 드나들고 있다는 소식은 모르나 보구나. 네가 아무리 똑똑하대도 폐하께서 황녀를 후계자로 삼으실 것 같니?"

"어머나, 이를 어쩌나. 저는 프리모처럼 멍청하지 않은데요."

이시스가 진심으로 재밌다는 듯 웃음을 터트렸다. 벤자민을 황제가 총애하는 아들로 만들기 위해 꾸준히 만남을 주선한 게 바로 이시스였다. 벤자민은 황제에게 기꺼이 이시스가 후계가 되어야 하는 이유를 속삭여 줄 터였다. 숨을 죽이고 기다린 세월 동안, 이시스는 그에 대해 퍽 그럴듯한 근거를 만들어 왔다.

"어머니, 프리모를 버리세요."

이시스의 속삭임은 낮고 유혹적이었다. 그것은 마치 악마의 회유처럼도 들렸다.

"대공비가 누명을 벗으며 아벨라르 백작가가 큰 곤란에 처한 건 잘 알고 계시겠지요? 그와 대단한 연을 가지고 있는 제스퍼레오가 역시 아탈렌타의 불똥을 피할 수는 없을 겁니다."

"네가, 네가 나디아에게, 그 순한 것의 귀에 계략을 속살거렸을 게 아니냐! 이런 무도한!"

"글쎄요, 이 건에 대해서만은 어머니께서도 제게 감사하셔야 할 겁니다. 나디아가 제 말을 들어 재판에 출석하지 않은 덕에, 참으로 다행히도 아벨라르 백작가는 빠져나갈 구멍이 생겼거든요."

"뭐……?"

"아마 아벨라르 백작가는 큰 손해를 입지 않고 발을 뺄 수 있을 겁니다. 제가 나디아는 오라버니의 강압에 어쩔 수 없었을 거라며 대공비에게 선처를 요구해 보도록 하지요. 사람들도 못난 지아비를 품으려고 한 나디아를 동정할 겁니다."

이시스가 그 말에 담긴 무게와는 어울리지 않게 가벼운 투로 덧붙였다.

“물론, 어디까지나 어머니께서 제게 협조해 주신다면요.”

황후가 배신감에 치를 떨며 표독스레 쏘아붙였다.

“미련한 것! 네가 나디아를 살리지 않으면 어쩌려고? 프리모는 네 오라비다. 아벨라르가 제스퍼레오가와의 연으로 배경이 되어 주었듯이 네게도 그러하다는 사실을 왜 몰라! 뒷받침이 될 명분을 네 발로 걷어차겠다고? 말도 안 되는 소리!”

“과연, 북부는 오래도록 대단한 권세를 이어 왔지요.”

황후의 분노에도 이시스의 응대는 마냥 여유로웠다. 이시스는 황후의 화려한 방을 음미하듯 천천히 둘러보았다. 그러고는 제 턱을 쓸며 포만감 어린 음성을 흘렸다.

“하지만 제스퍼레오가가 너무도 굳건히 제 오라비를 지지하고 있었기에, 저는 다른 세력을 찾아야 했어요.”

더 이상 놀랄 것도 없다고 생각했거늘, 연이어 터지는 비밀에 정신을 차릴 수도 없었다. 황후는 평소의 위엄을 완전히 잊어버렸다. 황후가 갈라진 목으로 겨우 신음했다.

“설마, 너…… 아탈렌타를……?”

이시스는 그러한 어미를 퍽 만족스러운 기색으로 응시했다. 대공가의 지원을 손에 넣은 덕에 어머니를 설득하는 일이 배로 순조로워졌다. 이사벨 황후는 이제 따지고 들 의욕조차 잃은 듯했다. 황후는 충격을 숨기지 못하고 그만 몸을 휘청였다. 황후가 넋 나간 얼굴로 중얼거렸다.

“네가 우리 외가를 전부 등지고도 무사하리라 생각하니?”

“어머니, 다른 생각은 마세요. 저는 많은 걸 알고 있어요. 혼자

죽지 않을 준비도 충분히 되어 있고요. 사실, 제 관을 치우기도 전에 벌어질 그 모든 일들에 사람들이 어떤 표정을 지을지 못내 궁금하기까지 하답니다.”

이시스의 경고에 황후의 몸이 크게 움찔했다. 이시스를 건드렸다간 배로 보복이 돌아오리란 선포였다. 끔찍한 생각이 순간 머리를 스쳐 지나간 것도 사실이었지만, 황후는 그 계략을 제대로 검토하기도 전에 폐기해야 했다.

이시스는 프리모 세력의 주축으로 온갖 일을 처리해 왔다. 만일 이시스가 처음부터 배신할 생각이었다면 그들의 치부를 가만히 두고만 봤을 리 없었다. 황후가 무사히 이시스를 축출해 낸다고 해도, 동반 자살 외의 결말을 기대하긴 힘들 것이다.

끝내 황후의 눈에서 눈물이 배어 나왔다. 황후가 마지막 힘을 내어 끓는 원망을 소리쳤다.

“네가 네 오라비한테 어떻게! 네 오라비가 너한테 어떻게 했는데 어찌 사람을 이리 농락해!”

이시스는 헛웃음이라도 짓고 싶은 심정이었다. 주변 상황을 조작한 건 이시스의 안배였으나 결국 이 모든 상황을 일으킨 건 다른 누구도 아닌, 바로 프리모의 결정이었다. 프리모가 이시스를 죽이려고 하지 않았다면 이시스도 다른 방식을 찾아야 했을 것이다.

이시스가 마침내 분노 어린 음성으로 말했다.

“말씀은 바로 하셔야지요. 프리모가 제게 해 준 것보다 제가 프리모에게 해 준 것이 월등히 더 많다는 걸, 어머니도 아시잖아요. 그 얼간이가 지금껏 사건 사고 없이 자리를 지켜 온 게 다 제 덕이란 사실을요. 기회를 얻고도 살리지 못하다니, 그야말로 모자란 작자가 아닙니까."

"네가 오라비를 저버리고도—"

"부디 지금 당신이 마주한 현실을 보세요, 어머니! 당신의 자랑이었던 친정은 숨을 죽이고 있으며 당신이 사랑한 아들은 단두대 한 발짝 뒤에 섰으니!"

그 섬뜩한 음성에 황후는 겁에 질렸다. 황후의 입술은 이제 굳게 다물려 벌어지지 않았다. 마침내 원하는 것 앞에 다가선 이시스의 눈빛이 희열로 물들었다.

이시스는 어머니를 겁박하면서도 한 치의 죄책감도 느끼지 않았다. 이것이 그녀를 지켜 온 방패막이자, 앞으로 평생을 살아갈 방식이었다.

"당신께 남은 패는 이제 하나입니다."

"……."

"모른 척 황제의 어미가 되시겠습니까, 아니면 두 자식을 모두 잃고 황실을 어지럽게 한 죄인으로 몰려 유폐되시겠습니까?"

황후는 말없이 주먹을 말아 쥐었다. 희게 질린 살갗 위로 주체할 수 없는 눈물이 흘렀다.

이시스는 미련 없이 자리에서 일어섰다. 그녀가 싸늘한 눈으로 황후를 내려다보며 통고했다.

"어머니, 저를 비정한 딸로 만들지 마세요. 당신을 지킬 것이 바로 그 알량한 모녀의 정이라는 사실을 꼭 기억하세요."

✣ ✣ ✣

"이런 젠장할!"

프리모는 솟아오르는 분노를 참지 못하고 벽을 걷어찼다. 방에 감금된 지 꽤 오랜 시간이 지나 있었지만, 때때로 북받치는 울화는 도무지 가라앉지 않았다. 프리모가 괴성을 지르다가는 제풀에 주저앉았다. 그가 제 머리카락을 사납게 헤집으며 중얼거렸다.

"씨팔, 대체 이게 무슨…… 개 같은……!"

처음 겪어 보는 무력한 상황에 결국 그의 말끝에 흐느낌이 섞였다. 프리모는 오른손으로 아무렇게나 얼굴을 문질렀다. 몰골이 엉망이었지만 그따위 것에 신경 쓸 힘조차 없었다.

가장 그를 억울하게 하는 건, 이 상황이 대체 어떻게 된 건지 제대로 이해도 가지 않는다는 점이었다. 대공비가 이시스를 암살한 범인이라며 밀어붙였을 때만 해도 그는 모든 일이 잘 풀려 가고 있다고 생각했다.

하지만 그것은 그야말로 오판이었다. 이시스는 죽지 않고 살아남았으며, 재판 후 경비대에 의해 질질 끌려 나가는 건 대공비가 아닌 바로 프리모 자신이 되었다.

본래 공개 재판을 계획한 것은 프리모였다. 프리모는 대공비가 세를 회복할 수 없도록 재판에 최대한 많은 사람들을 초대했다. 집으로 돌아간 관중들이 친지에게, 친우에게, 혹은 아랫것들에게 알아서 소문을 퍼트려 주리라 여겼기 때문이다. 그러나 이제 그들이 퍼트릴 소문은 황태자가 되고 일주일도 채 지나지 않아 몰락한 황자에 관한 것이 될 터였다.

프리모는 재판정이라는 공간만 떠올려도 절로 이가 갈렸다. 그 위에 모습을 드러냈던 배신자를 생각하면 더더욱 그러했다. 아가타 그 건방진 계집이 감히 황자를 고발할 줄, 어느 누가 예상이나 했을까?

프리모는 벨리타와 주고받았던 편지가 아가타의 손에 들어가 있을 줄은 꿈에도 몰랐다. 심지어 아가타가 제출한 프리모의 편지는 벨리타에게 부치지도 않았던 것이었다. 명을 마치고 봉투를 봉하려는 순간, 그도 뒤늦게 벨리타가 말한 벨다 꽃의 정체를 알아챘던 탓이다.

그는 종이를 그대로 책상 한편에 던져두고 새로운 편지를 써 내렸다. 술의 맛이 진하기를 기대하고 있겠다는 간략한 내용을 담고는, 스스로의 명석함이 마음에 들어 콧노래까지 불렀었다.

그때 보내지 않은 첫 편지를 어떻게 처리하였더라.

과거를 되짚던 프리모는 이내 눈을 번쩍 떴다. 책상 위 양초에 종이를 그대로 그을려 버리려던 와중, 아가타가 제 앞으로 다가왔던 게 생각났기 때문이다. 분명 대뜸 눈앞에서 옷을 벗어 내리기에 잔뜩 흥분하여 함께 침대로 돌진했었다.

다음 날 책상은 말끔히 치워져 있었고, 프리모는 아랫것들이 정리했으리라 여기고는 그대로 깔끔히 잊어버렸다. 편지는 그때 빼돌린 게 틀림없었다.

프리모는 주먹을 틀어쥐며 음산하게 말했다.

“그 찢어 죽일 년이…….”

"설마 그것, 제게 하신 말씀이신가요?"

프리모는 번뜩 고개를 들었다. 여기 있어서는 안 되는 자의 목소리가 들려왔기 때문이다. 여자의 낯을 확인한 프리모가 황당하다는 듯 표정을 일그러뜨렸다.

아가타였다.

아가타는 평소에 비해 몹시 단출한 옷을 입고 있었는데, 자세히 보니 시녀의 것과 같았다. 경비를 속이고 이곳에 숨어든 걸까. 프리모가 캐묻기도 전에 아가타가 먼저 나서 설명했다.

"경비들에게 잠시 자리를 비워 달라고 하였어요. 전하께 꼭 드리고 싶은 이야기가 있어서요."

그러고는 열려 있던 방문을 조심스럽게 닫았다. 불빛 아래에서 마주한 아가타는 몹시 수척한 모습이었다. 입술은 말랐고 뺨엔 눈물 자국이 선연했으며, 늘 당당히 펴고 다니던 어깨는 죄책감에 매몰돼 축 처져 있었다.

그러나 그 가련한 모습은 프리모에게 한 치의 동정심도 유발하지 못했다. 프리모는 몸을 일으켜 당장 그녀의 앞으로 다가갔다.

"네년이 여기가 어디라고 뻔뻔하게 나타나!"

아가타가 손수건을 말아 쥔 손을 들어 제 눈가를 찍었다. 그녀가 호소하듯 말했다.

"전하, 잠깐만 제 이야기를 들어 주세요. 다 설명해 드릴 수 있어요."

"뭐? 설명? 뚫린 입이라고 내 앞에서 감히……!"

"흐흑, 저도 자의로 증언을 한 게 아니었단 말이에요!"

프리모의 몸이 순간적으로 굳어 들었다. 그는 아가타에게 휘두르려던 손을 멈추고는 잘못 들었다는 듯 되물었다.

"……그게 무슨 소리지?"

"흑, 흐윽……. 이시스 전하께서 계획을 알아채시고 저를 협박하셨어요. 증언을 하지 않으면 저와 제 가족들을 모두 죽여 버리겠다고요. 전 정말 어쩔 수 없었어요. 전하……!"

"뭐? ……이시스가?"

"황녀님께선 독을 쓴 게 대공비가 아니라 황자님이라는 사실을 아시는 눈치셨어요……. 저는 너무, 너무 두려워서, 흑……."

아가타가 결국 두 손 위로 제 얼굴을 묻었다. 프리모는 몇 차례 헛웃음을 터트리더니, 고개를 뒤로 젖히고 크게 악을 썼다. 이제야 상황이 어떻게 된 건지 대충 감이 왔다. 이 모든 게 이시스의 공작이었던 것이다. 그 영악한 년이 자신을 죽이려 한 진범을 알아채고는 복수를 하려 한 게 틀림없었다. 제거하려 했던 대공비와 손까지 잡아 가며!

어차피 대공비를 마녀로 모는 판은 이시스가 짠 것이었으니, 빼내는 것도 손쉬웠을 터다. 그렇다면 모든 게 밝혀졌을 때 재판정에서 내보였던 충격받은 모습은 모두 가증스러운 연기였단 말인가. 프리모는 먼저 동생을 죽이려 했던 게 자신이라는 사실도 잊고 더없는 분노에 찼다.

그는 험악한 말을 몇 차례 씹어 넘긴 후, 곧장 제 앞에 선 좋은 먹잇감을 응시했다. 프리모는 망설임 없이 잔악한 성정을 쏟아 냈다. 아가타에게 손을 휘두른 것이다. 프리모의 손은 아가타의 얼굴 전체를 덮을 정도로 컸다. 그의 패악질에 아가타는 그대로 쓰러졌다. 신음하는 아가타를 보고도 프리모는 한 치의 안쓰러움도 느끼지 않았다.

"네 가족과 네가 죽건 말건 무슨 상관이라고 그따위 증언을 해! 버러지 같은 목숨들이나 살리자고 감히 제국을 물려받을 날 물고 늘어진단 말이냐!"

프리모는 아가타에게 다시 주먹을 휘두르려다 말고 멈춰 섰다. 갑자기 좋은 생각이 떠오른 탓이다.

'경비대원이 자리를 비웠다고 했지?'

그가 진짜로 매질해야 할 상대가 있는데 쓸데없이 힘을 뺄 필요는 없었다. 프리모는 그대로 문을 열고 나섰다. 과연 문 앞을 지키던 경비대원은 모두 자리를 비운 채였다. 프리모는 흉흉한 걸음을 떼어 곧장 이시스가 머무는 궁으로 향했다. 그를 본 궁인들은 놀라 기둥 뒤에 숨거나, 들고 있던 물건을 떨어뜨리거나 했다.

웬일인지 이시스의 궁은 경비가 삼엄하지 않았다. 프리모는 무장한 경비대원들이 아닌, 오로지 겁에 질린 시녀들만 마주쳤을 뿐이다. 몸싸움을 벌일 각오도 했는데 생각보다 일이 쉽게 풀리고 있었다.

연약한 여인들이 프리모의 앞길을 막아설 수는 없었다. 프리모는 누구의 방해도 받지 않고 이시스의 방문을 걷어찼다. 그 흉흉한 등장에 실내에 있던 이들이 깜짝 놀라 비명 질렀다. 한눈에 보기에도 프리모는 그리 좋은 목적으로 이시스를 찾아온 것 같지 않았다. 그의 험악한 표정을 본 모두는 같은 생각을 떠올렸다.

황녀를 보호해야 한다.

이시스를 보필하는 시녀들이 재빨리 황녀의 앞을 막아섰다. 그들이 가당치도 않다는 듯 소리쳤다.

"황자 전하! 이 무슨 법도에 맞지 않는 방문입니까!"

"황녀 전하께서는 아직 몸이 다 회복되지 않으셨어요! 안정을 취하셔야 하니 이만 돌아가세요!"

"모두 비키지 못하겠느냐?"

싸늘히 대꾸한 프리모가 성큼성큼 이시스의 앞으로 다가섰다. 그는 저를 막아서는 시녀들을 망설임 없이 밀쳐 냈다. 폭력과 마주한 역사가 없는 귀족 여인들은 겁에 질려 몸을 일으키지 못했다.

마침내 프리모는 이시스의 바로 앞에 섰다. 이시스가 그런 프리모를 고요히 올려다보며 물었다.

"무슨 일이십니까? 아직 감금형이 풀리지 않은 것으로 압니다만."

"이 가증스러운……!"

프리모가 이를 한번 맞부딪치고는 그대로 이시스에게 폭력을 휘둘렀다. 그 힘이 어찌나 셌는지 이시스는 버티지 못하고 그대로 쓰러졌다. 프리모의 만행을 지켜보던 시녀들이 입을 틀어막았다.

"꺄악! 황녀 전하!"

"나가서 경비를 불러! 전하, 괜찮으십니까?"

이시스를 가장 가까이서 보필하던 보니타 영애가 보호하듯 황녀의 어깨를 끌어안았다. 그러나 프리모는 망설임 없이 보니타 영애의 머리채를 잡아 끌어냈다.

"아아아악!"

모두의 눈이 경악으로 물들었다. 상상도 하지 못한 끔찍한 폭행의 현장에 시녀들은 겁에 질렸다. 손쉽게 방해꾼들을 치워 낸 프리모가 이시스에게 다시 주먹을 휘둘렀다.

"이 모든 게 네가 꾸민 일이지! 이걸 다 어찌할 셈이냐!"

이시스는 그에게 쓰고 버릴 부품 같은 존재였다. 프리모가 아니었으면 그녀가 제대로 두각을 드러낼 수나 있었겠는가? 오라비가 없었다면 이시스도 벨리타마냥 그저 그런 황녀 중 하나로 머물렀을 것이었다. 프리모가 다음 대의 황제로 떠오르며 이시스 역시 권력을 휘두를 수 있었던 게 아닌가? 감히 은혜도 모르고 오라비의 목을 물어뜯다니, 프리모는 노여움을 참을 수 없었다.

그는 이성을 잃고 이시스의 마른 몸 위로 분노를 쏟아 냈다. 두어 차례 크게 신음하던 이시스는, 곧 완전히 축 늘어진 채 작은 소리조차 내지 못했다. 방 안에는 이시스에게 쏟아지는 참담한 보복과 시녀들의 흐느끼는 소리만이 울려 퍼졌다.

그러나 프리모가 이시스를 상대로 한껏 기분을 풀기도 전, 멀리서 경비대원이 달려오는 소리가 들려왔다. 프리모는 그제야 이시스에게서 손을 떼어 냈다. 프리모는 이시스를 발로 한 번 더 걷어차고는 그녀 위로 침을 내뱉었다.

"꺼흑!"

널브러진 이시스의 몸이 처량하게 꿈틀거렸다. 시녀들은 금수를 보는 듯한 시선으로 프리모를 노려보았다.

"황녀 전하!"

"이런 끔찍한……!"

"황궁 경비대원들의 빠른 발을 감사히 생각해라. 하지만 안심은 금물이지. 내 이번 감금이 끝나고 풀려난다면 고작 이것만으로 멈추진 않을 테니."

이시스에게 경고하듯 삿대질을 한 프리모가 이내 몸을 돌렸다. 프리모는 이시스의 방에 들이닥쳤을 때처럼 빠른 걸음으로 복도를 나섰다. 아무리 막무가내인 그라고 한들 지금 경비대원과 마주쳐서 좋을 게 없다는 사실 정도는 알았다. 그는 이대로 제 방으로 돌아가 모르쇠를 할 작정이었다. 궁인들의 입단속이야 이사벨 황후가 어련히 알아서 해 주지 않겠는가?

시녀들은 프리모가 사라진 걸 확인하고는 황급히 이시스의 주변으로 모여들었다. 그들의 얼굴은 하나같이 눈물로 엉망이 되어 있었다.

"황녀님, 괜찮으십니까?"

"어찌 이런 무도한……! 천지를 가진 황제라도 지켜야 할 법도가 있거늘, 어찌 누이를 이렇게까지 욕보인단 말입니까!"

기절한 줄 알았던 이시스가 천천히 땅을 짚어 몸을 일으켰다. 온몸이 삐걱대고 있어 그 간단한 동작을 행한 것만으로 극심한 고통이 느껴졌다. 그러나 머리칼에 가려진 이시스의 표정은 한없이 이성적이었다.

이시스는 싸늘한 눈빛을 지워 내며 고개를 들었다. 시녀들의 걱정을 마주한 이시스의 낯엔 어느새 더없이 가련한 표정이 떠올라 있었다.

"……보니타, 아버지를 뵈어야겠다. 베일을 내주련?"

황제는 늦은 밤 뜻밖의 방문객을 맞이했다. 시종이 곤란한 얼굴로 이시스가 찾아왔다고 알린 것이다.

이시스는 여러 자식들 중에서도 황제가 가장 아끼는 딸이었는데, 사실 애정으로만 치면 프리모보다 그녀가 더 우선에 있다고 봐도 좋았다. 이시스는 일이 없어도 종종 황제를 찾아와 말동무가 되어 주는 등 퍽 아비를 살갑게 챙겼기 때문이다. 그녀는 황제 앞에서 자신의 뜻을 내세워 알은체하지 않으면서도, 이런저런 쓸모 있는 조언을 남겨 주기도 했다.

그런 딸이 병석에서 일어나 처음으로 만남을 청한 것이다. 재판 이후 황제는 생각을 정리하기 위해 어떤 손님도 받아들이지 않고 있었지만, 이시스의 방문까지 거절하지는 못했다. 솔직히 말하자면 그녀와 술이라도 몇 잔 나누고 싶은 심정이기도 했다. 황제는 길게 고민하지 않고 허락의 말을 전했다.

머지않아 이시스가 문을 열고 들어왔다. 그의 딸은 참으로 의외의 행색을 하고 있었다. 발치까지 늘어지는 긴 베일에 가려져 얼굴은 잘 보이지도 않았다. 황제는 조금 당황했으나, 아직 중태에서 빠져나온 지 얼마 되지 않은 딸이 초췌한 낯을 숨긴 것이라 짐작했다. 그녀가 미세하게 비틀거리는 것까지 보자 안쓰러운 마음은 더욱 커졌다.

"제국의 광영을 뵙습니다, 황제 폐하."

황제에게 예를 갖출 때만은 한 치의 흐트러짐도 없었다. 황제는 기특한 기색을 숨기며 인자하게 답했다.

"그래, 단둘이서는 참으로 오랜만에 보는구나. 와서 앉거라."

황제는 시종을 시켜 값비싼 술을 대령하라 일렀다. 시종이 곧 발빠르게 얼음과 술, 잔을 가져왔다.

"같이 한잔할 테냐?"

황제가 직접 병을 따기까지 하며 술을 권했으나, 이시스는 가만히 고개를 내저었다.

"몸이 다 회복되지 않아서요. 아직은 무리입니다."

"그래……."

그것까지는 미처 생각지 못했던 황제가 머쓱하게 제 잔만 채웠다. 그러고는 안쓰럽다는 듯 이시스를 응시했다.

"……아무래도 네 오라비가 많이 미울 테지?"

"아버지, 저는 오라버니를 용서했습니다."

그 어떤 대인배도 본인을 죽이려 한 자를 용서하기는 힘들 것을, 의외로 대답은 담백했다. 황제는 죄책감 어린 눈빛으로 이시스를 응시했다. 그도 어디까지나 프리모의 못난 성정을 방관하기만 해온 입장이었으니까. 그것이 쌓이고 쌓여 누이에게 독을 쓰는 참담한 행각까지 다다르게 했을 것이다.

이시스가 이어 초연한 태도로 베일을 걷어 올리며 말했다.

"하지만 두려움은 별개의 문제입니다."

드러난 이시스의 모습에 왕이 깊이 탄식했다. 얼굴의 흉은 심하지 않았으나 드러난 팔과 목은 온통 멍들어 있었다. 치료를 하지 않고 왔기에 상처는 멎지 않은 피로 번들거렸다. 족히 한 달은 궁 내에서 칩거해야 할 정도의 상처였다.

"어서 궁의를 불러라!"

황제가 다급히 멀찍이 선 시종을 향해 소리쳤다. 깜짝 놀란 시종이 빠른 걸음으로 밖을 나섰다.

황제는 직접 일어나 이시스에게 가까이 다가갔다. 그는 딸의 뺨을 어루만지려다가, 도저히 온전한 곳이 없다는 사실을 깨닫고는 손에서 힘을 뺐다. 황제가 경악한 표정으로 신음하듯 말했다.

"누가 이런 무참한 짓을……."

그러나 그는 어렵지 않게 범인을 짐작할 수 있었다. 이 궁의 어느 누가 감히 무참히 황녀를 폭행한단 말인가?

이시스가 왈칵 눈물을 쏟아 내며 고개를 숙였다.

"폐하, 너무도 무섭습니다. 오리버니께선 어찌 당신만을 위해 힘써 온 저를 이리 취급하신단 말입니까."

"그놈이 결국……."

아니나 다를까 이시스는 그의 예상과 다르지 않은 답을 내어 놓았다. 황제가 끔찍하다는 듯 눈을 감으며 뒤로 물러섰다. 그는 의자 위에 주저앉으며 푹 고개를 숙였다. 차마 딸을 볼 낯이 없었다.

이시스는 호흡을 가다듬고는, 이내 차분하게 말했다.

"폐하, 그동안 제가 물심양면으로 오라버니의 흠을 숨겨 왔다는 사실은 익히 알고 계실 겁니다. 하지만 오라버니께서는 이제…… 정도를 넘어서셨어요."

"……."

"권좌를 얻는 데는 분명 잔혹함도 필요하나, 제왕이라면 권세를 유지해 줄 인자함 역시 갖춰야 하는 법입니다. 그러나 오라버니께선 감정이 때를 가리지 못하시니 힘을 모았던 충신들마저 후에 등을 돌릴까 두렵습니다."

마치 저처럼요.

이시스는 뒷말을 굳이 덧붙이진 않았다. 황제야말로 그 사실을 뼈저리게 느끼고 있을 테니까.

황제도 더는 프리모를 회생할 길이 없다는 사실을 알았다. 황제라고 나름대로 프리모의 조사를 해 보지 않은 건 아니었다. 그러나 결과는 재판정에서 밝혀진 것과 다름이 없었다. 벨리타를 시켜 이시스를 죽이려 한 건 프리모의 짓이 맞았다.

얌전히 갇혀 있기만 했어도 어떻게 이시스를 얼러 수습이라도 하겠거늘, 온통 멍 진 이시스의 몸을 보자 차마 오라비를 용서하라 말할 수도 없었다. 누이를 죽이려 한 패륜범이 적으로 돌린 건 민심만이 아니었다. 프리모는 늘 조용히 몸을 낮추고 있던 아탈렌타까지 건드렸다.

황제는 재판 직후, 아탈렌타 대공이 찾아와 남겼던 경고를 똑똑히 기억했다.

'폐하, 저희 아탈렌타는 보은과 복수라는 양가의 감정을 결코 잊지 않습니다. 부디 현명한 결정을 기다리고 있겠습니다.'

테리오드의 눈 밑엔 깊은 분노가 도사리고 있었다. 대공은 대공비에게 범행을 덮어씌우려 한 프리모를 결코 용서하지 않을 태세였다. 그 말은 만일 프리모의 행각을 묻으려고 한다면, 황가는 아탈렌타의 분노를 정면으로 받아들여야 한다는 소리이기도 했다.

안 그래도 머리가 아픈 와중 교황은 교활하게도 빠르게 발을 빼냈다. 금일 예배에서 교황은 참으로 영리한 선택을 했다. 일찍이 프리모의 부정을 알고 세례 의식으로 마음의 악을 씻어 내고자 했으나, 그건 불가능한 일이었다며 모두의 앞에서 통탄한 것이다. 그러고는 수도에 깔린 부정한 기운이 바로 프리모 황자에게서 기인한 것이라 주장했다.

대공비를 마녀로 몰았던 데니스는 신의 뜻을 조작했다는 이유로 교단에서 내쫓겼다. 그리고 이후의 행방은 찾아볼 수 없었다. 깊이 조사하지 않아도 아탈렌타의 입김이 서린 결과라는 사실은 충분히 짐작할 수 있었다. 덕분에 카라벨라의 교세는 그다지 수그러들지 않았으니 교황으로서는 나름대로 수지맞은 장사를 한 셈이었다. 수석 사제 하나를 바쳐 아탈렌타의 분노를 피했으니 말이었다.

하지만 황제의 결정이 어찌 그들처럼 쉽겠는가. 황제는 일개 수석 사제가 아닌 일국의 황자이자, 다른 누구도 아닌 제 친아들을 버려야 하는 입장이었다. 황제의 미간이 깊은 고민으로 일그러졌다.

그러나 그는 결정을 내리는 데 긴 시간을 소요하진 않았다. 황제란 아들을 구하는 데도 수지를 따져야만 하는 자리였다. 마음의 정이 문제였을 뿐, 기실 프리모의 폐위는 고민할 만한 거리조차 되지 않았다. 모든 상황이 프리모는 버려야 하는 패라고 말하고 있었으니까.

"……네 말이 맞다, 이시스. 폐위는 당연한 수순이지. 하지만 그건 그 아이에게 내릴 벌과는 별개의 일이야. 가장 큰 해를 입은 것은 이시스 네 쪽이니, 되도록 네가 바라는 처분을 내리도록 하마. 내가 어찌해야 하겠느냐?"

황제가 누그러진 음성으로 물었다. 그의 딸은 자신에게 주어진 선택권이 부담스러운 듯 잠시 머뭇거렸으나, 대답을 길게 지체하진 않았다. 이내 이시스가 입을 열어 말했다.

"오라버니는 분명 고귀한 피델리오 황가의 일원이십니다. 큰 소란을 벌여 또다시 명예를 실추시키고 싶진 않습니다. 다만 하루아침에 본인의 것이라 생각했던 자리에서 밀려나셨으니, 충격을 회복하는 데 분명 짧지 않은 기간이 필요하실 겁니다."

이시스는 잠시 말을 멈추고는 황제의 표정을 살폈다. 그는 딸의 깊은 마음 씀씀이에 몹시 감동받은 기색이었다. 이시스의 입가에

엷은 미소가 떠올랐다. 그녀는 황제의 기대대로 현명한 답을 돌려주었다.

"황태자가 폐위되었으니 폐하께선 곧 새로운 후계자를 양성하셔야 할 것입니다. 하나 오라버니께서 그 흐름을 가만히 두고 보시리라 생각되진 않는군요. 하여 드리는 말씀입니다만, 오라버니께서 마음을 다스릴 수 있도록 몇 년간 지방으로 내려보내시는 건 어떠실지요?"

황제는 직감했다. 이시스가 말한 '몇 년'이 정말 한두 해에서 그치진 않으리란 것을.

그러나 황제가 느낀 것은 안타까움보다는, 앓던 이가 빠진 듯한 시원함 쪽이었다. 아들을 먼 곳으로 내쫓는 것이 마음에 걸려 내내 미뤄 두었던 사안이다. 피해자인 이시스가 직접 요청한 일이라 생각하니 한결 결정 내리기가 편해졌다.

독살당할 뻔한 피해자와 가해자를 한 궁에 둘 수는 없는 법 아니겠는가?

프리모를 황궁 밖으로 내쫓지 않는다면 이시스는 내내 폭행당할지도 모른다는 두려움에 떨며 살아야 할 것이다. 프리모가 근신 명령 따위를 곧이 듣는 상대가 아니라는 것을, 그녀의 몸에 새겨진 멍들이 증명하고 있었다.

이시스의 조언은 언제나 황제를 배신하지 않았다. 황제는 한결 속 시원한 표정으로 고개를 끄덕였다.

"그래, 네 말대로 하도록 하마."

17. 똑같은 사람

17. 똑같은 사람

“마님!”

심약한 집사가 결국 눈물을 터트렸다. 아스티나는 마차 밖으로 나오다 말고 어색하게 미소 지었다. 감금되었다가 빠져나온 것은 분명 자신인데, 이상하게도 저택에서 기다리던 이들의 상태가 더욱 나빠 보였다.

아스티나가 짧게 혀를 찼다.

“걱정했나 보군.”

“그럼 어찌 걱정을 않겠습니까? 아이고, 혹시 잘못될까 싶어 대공 전하나 저나 제대로 잠도 들지 못했습니다.”

그 말이 거짓은 아닌 듯 올리버의 눈엔 붉은 실핏줄이 올라와 있었다. 계획의 전체를 알고 있었던 것은 대공가 내에서도 극소수의 인물이었다. 특히 황녀에 관한 것은 한 번도 언급한 적이 없으니

노년의 집사로서는 당연히 불안했을 터다. 올리버의 원망 어린 음성까지는 이해가 가능한 영역이었다.

"한데…… 제 낭군께서는 낯빛이 왜 그러신지요?"

그런데 모든 걸 다 알고 함께 합을 맞췄던 대공의 안색은 대체 왜 저런 것인가.

아스티나가 어이없다는 듯 테리오드의 앞으로 다가갔다. 그의 얼굴은 전보다 확연히 초췌해 보였다. 재판에서 보았을 때만 해도 분장쯤이라 생각했었는데, 어째 저택으로 돌아오고 난 후에도 그는 같은 얼굴을 하고 있었다.

"저 역시 걱정이 되어……."

대답하는 테리오드의 목소리가 갈라졌다. 아무래도 더 오래 잠을 설친 건 대공 쪽이었던 모양이다.

아스티나가 짐짓 의심스러운 태도로 물었다.

"……혹시 경비대원의 팔을 꺾은 것, 연기가 아니셨나요?"

"그놈이 부인을 너무 험악하게 붙잡지 않았습니까?"

테리오드가 무슨 그런 당연한 소리를 하냐는 듯 되물었다. 실제로 아스티나가 연회에서 결박당했던 당시, 마녀를 붙잡으려는 경비대원들의 손길은 몹시도 우악스러웠다. 반항했다간 계획이 틀어질 터였으므로 아스티나는 가만히 통증을 견뎠다. 사실 못 참을 만큼 아픈 것도 아니었다.

한데 테리오드는 그 와중 미세하게 찌푸려진 그녀의 표정을 포착했던 모양이었다. 아스티나는 본디 그게 애정을 드러내기 위한 대공의 전략이라 받아들였었다. 이시스 역시 같은 생각을 한 듯, 덕분에 나디아 영애를 겁주기가 쉬웠다며 그 일을 언급하기도 했다.

한데 그게 연기가 아니라 진심이었다니.

어이없기는 했으나 어찌 됐든 일이 다 잘 풀렸으니 뒤늦게 뭐라 할 수도 없었다. 대신 아스티나는 멀쩡한 몸 상태를 내보이듯 어깨를 으쓱였다. 그에 테리오드도 입가에 옅은 미소를 띠었지만, 그늘진 눈 밑까지는 숨기지 못했다. 결국 그가 피로한 기색으로 손을 들어 제 눈가를 문질렀다. 테리오드는 긴 한숨을 내뱉고 나서야 지친 음성을 낼 수 있었다.

"재판이 끝난 당일에 보내 주는 줄 알았는데, 도통 오시지 않기에 혹여 무언가 잘못된 게 아닌가 싶었습니다."

"사안이 사안이니까요. 절차가 좀 복잡했어요."

그냥 일반 범죄도 아니고, 무려 황족을 해치려 시도했다고 의심받은 용의자다. 당연히도 출소 절차는 보통의 경우보다 훨씬 까다로웠다. 아스티나는 재판일로부터 사흘이 지나고 나서야 구금에서 풀려날 수 있었다.

기실 그것은 황제의 결정까지 다다르는 유예 기간에 가까웠다. 결과에 순응하고 장자를 버릴까, 아니면 진실을 유폐하고 아탈렌타와 척지기를 택할 것인가. 후자는 불가능에 가까운 일이었고 이시스는 그 말도 안 되는 고민을 일찍 종식시켜 주었다.

그녀들이 세울 수 있는 계획들은 하나같이 희생을 요구했다. 스스로의 살을 베지 않고서는 상대의 뼈를 칠 수 없었다. 이시스가 온몸에 멍이 들고 나서야 이를 빌미로 프리모의 추방을 요구할 수 있었던 게 단적인 예였다. 신체적인 고통을 겪지는 않았으나 아스티나 역시 위험을 감수한 건 마찬가지였다. 이번 일로 대공가는 가파른 추락을 경험해야만 했으니까.

아스티나는 모든 일이 잘 풀리리란 확신이 있었으나, 동시에 그 무모한 패를 타인에게 이해시키기 어렵다는 것도 알았다. 그녀는 자신을 믿고 많은 일을 대신해 준 테리오드에게 큰 고마움을 느꼈다. 부인이 부린 고집의 대가로 테리오드는 내내 흠집 난 명성과 쏟아지는 멸시를 감수해야 했었다.

그러나 테리오드가 당초 걱정한 건 전혀 다른 부분이었다.

"무사…… 하십니까? 험한 일은 당하지 않으셨고요? 잠자리는 편했는지, 식사는 잘 챙기었는지 제 눈으로 확인할 수가 없어……."

말끝을 흐린 테리오드가 천천히 팔을 뻗어 아스티나의 뺨을 감쌌다. 미지근한 손이었지만 아스티나가 체감한 온도는 더 높았다.

아스티나의 눈이 일순 크게 뜨였다. 눈앞에 닥친 손해보다 사람을 걱정하는 마음이란 것이 그녀에겐 낯설었다.

사람이라면 누구나 무언가를 결정하는 데 있어 손익을 따지는 법이다. 아스티나도 자신의 위세보다 황녀의 득세가 중했기에 망설임 없이 후자를 택했다. 그런 아스티나에게 잠깐의 감금쯤은 정말이지 아무렇지 않은 일이었다. 한데 테리오드가 이리 걱정하는 모습을 보고 있으니 기분이 묘해졌다.

대공의 지친 얼굴은 곧, 그가 가장 큰 가치를 두고 있는 대상이 곧 아스티나라는 사실을 말해 주었다. 아내의 결정을 존중하긴 했으나 속으로는 내내 염려를 품고 있었던 것이다. 스스로에게 큰 의미를 가지지 않았던 아스티나로서는 생소한 사실이었다.

아스티나가 설핏 웃으며 중얼거렸다.

"제가 항상 약속을 어기는군요."

테리오드를 위해 살겠다고 말했으면서 아스티나는 항상 그를 걱정하게만 하고 있었다. 이쯤 되면 약속한 사람과 그 대상이 완전히 뒤바뀌었다고 말해도 어폐가 없다. 아스티나는 테리오드에게 약간의 미안함과, 이어 가슴을 간질이는 묘한 술렁임을 느꼈다.

테리오드는 그녀의 사랑을 기다리겠다고 막연히 말했었다. 아스티나는 자신이 그와 같은 열렬한 감정을 품고 있다고 생각하진 않았지만, 그의 호언이 영 틀렸다고 말할 수도 없었다. 처음 델 듯이 뜨거웠던 남자의 애정은 어느덧 편안한 온도가 되어 있었다.

당장 테리오드를 떠나야 한다고 하면 그녀는 처음처럼 단호히 돌아설 수 있을까. 아쉬울까, 혹은 슬플까. 분명 처음 아탈렌타에 왔던 때와는 다른 느낌일 것이다.

아스티나는 그대로 손을 뻗어 그의 뺨으로 가져갔다. 서로의 얼굴을 감싼 채 이마를 맞댔다. 코끝이 스치고, 아스티나가 먼저 그에게 입술을 부딪쳤다. 테리오드 역시 그녀를 따라 슬며시 눈을 감았다. 아스티나는 그에게 입을 맞추며 익숙함이란 것에 대해, 그리고 무뎌지는 일들에 대해 생각했다.

옛 연인과의 입맞춤은 기억 속에서 부스러진 지 오래였다. 아스티나는 이제 그게 어떤 느낌이었는지도 떠오르지 않았다. 그도 그럴 것이 너무도 오랜 세월이 지난 탓이다. 선명한 것은 순간순간뿐, 이제 그녀의 가슴속에 남은 추억은 그야말로 보잘것없는 부피였다.

세세하게 알고 있던 그의 습관이 더 이상 떠오르지 않는다. 그가 좋아하던 음식의 이름을 이제 반절 남짓도 대지 못한다. 그가 자주 읽었던 책은? 그가 고백하던 순간 코끝을 스쳤던 향은 또 어떤가. 이제 그녀에게 남은 건 마지막 순간의 강렬한 원망뿐이었다. 짧았던 행복은 그녀를 더 사무치게 하는 반동에 지나지 않았다.

오래 아팠던 마음이 타인의 애정을 맛보고는 간사하게 속삭였다. 너를 아프게 하는 것들은 그만 버리라고.

아스티나가 충동적으로 말했다.

"나도 보고 싶었어."

아스티나의 속삭임에 테리오드가 놀란 듯 눈을 감았다 떴다. 반쪽짜리 고백만으로도 족했을까. 그의 얼굴에 환한 웃음이 떠올랐다. 테리오드가 그녀를 완전히 품에 안으며 말했다.

"잘 돌아왔어요, 내 사랑."

뒤에서 큼큼 헛기침을 하던 올리버가 말없이 손을 휘저어 사용인들을 물렸다. 그러고는 저 역시 재빨리 뒤돌아 사라졌다. 등진 방향이었기에 테리오드는 알지 못했지만, 그와 마주 서 있던 아스티나는 그 모습을 고스란히 지켜볼 수 있었다.

절도 있는 퇴장에 아스티나의 입가에서 피식 웃음이 새어 나왔다. 덕분에 분위기 잡을 의지가 완전히 사라져 버렸다.

"왜 웃으십니까?"

뜬금없는 반응에 테리오드가 어리둥절한 낯으로 물었다. 아스티나가 고개를 내저으며 대답했다.

"신기한 일이에요, 주인이 돌아왔다는 것만으로 이렇게 분위기가 달라지다니."

"다들 부인을 걱정했으니까요."

테리오드는 아스티나가 본인의 귀환을 말하고 있다고 생각한 모양이었다. 그러나 아스티나가 떠올린 건 신혼 초, 그야말로 저주받은 성 같은 모습을 하고 있던 대공저 쪽이었다.

"제 말은, 대공 전하 말씀입니다. 당신께서 온전하실 때의 사용인들은 생각보다 재밌는 사람들이에요."

당시 사용인들은 늘 살얼음판을 걷는 것처럼 행동했다. 웃을 일 따위는 존재하지 않는다는 듯 표정은 굳어 있었고, 저택을 감싸고 있는 건 침울한 기운뿐이었다. 하지만 이젠 그들에게서도 사람의 온기랄 것이 느껴졌다. 아스티나가 아탈렌타 영지로 처음 내려갔을 때와 비교하면 확연히 다른 분위기였다.

"아, 가보를 팔아 치운 가신들은 제외하고요."

아스티나가 뒤늦게 생각났다는 듯 덧붙였다. 그에 테리오드도 옅은 웃음을 쏟아 냈다. 아스티나는 테리오드의 아랫입술을 손끝으로 눌렀다. 붉은 살갗을 어루만지며 그녀가 장난치듯 물었다.

"이제 뭘 할까요."

비어 있는 후계자 자리를 꿰차는 건 온전히 이시스의 몫이었다. 아탈렌타가 공개적으로 이시스를 지지한다면 프리모를 축출한 건에 대해 자칫 황제의 의심을 살 여지가 있었다. 아스티나의 역할은 뒤편에 가린 조력자쯤에 그쳐야 했다. 그 말은 곧, 아스티나가 지금까지보다 훨씬 한가해진다는 소리기도 했다. 그리고 그 빈 시간을 어떻게 채워야 할지는 아스티나도 아직 결정하지 못한 바였다.

이번 생은 조용히 살기로 당초 마음먹었던 것과 다르게, 그녀가 벌인 일은 많고도 많았다. 아탈렌타로 향하며 휴가를 얻었나 하였더니 전혀 아니었다. 오히려 벨라체 아카데미에서의 학업은 결혼 후 이어질 고행에 대한 짧은 예고편에 불과했다. 아스티나는 근 몇 세대 간, 자신처럼 바쁘게 산 대공비는 없었을 것이라 자신했다. 가문 내의 업무는 물론이거니와 바깥일도 잔뜩 벌여 두었었으니까.

예의 바깥일에 충분히 지쳐 버린 테리오드가 부드럽게 그녀를 저지했다.

"뭐가 될진 모르겠지만, 되도록 위험 부담이 없는 쪽으로 하지요."

그는 아스티나가 또 다른 대업을 욕심낼까 걱정하기라도 하는 모양새였다. 의미 없는 걱정이었다. 솔직히 말하자면 그녀도 이제는 쉬고 싶었다.

아스티나가 짧게 어깨를 으쓱이며 되물었다.

"글쎄요. 제가 하고 싶었던 건 다 해치웠으니, 이제 대공께서 하고 싶으신 걸 할까요?"

"제가 하고 싶은 것이요?"

"예, 공평하게요."

그러나 테리오드는 딱히 욕심이랄 것이 없는 남자였다. 가세를 일으키고 싶은 야망도 없었고, 기실 아탈렌타는 소유하고 있는 것들을 유지하기만도 벅찬 가문이었다.

그가 하나 욕심내고 있는 것이라고 하면…….

"그건—"

아스티나의 눈을 들여다보던 테리오드가 멈칫했다. 그는 말을 다 잇지 못하고 제 입을 가렸다. 이윽고 그의 얼굴이 붉게 달아올랐다. 맹세컨대 이는 아스티나가 의도하지 않은 반응이었다. 성적인 뉘앙스를 내보여 그를 유혹했던 적도 분명 있지만, 이번만은 그런 경우가 아니었다.

과한 금욕이 온갖 상상을 불러왔을까.

아스티나의 눈이 가늘어졌다.

"대공께서는…… 아닌 척하면서도 참 밝히십니다."

"이상한 걸 상상한 게 아닙니다."

테리오드가 다급히 정정했다. 아스티나는 여유롭게 그의 어깨를 밀어냈다.

"다른 사람들 앞에서 방금 하신 생각을 당당히 읊으실 수 있다면 참작해 보지요."

"전 데이트를 말씀드리려고 했어요."

아스티나의 놀림에 테리오드가 억울하다는 듯 대답했다. 그에 아스티나가 눈이 조금 커졌다.

"데이트요?"

생각지도 못했던 간지러운 단어다. 그러고 보면 테리오드와 변변찮은 외출을 함께한 적이 거의 없었다. 용건이 있을 때 밖에 나가 일을 처리했을 뿐, 같이 시간을 보내기 위한 목적만으로 움직였던 적은 없다.

테리오드와의 설익은 연애는 종종 아스티나에게 잊고 있었던 것을 상기시켰다. 가령 보통의 연인은 친밀감을 쌓아 갈 때 어떤 단계들을 밟아 가는지 말이다. 같이 시간을 보내는 것도 중요하지만, 더 중요한 건 그 시간을 어떻게 채워 가는가였다. 성적인 접촉으로만 연인 노릇을 대충 때워 왔던 아스티나로선 다소 찔리기도 하였다.

"……뭐, 그간은 워낙 바빴으니까요. 이제부턴 말씀하신 대로 그 데이트란 걸 해 보죠."

아스티나는 대충 말을 얼버무리고는 그가 지적할세라 재빠르게 이어 물었다.

"그래서, 처음 행선지는 어디로 생각하시나요?"

"부인께서는 따로 하고 싶은 게 없으십니까?"

테리오드가 사람 좋게 웃으며 되물었다. 아스티나는 턱 끝을 문지르며 몇 가지 판에 박힌 답을 뱉어 냈다.

"거리를 걸어도 좋겠고, 도시락을 준비해 피크닉을 가도 좋겠지요. 변장을 하고 야시장에 가고 싶은 철없는 욕망이 있다면 그것도 맞춰 줄 수 있어요."

아스티나가 농담조로 던진 응대에 테리오드의 입이 다물렸다. 잠시 침묵하던 테리오드가 이어 반문했다.

"……철없다니요, 다 로맨틱하지 않습니까?"

아스티나는 그만 웃음을 참지 못했다. 그녀로서도 간만에 쏟아낸 시원한 웃음이었다. 머쓱했는지 아스티나를 지켜보는 테리오드의 뺨엔 옅은 홍조가 떠올라 있었다.

여러모로 놀리는 맛이 있는 남자다. 테리오드는 고전적으로 잘생긴 미남이었지만, 얼굴을 붉힐 때면 또 제법 귀여운 구석이 있었다.

아스티나가 웃음을 지우고는 정색하듯 말했다. 장난기 어린 어조였지만, 장난만은 아닌 무게로.

"대공, 좋아합니다. 진심이에요."

분명 사랑은 아니다. 뜨겁고 열렬했던 그 느낌을 익히 알고 있었으므로 아스티나는 단언할 수 있었다. 하지만 테리오드를 향한 감정을 규정할 말이 꼭 사랑일 필요는 없지 않을까.

과거에 품었던 불같은 사랑은 그녀에게 상처만 주었다. 애틋했던 만큼 선명히 남은 상흔에 아직까지도 신음하고 있었으니까. 반대로 테리오드의 애정은 아스티나를 마냥 달래 주었다. 어느 쪽이 더 좋은 영향을 미치었느냐 묻는다면 아스티나는 망설임 없이 후자라 대답할 수 있었다. 이렇게 그녀를 편하게 하는 감정이라면, 그녀를 쉬게 해 주는 사람이라면 그것만으로 족하지 않을까.

의리나 정으로 살아가는 부부는 이 세상에 충분히 많다. 아스티나는 자신이 적어도 그들보다는 테리오드에게 더 깊은 감정을 품었다고 생각했다. 전보다 마른 얼굴을 보자 뭐라도 먹이고 싶은 마음이 드는 건, 그녀도 알지 못하는 사이 애정이란 게 쌓였기 때문이겠지.

아스티나는 그들의 결혼 생활에 언제나 서로를 향한 존중과 배려가 가득할 것임을 예감했다. 그 속에서 아스티나는 그를 사랑하리라 단언할 수는 없되, 행복해질 자신은 있었다. 이렇듯 천천히 과거의 잔재를 잊어 가며.

"……제가 잘못 들은 건 아니겠지요?"

테리오드가 얼빠진 음성으로 되물었다. 아스티나는 어깨를 으쓱이며 그런 그를 지나쳤다.

"잘못 들은 걸로 하고 싶으시면 그러셔도 되고요."

"아니요, 제대로 들었습니다. 귀에 아주 쏙쏙 박히던걸요."

황급히 저를 따라붙는 인기척에 아스티나의 입꼬리가 기분 좋게 휘었다.

"……무슨 좋은 일 있으십니까?"

올리버가 결국 못 이긴 척 질문했다. 아까부터 그를 흘긋 응시하거나, 부산스럽게 책장을 넘기거나, 아니면 창문을 닫았다 열었다 하는 등의 행동이 관심을 요구하는 유아기 아이의 그것처럼 느껴졌기 때문이다.

올리버의 물음에 테리오드가 어쩔 수 없다는 표정으로 어깨를 으쓱였다. 테리오드는 의자에 몸을 앉히고는, 깍지 낀 두 손을 느른히 아랫배 위에 두었다. 이어 테리오드가 여유로운 목소리로 대꾸했다.

“기분 좋은 일이라니, 그럴 일이 별달리 뭐가 있겠나.”

‘마님이 돌아오신 것이요.’

올리버는 혀 바로 밑까지 차오른 대답을 겨우 삼켜 냈다. 대신 그는 공손히 고개를 조아려 테리오드에게 인사를 남겼다.

“제가 잘못 짚었나 보군요. 저는 그럼 이만…….”

“잠깐.”

테리오드가 황급히 몸을 일으켜 책상을 짚었다. 다급했던 행동과 다르게 목소리는 편안했다. 아니, 정말 그랬다기보다는 편안함을 잘 흉내 냈다고 표현해야 옳을 것이다. 실제로 집사를 붙잡는 대공의 눈빛엔 초조함이 스며 있었다.

테리오드가 어쩔 수 없다는 듯 이마를 짚으며 말했다.

“자네가 그렇게 궁금하다면 어쩔 수 없지.”

그렇게 궁금하진 않았지만 올리버는 잠자코 제자리에 멈춰 섰다. 대공비가 부재했을 당시 올리버는 비슷한 일을 몇 번 경험한 적이 있었다.

사실 올리버의 불면은 반쯤 주인의 변덕에 기인했다고 볼 수 있었는데, 불안을 이기지 못한 테리오드가 새벽에도 종종 집사를 호출했던 탓이었다. 테리오드는 올리버를 앞에 세워 두고는 황궁의 지하 감옥이 어떤 곳인지, 습도와 온도는 적절한지, 식사의 간은 잘 맞는지 등을 하나하나 캐물었다. 그러고는 마음에 차지 않는 대답이 돌아오면 그대로 머리를 감싸 쥐고 앓는 소리를 냈다. 그의 일인극을 졸음기 어린 눈으로 지켜보며 연로한 집사는 대공의 사촌을 떠올렸다. 그간 한 번도 아서와 대공의 공통점을 찾지 못했던 올리버지만, 집사의 잠을 깨우는 무자비한 행태만은 닮은 것도 같았다.

시큰둥한 반응에 대공은 바람 잡기는 이만 그만두기로 했다. 테리오드가 턱을 들며 곧바로 본론을 꺼냈다.

"여자가 남자에게 좋아한다고 말한 게, 무슨 뜻인지 아나?"

"……그냥 좋다는 뜻 아닙니까?"

올리버의 대답이 마음에 차지 않는다는 듯 테리오드는 눈썹을 치켜세웠다. 테리오드가 큰 소리가 나게 책상을 두드리며 반박했다.

"아니지! 이는 아주 특별한 일일세. 결코 아무한테나 하는 소리가 아니라 이 말이야."

딱 봐도 사용인들이 자리를 비켜 준 사이 부인에게 좋아한다는 말이라도 들은 모양이었다. 나이 든 올리버로서는 대공의 연애 행각이 그저 귀여웠다.

부모의 부재에 어릴 적부터 어른스러움을 연기해야 했던 주인이다. 이제라도 지나쳤던 단계들을 하나하나 되짚어 가고 있는 것 같아 감회가 새로웠다. 그에 첫사랑과 사춘기라는 큰 문제가 섞여 있다는 게 난관이었지만.

"예, 특별한 분께 들었으면 특별한 말이 맞겠지요."

올리버가 허허 웃으며 테리오드의 말을 받아 주었다. 사실 그가 생각해도 대공비는 그런 말을 허투루 할 사람으로 보이진 않았다. 그녀는 남의 눈치를 봐 가며 싫은 걸 좋다고 말할 성격이 아니었기 때문이다. 아마 대공에게 전한 말도 진심에서 우러난 것일 터다. 그러니 대공도 저리 웃음을 참지 못하는 것이고.

올리버는 미소 띤 얼굴을 유지한 채 품속에서 시계를 꺼내 흘긋 살폈다. 흥미 없는 대화를 마쳤을 때 으레 그러하듯, 체감보다 더 적은 시간이 흘러 있었다. 그러나 올리버는 능청스럽게 대공을 집무실 밖으로 밀어내었다.

"이쯤이면 마차가 다 준비되었을 것 같군요. 지겨운 일은 뒤로 치워 두시고 이만 나가 보세요."

"시간이 벌써 그렇게 됐나?"

올리버의 재촉에 테리오드가 자리에서 일어났다. 아스티나가 귀가하고 주변이 어느 정도 정리된 후, 테리오드는 곧장 부부끼리의 시간을 계획했다. 이시스 황녀의 기반이 안정되기 전까진 가까이에서 두고 봐야 했으므로 대공 부부의 수도 체류 기간은 좀 더 길어져 있었다. 테리오드는 그 시간이 아깝지 않도록 아내와 온갖 명소에 다 가 볼 생각이었다. 다만 둘만의 시간을 만끽하기 위해 첫 외출만은 교외로 눈을 돌렸다.

아탈렌타 대공가는 성과 같은 지명의 영지 외에도 많은 땅을 가지고 있었다. 오늘은 곳곳에 매입해 둔 별장 중, 수도에서 가장 가까운 곳으로 향할 예정이었다.

바실에서 두 시간 정도 달려야 있는 별장은 소박한 건물 크기와 비교해 유달리 넓은 지대를 소유하고 있었다. 중심에 있는 호수를 포함해 근방을 전부 사들였기 때문이다. 아름다운 호수의 전경에 전대 대공 부부는 대부분의 여름휴가를 그곳에서 보내기도 했었다. 대공 부부가 불의의 사고로 죽고 난 후로는 관리인 외에 아무도 방문하지 않은 죽은 공간이 되고 말았지만.

성인이 되기까지 아탈렌타 영지를 떠나지 못했던 테리오드로서도 이번이 첫 방문이었다. 관리인이 부지런히 관리했을 테니 상태는 그다지 걱정되지 않았지만, 이 제안을 아스티나가 좋아할지는 미지수였다. 대개 젊은이들은 한적한 별장 생활보다는 연극이나 쇼핑 같은 일에 더 흥미를 두곤 했기 때문이다.

그러나 아스티나는 테리오드가 예상한 것보다 훨씬 들떠 했다. 그녀는 관광보다는 휴양을 더 선호하는 사람이었고 나이 든 사람이으레 그러하듯 자연 경관을 좋아했다. 그녀의 정신 나이를 생각하면 이상한 일은 아니었으나 테리오드로서는 알 수 없는 일이었다.

어쨌든 둘은 느긋이 수영을 하고 맛있는 것을 먹으며, 모처럼 한가로움을 만끽해 볼 생각이었다. 물론 성인의 여행이니만큼 별장에서 취하는 건 휴식만이 아닐 것이다.

첫 데이트에 외박을 제안하다니, 아스티나가 응큼하다는 눈빛을 보냈을 때 펄쩍 뛰었던 일이 참으로 면구하게 되었다.

"짐은 아까 미리 실어 두었습니다. 대공비 전하도 준비를 다 끝마치셨을 듯싶으니 드레스 룸으로 먼저 가 보세요."

"그래, 서둘러 이것저것 처리하느라 자네도 고생이 많았어. 미안하지만 모레까지만 조금 더 신세 지지. 급한 일은 대충 처리했으니 내가 없어도 문제 되진 않을 거야."

이틀을 통째로 휴가 내기 위해 테리오드는 떠나기 직전까지도 일에 파묻혀 있었다. 올리버는 고개를 끄덕이며 책상에 놓인 서류들을 살폈다. 부산스레 행동하기에 집중을 못 했으리라 예상했는데 목표한 일은 다 끝마쳐져 있었다.

테리오드의 서명을 짚어 내리던 올리버가 마침 생각났다는 듯 고개를 들었다.

"참, 그림을 취급하는 업자가 연통을 넣었더군요. 보관하고 있던 아탈렌타 가계의 초상을 처분하고 싶다고요. 재판에서 증언을 했던 지배인에게 소개받았다고 하던데, 약속을 잡아 둘까요?"

테리오드는 머릿속에서 오래 지나지 않은 기억을 끄집어냈다. 암시장을 찾았던 가장 큰 이유는 프리모 측에서 대공비의 흠을 찾았다 착각하게 만들기 위해서였다. 하지만 그렇다고 해서 대공가의 보고를 되찾는 일을 수단으로만 이용했던 건 아니었다. 아스티나가 재판정에서 호소했던 것마냥, 가문의 물건들이 바깥을 나돌게 둘 수는 없었기 때문이다.

테리오드가 오랜 고민을 거치지 않고 선선히 허락했다.

"시일을 잡아 한번 방문해야겠군. 아내와 함께 가겠다고 전하게."

이 와중에도 아내를 챙기는 대공을 보며 올리버는 잠자코 고개를 끄덕였다.

테리오드와 아스티나가 식을 치른 게 엊그제 같은데 벌써 신년이 다가와 있었다. 부부 사이도 좋으니 이번 여행에서 좋은 소식을 기대해 봐도 좋지 않을까. 주인에겐 말할 수 없는 기대를 품으며 올리버가 흐뭇한 얼굴로 배웅했다.

"그럼 잘 다녀오십시오."

✣ ✣ ✣

수도에서 멀지 않은 별장은 도착도 금방이었다. 물론 비교적 가까웠다 뿐이지 두 시간이나 마차를 타고 이동하는 건 분명 지루한 일이었다. 아스티나와 테리오드는 경험에 의거해, 체감 이동 시간을 단축할 수 있는 유용한 방법을 몇 가지 알고 있었다. 약간의 손장난을 거친 부부는 출발할 때와는 사뭇 다른 흐트러진 모습으로 밖에 내려섰다. 부부가 별장에 둘만 머물기를 원했기에 마부는 수도 쪽으로 다시 말 머리를 돌렸다.

테리오드와 아스티나는 먼저 별장에 짐을 올려 둔 뒤, 옷을 갈아입고 곧장 호수로 나왔다. 일몰 시간이 가까워지고 있었기 때문이다. 전대 대공 부부와 함께 몇 번 별장을 찾았던 경험이 있는 올리버는 테리오드에게 몇 가지 쓸 만한 조언을 남겼다. 해가 지며 호수도 함께 붉게 물드는 황혼 때가 가장 아름다우니, 분위기를 잡고 싶다면 꼭 놓치지 말라 전한 것이다.

다행히도 아스티나와 테리오드가 호수에 다다랐을 즈음엔 해가 아직 높은 곳에 있었다. 전대 대공비가 사랑에 빠졌던 공간답게 호수는 몹시 아름다웠다. 올리버가 극찬했던 해 질 녘이 아니었음에도 충분히 대단한 경관이었다.

마냥 푸르른 물빛은 마음을 안정시키는 구석이 있었다. 아스티나는 물끄러미 수면 위를 내려다보았다. 조용히 일렁이는 물결에 햇빛이 조각조각 부서졌다. 옅게 바람이 불며 나뭇잎이 바스락거리는 소리가 울렸다.

아스티나가 흐트러진 머리카락을 쓸어 넘기며 중얼거렸다.

"아름답네요."

"그러게요, 오길 잘한 것 같습니다."

테리오드 역시 감탄하듯 말했다. 처음으로 단둘이 온 여행인데, 다행히도 장소 선정이 아주 탁월했다.

둘은 한참 말없이 호수를 둘러보았다. 화가를 불러 그리게 하고 싶을 정도로 기억에 남을 만한 공간이었다. 이런 곳을 사유지로 쓰고 있다는 사실에 죄책감까지 들 정도로 말이었다.

이 넓은 곳에 오직 단둘이라 생각하니 기분이 묘해졌다. 꼭 누구도 알지 못하는 요정들의 숨겨진 공간에라도 발을 들인 느낌이었다. 가만히 물소리를 듣고 있자 머릿속을 어지럽게 했던 현실의 아우성들이 점차 아득해졌다.

"가끔 사람이 없는 곳에 오면…… 마치 시간이 멈춘 것 같다는 생각이 듭니다."

아스티나가 고개를 기울이며 읊조렸다.

문득 손끝에 온기가 맞물리는 게 느껴졌다. 아스티나는 조용히 시선을 내렸다. 테리오드가 아스티나의 손에 깍지를 끼고 있었다. 단단한 손마디가 그녀를 기분 좋게 감싸 왔다. 아스티나는 팔에 힘을 빼어 그런 그를 잠자코 내버려 두었다.

테리오드가 입가에 옅은 미소를 띤 채 말했다.

"저랑 비슷한 듯 다른 생각을 하시는군요. 전 이대로 시간이 멈췄으면 좋겠다고 생각했는데."

테리오드가 한숨 쉬듯 이어 말했다.

"그러나 해가 지네요."

도착한 지 얼마 되지도 않았는데, 내일 오후면 다시 이곳을 떠나야 한다고 생각하니 아쉽게 느껴졌다. 그 기색을 알아차렸는지 아스티나는 그를 설레게 하는 대답을 돌려주었다.

"다음에 다시 오면 되지요."

테리오드에겐 의미가 깊은 말이었다. 그녀가 계획하는 미래에 그도 포함되어 있다는 소리였으니까. 테리오드가 언뜻 장난스러운 기색으로 되물었다.

"매해 여름에요?"

전대 대공 부부를 잘 알지 못하는 아스티나가 의아한 기색으로 테리오드를 응시했다. 테리오드는 이곳이 그의 부모가 매년 같이 찾았던 공간이라고는 굳이 말하지 않았다. 어리광 같은 가벼운 온도로 받아들였는지 아스티나가 선선히 고개를 끄덕였다.

"물놀이를 하려면 그 편이 좋긴 하겠네요."

"하기야, 지금은 물에 몸을 담그긴 좀 추운 날씨이긴 하죠."

테리오드가 말을 끝마치기도 전, 아스티나가 어깨에 둘렀던 겉옷을 풀어 내렸다. 신발까지 마저 벗고는 테리오드가 말릴 새도 없이 물가로 성큼 걸어갔다. 당황한 테리오드가 황급히 그녀를 뒤따랐다.

첨벙 물가에 발을 담근 아스티나가 몸을 돌려 그를 돌아보았다. 그러고는 손에 물을 담아 그를 향해 튀겼다. 예상치 못한 일이었기에 테리오드는 고스란히 그녀의 장난을 받아 내는 수밖에 없었다. 테리오드는 어안이 벙벙한 표정으로 젖은 웃옷을 내려다보았다. 테리오드가 고개를 들자 아스티나는 같은 행동을 반복했다. 그녀의 얼굴엔 드물게도 장난기가 어려 있었다.

테리오드가 배신감 어린 목소리로 중얼거렸다.

"……야시장에 가자는 건 철없다고 했으면서……."

그의 로망을 어리게만 취급했던 아스티나다. 하여 물가에 와서도 얌전히 주변을 걷기만 할 것이라 예상했는데 저 재빠른 변절은 또 뭐란 말인가.

그러나 아스티나는 아랑곳 않고 재차 테리오드의 머리칼까지 적셨다. 이제 그는 완전히 물에 젖은 생쥐 꼴이 되어 있었다. 그녀가 즐거운 목소리로 말했다.

"좋아요, 정정할게요. 그것도 생각보다 재미있을지 모르겠어요. 사실 내가 물놀이가 백 년 만이라서, 좀 설레네요."

아스티나의 과장 어린 말에 테리오드가 어이없다는 듯 웃었다. 그는 눈썹을 한번 들었다 내리고는, 아스티나처럼 겉옷을 벗어 내려 두었다. 테리오드가 지체 없이 아스티나에게 성큼성큼 다가섰다. 넓은 보폭에 아스티나는 꼼짝없이 그에게 붙잡혔다. 차마 그녀에게 같은 보복을 할 수는 없었던 듯 테리오드는 아스티나를 뒤에서 끌어안아 움직임을 저지했다.

아스티나가 다리를 버둥거리며 반항했다.

"이건 반칙이에요."

"지금 진짜 치사한 게 누굽니까?"

"내가 진심으로 빠져나가면 당신 다쳐요."

아스티나의 웃음기 어린 경고에 테리오드는 그녀의 검 솜씨를 떠올렸다. 농담은 아닐 것 같았다. 하지만 그녀가 연인의 팔을 부러뜨릴 만큼 피도 눈물도 없는 사람은 아닐 것이다.

테리오드는 그녀를 놔주는 대신, 다른 방식으로 그녀를 달래기로 했다. 그가 호언하듯 속삭였다.

"그럼 이것도 막아 봐요, 못할걸?"

찬물을 뒤집어쓰리라 예상하고 눈을 감았던 아스티나는, 뺨에서 느껴지는 부드러운 감촉에 곧 다시 눈을 떴다. 테리오드가 그녀의 볼에 입을 맞추고 있었다. 뒤에서 그녀를 붙잡고 있는 자세라 입술을 삼킬 수는 없어서였다.

아스티나가 소리 죽여 키득이자 테리오드는 그녀를 붙잡고 있던 손에서 힘을 뺐다. 아스티나는 그의 품을 벗어나 도망치는 대신 몸을 돌려 그를 마주 보았다. 그러고는 천천히 테리오드의 목을 끌어안았다.

"음……."

부드럽게 두 입술이 맞물렸다.

때마침 수면이 발목 위로 찰랑였다. 얼음장 같은 물과 반대로 테리오드의 입술은 온기를 머금고 있었다. 그 온도 차에 몸을 떤 것도 잠시, 입 안을 파고드는 혀에 그 외의 것은 모두 잊어버렸다. 테리오드를 안은 팔에 더욱 힘이 들어갔다. 아스티나는 짓궂게 테리오드의 혀끝을 깨물었다. 숨결 사이로 피식 웃음을 흘린 테리오드가 더욱 깊숙이 입술을 겹쳤다.

"하아……."

테리오드에게서 옅은 한숨이 새어 나왔다. 맞닿아 있음에도 불구하고 끊임없는 갈증이 일었다. 한참 후에야 아스티나는 조용히 눈을 떴다. 그렇게까지 오래 입을 맞췄다 생각하진 않았는데 벌써 호수엔 석양빛이 내려앉아 있었다.

테리오드가 손을 들어 아스티나의 입술을 닦아 주었다. 싸늘한 감촉에 아스티나가 순간 어깨를 움츠렸다. 그녀가 테리오드의 젖은 옷에 시선을 주며 말했다.

"……손이 식으셨네요. 방금은 괜한 장난을 쳤나."

"차가우셨습니까?"

"저보단 대공께서 추우실 것 같아서요."

"덕분에 입술을 훔칠 기회를 얻었으니 괜찮습니다."

테리오드가 그리 말하며 애정이 담긴 눈빛으로 그녀를 응시했다. 졸지에 얼토당토않은 거래를 하게 된 아스티나가 어이없다는 듯 마주 웃음을 흘렸다. 테리오드는 그런 아스티나에게 손을 뻗어 깍지를 꼈다.

계속해서 물에 발을 담그고 있기엔 날이 찼다. 둘은 호수 밖으로 걸어 나와 벗어 두었던 옷가지 쪽으로 향했다.

"잠깐만요."

테리오드의 부름에 아스티나는 신발에 발을 끼워 넣으려다 말고 멈칫했다. 그녀를 붙잡아 세운 테리오드가 걸치고 있던 옷 하나를 벗었다. 그것을 대충 뭉쳐 구기더니, 그대로 아스티나의 앞에 무릎을 굽히고 앉았다. 아스티나는 의아한 표정으로 그런 테리오드를 지켜보았다. 테리오드가 그의 어깨 위로 손을 올리게 종용하고 나서야 아스티나는 그가 무엇을 하려는지 알아챘다.

"신발까지 젖으면 걷기가 불편하니까요."

그리 말하며 테리오드가 발에 묻은 물기를 닦아 주었다. 한 발로 균형을 잡는 것쯤이야 간단한 일이었지만, 아스티나는 잠자코 그의 어깨에 몸을 기댔다. 아스티나의 눈높이에선 그의 결 좋은 은빛 머리칼이 그대로 내려다보였다.

테리오드는 단 한 번도 아스티나가 그의 마음을 받아들이기로 한 결심을 후회하게 만든 적이 없었다. 그녀는 확실히 주는 것에 비해 과분한 사랑을 받고 있었다.

아스티나가 툭 내뱉듯이 말했다.

“신기하네요.”

“무엇이 말씀이십니까?”

“분명 연애는 처음이라고 하셨는데, 하시는 행동은 꼭 바람둥이 같으셔서요.”

사레가 걸린 듯 테리오드가 기침을 쏟아 냈다. 곧 숨을 진정시킨 테리오드는 황당하다는 표정으로 아스티나를 올려다보았다. 아스티나가 머쓱한 음성으로 변명했다.

“어디까지나 비유입니다.”

“부인께서는 분위기 깨는 데 참으로 재주가 있으십니다. 처음도 아니신데.”

뼈 있는 핀잔에 아스티나의 눈썹이 들렸다. 테리오드는 아스티나에게 신발까지 대신 신겨 주고 나서야 자리에서 일어났다. 그는 내친김에 몇 가지를 더 캐묻기로 마음먹었다.

“어떤 분이었습니까?”

“누구를 말씀하시는지 잘 모르겠군요.”

“뒤끝 있게 굴지 않을 테니 솔직히 말해 보세요.”

아스티나의 시치미에 테리오드가 팔짱을 꼈다. 자신에겐 알 권리가 있다는 듯 당당한 태도였다. 그에 아스티나가 피식 웃음을 흘리며 대꾸했다.

“아주 미남이었죠.”

"저보다 더요?"

테리오드의 눈빛에 경쟁심이 어렸다. 아스티나는 뭐라고 대답해야 할지 알 수 없어졌다. 어차피 같은 얼굴인데 어떻게 누가 더 낫고 나쁘고를 따지겠는가. 테리오드와 테오도르의 다른 점은 머리색 하나뿐이었다. 얼굴에만 집중하면 미친 척 과거에 파묻힐 수도 있을 정도다. 실제로 그가 염색을 했을 때 옛 연인과 헷갈려 관계까지 갖지 않았었나.

아스티나가 애매하게 대답했다.

"우위를 가릴 수가 없군요."

"그런 인물이 수도에 없을 텐데……."

"예?"

"아닙니다."

들리지 않게 중얼거리던 테리오드가 모른 척 말을 돌렸다. 테리오드의 반응은 타인이 들으면 다소 재수는 없되, 반박을 돌려줄 수는 없는 종류의 것이었다. 그의 말마따나 테리오드만 한 인물은 흔치 않았다.

스스로를 꾸미는 일에 누구보다 긴 시간을 소요할 수 있는 자들이 모이는 게 사교계다. 테리오드는 그중에서 가장 잘났다고 말해도 손색이 없는 외모의 소유자였다. 대단히 자신감을 가지고 있는 분야에서 동점을 얻자 테리오드는 평정을 유지할 수 없었다. 그는 아스티나가 아직 옛 연인에 대한 마음을 버리지 못해 더 좋은 평가를 내렸으리라 지레짐작했다.

"성격은 어땠는지요. 저보다 좋았습니까?"

잠시 고민하던 테리오드는 이내 자신의 다른 장점을 짚어 냈다.

아스티나가 황당하다는 듯 되물었다.

“제가 그렇다고 답하면 어쩌려고 그런 질문을 하십니까?”

“전 아주 영리한 질문을 한 겁니다. 저보다 더 충실한 남자였다면 제게 오지 않으셨을 테니.”

아스티나는 말문이 막혔다. 영 틀린 말은 아니었으니까.

마티나가 여한 없이 죽었다면 과연 다음 생이 존재했을까. 아스티나는 종종 자신이 과거에 갖지 못한 것을 마저 이루고자 다시 태어난 게 아닐까 생각했다. 평생을 그리워했던 테오도르와 같은 낯의 남자를 만난 건 신의 질 나쁜 장난이라고 여기면 속 편했다. 운명이란 말에 휘둘리게 된 건 조금 자존심 상했지만.

“예, 아주 나쁜 남자였습니다.”

새 연인을 앞에 두고 아스티나는 시원하게 과거의 배신자를 욕했다. 실제로 테오도르는 아주 이기적인 남자였다. 그에겐 마티나보다 더 중요한 것들이 많았다. 테리오드가 아스티나를 가장 우선으로 두는 것과 다르게.

“시간을 되돌릴 수 있다면, 그런 남자는 사랑하지 않을 거예요.”

그러나 질색하는 그녀의 반응에도 테리오드는 그다지 기뻐 보이지 않았다. 테리오드가 설핏 웃으며 말했다.

“하지만 아직 그대의 마음속에 있네요.”

테리오드의 손이 눈가에 닿았다. 속눈썹을 타고 흐른 눈물이 테리오드의 손가락을 적셨다. 아스티나는 그제야 어느새 제 눈에 눈물이 고여 있었음을 깨달았다. 아스티나는 빠르게 눈을 깜빡였다. 과거의 깊은 슬픔은 다행히도 고작 한 방울에 그쳤다.

이것 봐, 이제 눈가가 짓무를 정도는 아니잖아.

아스티나가 오기처럼 말했다.

"다 잊었습니다."

"거짓말."

아스티나는 결국 테리오드를 피해 눈을 감았다. 이럴 때 그의 얼굴을 보고 싶진 않았다. 그녀가 울컥한 투로 중얼거렸다.

"……괜한 얘기를 해서."

"울려서 미안합니다. 앞으로 질투는 속으로만 할게요."

테리오드가 아스티나를 달래듯 말했다.

아스티나는 주먹 쥔 손에 힘을 주었다. 손톱 끝이 손바닥에 박혀들며 아릿한 감각이 느껴졌다. 테리오드는 언제나 그렇듯 그런 그녀의 손을 끌어당겨 펴 주었다.

"그와 언제 이별하셨습니까?"

"……백 년쯤 전에요."

"재미없는 농담은 그만하고요."

테리오드가 어이없다는 듯 되받아쳤다. 아스티나가 분위기를 환기시키려 농을 건넸다고 여긴 모양이었다. 그렇게 받아들일 것을 알고 한 말이긴 했지만, 문득 아스티나는 그런 게 아니라고 화를 내고 싶어졌다. 하지만 그가 알지 못하는 일을 두고 언성을 높일 수도 없는 노릇이었다.

아스티나는 눈을 뜨며 테오도르의 얼굴을 시야에 담았다. 그를 원망하듯 말했다.

"아무리 오랜 시간이 지나도…… 결코 완전히 지워지진 않을 겁니다."

당신의 존재 자체가 항상 그를 되새기게 만드니까.

"그건 제게 좀 슬픈 말이로군요."

테리오드가 흐려진 눈빛으로 대답했다.

아스티나는 알았다. 테오도르는 저런 표정을 짓지 않는다. 그러니 눈앞에 선 것은 그녀가 기억하는 것과는 다른 사람이다.

처음엔 테리오드에게 테오도르와 같은 점을 발견하면 기뻤다. 그러나 이제는 다른 점을 발견하고, 그를 기꺼이 여기는 자신을 발견할 때 되려 기분이 좋아졌다. 테리오드를 오롯이 보게 되어 가고 있는 것만 같아서.

"대공, 사람이라면 누구나 아픔을 딛고 삽니다."

테오도르는 이미 가슴 깊숙한 곳에 박혀 버린 흉터다. 아문다고 한대도 상처 자국까지 지워지진 않을 것이다. 하지만 더 이상 아프지 않을 수는 있겠지. 그렇게 흐려지면, 희미할 만치 희석되고 나면 아스티나도 테리오드만을 온전히 옆에 남길 수 있을 것이다.

"아직 부족하다 여기실진 모르겠지만, 저는 언제나 어제보다 오늘의 그대를 더 아낍니다. 언젠간 제게도 대공을 가장 우선으로 두는 때가 오겠지요."

"……."

"저는 열심히 발을 내딛고 있으니, 대공께서도 그런 저를 느긋이 지켜봐 주었으면 좋겠습니다."

결국 테리오드의 얼굴에도 미소가 떠올랐다.

아스티나는 테리오드가 과분한 연인이라고 생각했지만, 테리오드 역시 지나칠 만치 다정한 여자를 짝사랑 상대로 두고 있는 건 마찬가지였다. 아스티나가 자신을 위해 노력한다는 사실을 깨달을 때마다 테리오드는 희망을 얻었다. 아무도 의미 없는 상대에게 노력을 쏟아붓진 않으니까.

테리오드가 아스티나의 뺨을 매만지며 말했다.

"기다림이 어려운 일은 아닙니다. 나에겐 항상 그대가 필요하니까요."

"좋은 제어제라서요?"

"글쎄요, 가끔 나를 난폭하게 만들기도 하지요"

테리오드가 아스티나의 허리를 감싸며 그녀를 끌어당겼다. 아스티나가 자의 반, 타의 반으로 걸음을 내디디며 둘 사이가 다시 좁혀졌다. 그대로 테리오드가 아스티나에게로 입술을 겹쳤다. 아랫입술을 가볍게 한 번 빨아들이고는, 아스티나와 눈을 맞추며 입꼬리를 끌어 올렸다.

그가 낮게 갈라진 음성으로 물었다.

"사랑한다고 한 번만…… 말해 줄 수 있습니까?"

둘은 입술 사이에 겨우 손가락 한 마디 정도의 거리를 두고 있었다. 아스티나는 잠시 머뭇거렸지만, 그가 이런 것으로라도 만족한다면 그 말을 들려주고 싶었다.

결국 아스티나가 말했다.

"사랑…… 해요."

"그것보단 단호하게."

"사랑해요."

"……한 번만 더 해 봐요."

테리오드만큼이나 아스티나도 이 말이 예언이 되기를 바랐다. 텅 빈 고백에 진심이 채워지기를 기도하며, 아스티나의 목소리에서 망설임이 지워졌다. 그녀가 보다 분명히 말했다.

"사랑해, 테리오드."

테리오드가 벅찬 기색으로 짧게 숨을 들이켰다. 그러고는 그대로 아스티나에게 입술을 묻었다. 아스티나는 천천히 눈을 감으며 그를 품에 안았다. 얽혀 드는 혀는 기대만큼이나 다정했다.

아스티나는 그녀를 위로하는 이 사랑을 잃고 싶지 않았다.

"그만 별장으로 가요."

긴 입맞춤 끝에 테리오드가 속삭였다. 아스티나는 옅은 미소와 함께 고개를 끄덕였다.

✣ ✣ ✣

이른 아침부터 잠이 깼다. 테리오드는 자리에서 일어나 천천히 테라스로 향했다. 커튼을 젖히고 창문을 열자 서늘한 바람이 목덜미를 스쳤다. 채 다 여미지 않은 옷가지로 찬 바람이 새어 들었지만, 새벽 공기는 불쾌함보다는 상쾌함을 자아냈다.

테리오드는 난간에 팔을 기댄 채 잠시 창밖을 응시했다. 별장의 2층 침실 발코니에선 호수를 그대로 내려다볼 수 있었다. 잔잔히 일렁이는 물결 위로 호수를 둘러싼 수목들이 비쳤다. 안개가 낀 숲은 더없이 몽환적인 모습이었다. 작달막한 물소리와 새의 지저귐이 자장가처럼 이어졌다. 능선 위로 차츰 어스름한 빛이 번졌다.

"음……."

뒤편에서 들려온 뒤척임에 테리오드가 고개를 돌렸다. 지난밤 집요하게 물고 늘어진 탓인지, 평소 기상하던 시간이 가까워졌음에도 그의 아내는 깨어날 기미가 보이지 않았다.

테리오드는 그대로 창문을 닫고 아스티나에게로 돌아갔다. 침대 위엔 지난밤의 흔적이 여실히 남아 있었다. 테리오드는 바닥에 널브러진 옷가지를 집어 들다 말고 멈칫했다. 자던 중 벗어 던진 것인지 아스티나의 속옷이 떨어져 있었다.

테리오드는 곤히 잠든 아내에게로 뻣뻣이 굳은 목을 돌렸다. 다행인지 불행인지 그녀는 이불을 그럭저럭 잘 간수하고 있었다. 벗은 몸쯤이야 이미 수없이 보았는데도 왜 민망한 기분이 드는 걸까.

테리오드는 대체로 요즘의 생활에 만족하고 있었지만, 한 가지 마음에 들지 않는 점이 있다면 바로 아내보다 유난스러운 자신의 태도였다. 동요한 감정은 종종 서툰 결정을 불러왔다. 테리오드는 배우자에게 신뢰감을 줘야 하는 유부남으로서 그것이 과연 아내에게 매력적으로 비칠지 의문이었다.

테리오드는 고민 끝에 아스티나를 깨워 옷을 입혀 주는 대신, 이불을 마저 꼼꼼히 여며 주었다. 창문을 빠르게 닫아서 다행이었다. 방 안의 훈기가 다 빠져 나갔다면 걸친 게 없는 아스티나는 필히 감기에 걸렸을 터다.

테리오드는 무릎을 굽혀 아스티나와 눈높이를 맞췄다. 부산스럽게 굴었는데도 그녀는 아직 수마를 벗어나지 못한 듯했다. 테리오드는 손을 뻗어 천천히 그녀의 머리칼을 쓸어 넘겼다. 손가락 사이로 부드러운 머리칼이 흐르듯 쏟아졌다.

테리오드가 문득 입을 열어 아스티나를 불렀다.

"부인."

상대에겐 가닿지 않을 작은 목소리였다. 응답하는 사람이 없었음에도 테리오드는 다시 한번 그 말을 곱씹었다.

"……부인."

그녀와 부부 관계에 있다는 건 새삼스러운 일이 아니었음에도 굉장한 충족감이 차올랐다. 그들이 점점 이상적인 배우자에 가까워지고 있기 때문일까.

아스티나의 입맞춤은 더 이상 저주를 풀기 위한 것이 아니었고, 테리오드 역시 그녀가 떠날까 불안해하지 않았다. 감히 바라지도 않았던 것들이 어느덧 일상이 되어 있었다.

혹여 이 모든 게 꿈이고 깨어났을 때 그녀가 옆에 없으면 어떡할까.

과한 행운에 순간순간 겁에 질릴 정도로, 테리오드는 그야말로 숨 막히도록 행복했다. 더 무언가를 바라선 안 된다고 스스로를 다잡아 봐도 잠시뿐이었다. 테리오드는 그녀가 다정한 모습을 보일 때마다 혹시나 하는 기대를 하게 되었다. 그녀가 진심으로 제게 사랑한다는 말을 전할 날이 머지않았다고.

테리오드가 한숨처럼 중얼거렸다.

"보채지 않고 기다릴게요."

"보채지 않고 기다렸다기엔, 제 머리카락을 너무 열심히 빗어 주시던데요."

테리오드가 아스티나의 머리칼을 쓸다 말고 멈칫했다. 아스티나가 눈을 뜨고 그를 쳐다보고 있었다. 방금 잠에서 깬 것치고는 눈빛이 맑았다.

자는 척을 하고 있었던 건가.

테리오드가 당황 어린 음성으로 물었다.

"언제 깨셨습니까?"

"아까 대공께서 일어나셨을 때요."

기상 시간이 거의 같았다 이 말이었다. 그녀가 제 혼잣말을 다 듣고 있었다고 생각하니 낯부끄러워졌다. 딱히 잘못한 일이 없었음에도 테리오드는 순간 제 행적을 점검했다. 골똘히 되새겨 봐도 입 밖으로 낸 말은 그리 많지 않았다.

잘된 일이었다. 제가 품은 과분한 욕심을 소리 내어 말했다간 그녀에게 부담이 되었을지 모른다. 그런 면에선 아스티나가 그의 중얼거림을 다른 의미로 받아들인 게 다행 같기도 했다.

"왜 자는 척을 하셨습니까."

테리오드의 추궁에 아스티나는 잠시 눈을 굴려 왼편을 응시했다. 이내 그녀가 어깨를 으쓱이며 답했다.

"그냥요."

"그냥?"

"한참 들여다보시기에, 입술이라도 훔치실 줄 알고 기다리고 있었습니다."

낮게 잠긴 음성이 묘하게 유혹적이었다. 당황한 테리오드가 제자리에 굳었다. 아스티나의 입가에 만족스러운 미소가 떠올랐다. 그에게 거는 장난은 항상 효과가 좋았다.

미동 없는 테리오드와 달리, 아스티나는 미련 없이 자리에서 일어섰다. 테리오드는 그제야 반대편으로 재빨리 고개를 돌렸다. 누가 봐도 시선을 피한 것이 명백한 움직임이었다. 아스티나가 어이없다는 목소리로 물었다.

"……왜 그러십니까?"

그도 그럴 것이 그들은 결혼한 사이인 데다, 부부 관계도 소홀했던 적이 없었다. 알몸 따위에 유난스럽게 구는 게 더 이상한 반응이란 소리였다. 밤엔 같은 모습으로 이보다 더한 것도 했는데 날이 밝았다고 새삼 달라질 게 뭐가 있단 말인가.

아스티나는 팔짱을 끼고는 잠시 제 순진한 남편을 내려다보았다. 그녀는 노련한 여자답게 그의 부끄러움에 적절한 처방전을 내렸다.

"같이 씻을까요?"

미리 불을 때어 두었던 별장 관리인은 대공 부부의 부름에 금방 따듯한 물을 내왔다. 욕조가 채워지는 사이 테리오드와 아스티나는 나란히 서서 세안과 양치질을 해치웠다. 그때까지만 해도 테리오드는 아스티나에게 농을 맞받아칠 여유가 있었다.

그러나 가운을 벗고 입욕해야 할 때가 오자 긴장을 숨길 수 없었다. 이렇게 환한 곳에서 그녀의 몸을 보는 것은 처음이었다. 관계는 대개 밤에 행했었고, 덕분에 항상 어둠에 반쯤 가려져 있었던 탓이다. 테리오드는 욕조 타일 어딘가쯤에 시선을 고정한 채 물에 몸을 담갔다.

욕조는 넓은 편이었지만 성인 남녀 둘이 개인 공간을 주장할 수 있을 정도는 아니었다. 부부 침실에 딸린 욕조란 꽤나 용도가 명확하니까.

자연히 맞붙은 다리의 감촉이 선연했다. 아스티나는 건너편에 앉은 채 그런 테리오드를 넘겨보았다.

"불편하십니까?"

"……그럴 리가요."

"이쪽으로 시선을 안 주시는 것 같은데……."

테리오드는 아내의 알몸을 보고 반응하지 않을 자신이 없었다. 씻으러 들어왔다가 그곳을 세우는 꼴불견이 되고 싶진 않았기에 그는 흐린 눈을 유지했다. 갑자기 성불구자 흉내를 내는 남편 때문에 아스티나는 조금 짜증스러운 기분이 되었다.

아스티나가 거품이 묻은 타월을 들어 가만히 제 팔을 쓸다 말고 말했다.

"닦아 주시겠어요?"

"예?"

"제 몸이요."

테리오드의 얼굴이 삽시간에 빨갛게 달아올랐다. 그가 떨리는 손으로 타월을 받아 들었다. 아스티나는 다소 어이없는 눈으로 그런 그를 지켜보다가, 아예 자리에서 몸을 일으켰다. 그러고는 아예 테리오드의 다리 사이에 자리를 잡고 앉았다. 목 뒤에서 남자의 후끈한 열기가 느껴졌다.

행동이 노골적으로 변하자 테리오드도 그 뜻을 깨닫지 않을 수 없었다. 테리오드가 한숨처럼 말했다.

"……절 놀리시는 거죠."

"대공께서 이상하신 겁니다. 저희가 같이 지낸 밤이 얼마인데 새삼 뭐가 부끄러우신 건지……."

"어릴 적 읽은 서적에서 말하길, 침실 외의 공간에서 관계하는 이들은 변태 성욕자라고 하더군요."

몇 방탕한 귀족들이 들었다간 까무러칠 소리였다. 게다가 테리오드와 아스티나는 이미 침실 외의 공간에서 관계한 경험이 있으니,

그 기준에 의하면 둘은 진작부터 변태 성욕자였던 셈이다.

아스티나는 피식 웃음 짓고는 아예 테리오드의 가슴팍에 등을 기댔다.

"변태라……. 재밌네요, 그거."

"말이 그렇다는 겁니다."

"그래서, 아내가 변태라 싫으신가요?"

아스티나가 테리오드를 놀리듯 되물었다. 테리오드는 시뻘게진 목으로 말없이 아스티나에게 거품 칠을 해 주었다. 아스티나가 테리오드 쪽을 흘긋 돌아보며 눈을 가늘게 떴다. 그녀가 유혹하듯 속삭였다.

"변태가 변태 짓을 하고 싶으면…… 어쩌죠?"

아스티나는 내친김에 테리오드의 팔뚝을 깨물었다. 당황한 테리오드는 들고 있던 타월을 아예 놓쳐 버렸다. 그가 눈을 감으며 긴 한숨을 내쉬었다.

"정말, 정말…… 부인께는 못 당하겠습니다."

"전 남편이 너무 조신해서 힘드네요."

아스티나의 심드렁한 대꾸에 테리오드가 그만 피식 웃음을 터트렸다. 그의 시야에선 아스티나의 몸을 모두 내려다볼 수 있었다. 테리오드는 손을 뻗어 아스티나의 가슴을 가볍게 움켜쥐었다. 아스티나의 입가에서 옅은 한숨이 쏟아졌다.

지난밤 관계의 여파로 그녀는 금방 테리오드를 받아들일 준비를 마쳤다. 젖어 있는 아래가 욕조에 담긴 물 때문만은 아닐 것이다.

아스티나에게서 결국 항복 선언이 터져 나왔다. 그녀가 한숨처럼 말했다.

"못 참겠어요."

테리오드가 굵직한 욕망을 그녀에게로 밀어넣었다. 아스티나는 입술을 깨문 채 몸을 떨었다. 처음만은 언제나 압박감에 하복부가 저려 왔다. 모든 걸 받아들이고 나면 그만한 쾌감도 또 없었지만.

테리오드가 염려스러운 음성을 내었다.

"아무래도 빠듯한데요. 좀 더 있다가 움직이는 게……."

"난 됐으니까 이만 해요."

득달같이 배려를 거절당했다. 그럼에도 테리오드의 염려를 완전히 지울 수 없었다. 아스티나가 다칠까 걱정되었던 테리오드가 약간의 자조를 입에 담았다.

"좀 작았으면 좋았을 텐데……."

"지금 농담해요?"

아스티나가 무슨 말도 안 되는 소리를 하느냔 듯 테리오드를 응시했다. 처음 보는 아내의 태도에 테리오드가 멈칫했다. 아스티나가 가는 신음을 쏟아 내며 테리오드의 팔을 잡아끌었다.

"좋아 미칠 것 같으니까 제발…… 움직여요."

뒤편에서 그대로 들여다보이는 곡선, 저를 집어삼키고 있는 쾌감의 깊이와 낮게 갈라진 목소리까지. 모든 게 테리오드의 욕망을 자극했다. 강하게 밀려드는 압박감에 아스티나는 욕조 바깥의 손잡이를 겨우 쥐고 버텼다. 뒤편에서 테리오드의 짧은 신음소리가 들려왔다. 욕조의 물이 출렁이며 바깥으로 쏟아졌다. 아스티나는 그만 참지 못하고 무너졌다.

"아, 아, 아아!"

여운이 쉽사리 사라지지 않아 아스티나는 고개를 숙인 채 한참 숨을 죽였다. 몸 곳곳에 아직 짜릿한 감각이 남아 있는 것 같았다. 테리오드가 그런 아스티나를 끌어안아 제 무릎 위에 앉혔다. 욕실은 온통 수증기로 가득 차 있었기에 욕조 바깥에 걸터앉아 있는데도 그리 춥진 않았다.

아스티나는 테리오드가 제 몸을 닦아 주는 걸 가만히 내버려 두었다. 아까 그녀의 나신에 눈길도 못 줬던 걸 생각하면 혁혁한 성과였다.

아스티나가 늘어진 목소리로 중얼거렸다.

"정오쯤엔 나가야 되는데, 힘이 하나도 없네요."

"저도 돌아가기 싫습니다. 일은 이제 지긋지긋해요."

테리오드가 피식 웃으며 동조했다. 그에 아스티나의 몸이 미세하게 움찔했다. 그녀는 테리오드의 과로가 어디에서 기인했는지 아주 잘 알고 있었다. 원인이 바로 그녀 본인이었기 때문이다.

아스티나가 지레 찔려 사과했다.

"……저 없는 사이 대신 할 일이 많으셨겠죠. 이젠 저도 돕겠습니다."

본래 그녀를 탓하려고 한 말은 아니었으나, 테리오드는 정정의 말을 꺼내지 않았다. 못내 잘못을 인정하는 그녀의 얼굴이 퍽 사랑스러웠기 때문이다.

테리오드가 참지 못하고 아스티나를 와락 끌어안았다. 가슴 깊숙한 곳에서부터 벅차오른 감정을 어떻게 해소해야 할지 알 수 없었다. 사랑의 열병에 빠진 남자가 어리광처럼 말했다.

"그냥 같이 여기서 살까요?"

아스티나가 테리오드의 코를 꾹 누르며 대꾸했다.

"자꾸 귀엽게 구시긴."

✣ ✣ ✣

휴가에서 복귀한 아스티나는 다음 날 정오 무렵, 이시스를 만나기 위해 곧장 황궁으로 향했다. 황녀와 직접 얼굴을 마주하는 것은 꽤 오랜만의 일이었다. 두 사람의 향방에 모두의 이목이 쏠린 상태였기에 소강상태로 접어드는 데엔 약간의 시일이 필요했던 탓이다.

무엇보다 독을 먹은 게 자의였다고 해도 내상은 온전히 황녀 홀로 감당해야 했다. 성치 않은 몸으로 프리모를 축출하려 무던히 힘을 썼으니 회복이 느린 건 당연한 일이었다. 때문에 황녀의 안색은 전보다 확연히 나빠 보였다. 아스티나는 잠시 그녀의 얼굴에 난 멍을 골똘히 들여다보았다.

"몸은 좀 괜찮으십니까?"

"걱정해 준 덕분에 좀 나아. 아, 이건 내가 의도한 상처이니 염려치 말게."

프리모 황자가 이시스 황녀를 폭행했다는 이야기는 이미 세간에 유명했다. 격노한 황제는 재판에 어떠한 힘도 쓰지 않았고, 프리모는 폐위와 함께 먼 지방으로 떠나라는 추방령을 받았다. 프리모는 더 이상 황궁에서 볼 수 없게 된 인물이었다. 아스티나는 그것을 계획하고, 소문을 퍼트린 자의 정체를 익히 알고 있었다.

"직접 독이 든 잔을 기울이셨던 것처럼요?"

아스티나의 물음에 이시스가 짧게 웃었다.

대공비와의 대화는 보통 타인이 들어선 안 되는 화제로 이루어졌기에 시녀들은 진즉 내친 상태였다. 이시스는 아스티나의 말에 대답하는 대신, 직접 근처의 장식장에서 포도주 한 병을 들고 왔다.

"괜찮다면 차 대신 술을 좀 같이 마셔 주겠어? 마침 어제 금주령이 해지됐거든. 기념할 일도 있고."

그리 말하며 이시스는 황송하게도 직접 아스티나의 잔을 채워 주었다. 취하고 싶은 기분은 아니었지만 아스티나는 잠자코 술을 받았다. 이시스가 적색으로 차오른 잔을 흔들며 말했다.

"어머니에게서 답이 돌아왔어. 나를 지지하시겠다더군. 대충 준비를 마쳤으니 다가오는 신년제 행사에서 연극을 한판 벌여 볼 생각이야. 광대놀음은 질색이지만 대중에게 잘 먹힌다는 사실은 부정할 수 없지."

이시스가 아스티나를 향해 잔을 내밀었다. 곧 건배하듯 두 와인잔이 가볍게 부딪쳤다.

아스티나는 가볍게 술을 한 모금 넘겼다. 향이 진하다 싶었는데, 그게 예고장이라도 되었던 것처럼 도수가 꽤 높았다. 아스티나는 포도주를 입 안에서 천천히 굴리고는 삼켰다. 고개를 들어 확인한 이시스의 잔은 벌써 반 정도 비워진 상태였다. 축하가 아닌 취하는 게 목적이었을까. 황녀는 생각보다 애주가인지도 모르겠다.

이시스는 잠시간 골똘히 생각에 잠겼다. 이시스는 미간을 좁힌 채 의외의 화제를 꺼내 들었다.

"그러고 보니 재밌는 소식이 하나 있는데."

"재밌는 소식이요?"

"사실 재밌지는 않고, 조금 이상한 건이지. 데니스 사제에 관한 취조를 마쳤는데 잡아들인 범죄자 다섯 중 둘은 사전에 아무런 합의가 없었음이 확인됐거든."

현재 데니스를 구금하고 있는 것은 이시스였다. 대공이 신전에서 빼낸 데니스를 황녀에게 넘긴 덕분이었다. 곧바로 죽이기엔 데니스는 프리모의 측근으로 많은 걸 알고 있었다. 이시스가 누이라서 알고 있는 것도 있었지만, 누이기에 모르는 일들도 있었다. 특히 지저분한 여성 편력이 그러했다. 이시스는 프리모가 진창을 빠져나오려 고개를 빼 들 때마다 데니스라는 패를 이용할 생각이었다.

"그가 무고한 사람을 범죄자로 만들었다는 말씀이십니까?"

아스티나의 되물음에 이시스가 고개를 저었다.

"아니, 그들이 범죄를 저지른 것은 맞아. 데니스 사제는 그게 자신이 가진 신력의 증거라고 말하더군."

그것이 의미하는 바를 알 수 없어 아스티나는 입을 다물었다. 사기꾼인 줄로만 알았던 데니스에게서 보통의 상식으론 설명할 수 없는 능력이 발견된 것이다. 이시스는 이 형이상학적 현상이 불쾌하다는 듯 입술을 비틀었다. 이시스가 술을 마저 들이켜며 중얼거렸다.

"……우연이겠지."

아스티나는 데니스와 신전에서 만났던 일을 떠올렸다. 그는 아레타인들에겐 신묘한 힘이 있었으며, 마티나는 바로 그 악마의 딸이라 말했다. 생각해 보면 그는 지금 세대의 인물답지 않게 소실된 역사를 꽤 자세히 알고 있었다. 어쩌면 그 자신이야말로 신력이 아닌 수상한 힘을 남몰래 이용해 왔던 건지도 모른다. 결박된 상태로 무슨 수를 꾸밀 수 있을 것 같진 않았지만, 후에 한 번은 그를 찾아가 취조해 보아야 할 듯했다.

"어쨌든, 이처럼 프리모를 치워 냈다고 모든 게 다 끝난 건 아니지. 그래서 말인데 대공가에서 황궁에 후계자를 신중히 결정하란 압력을 넣어 줬으면 해. 가능하겠나?"

"그야 어렵지 않지요."

뒤바뀐 화제에 아스티나는 상념에서 벗어나 황녀와의 대화로 돌아왔다. 아탈렌타는 황실에 의해 피해를 본 입장이었다. 명목뿐인 조항으로 지금까지는 황태자를 정하는 데 있어 별다른 힘을 행사하지 못했으나, 이젠 압력을 넣을 명백한 명분이 있었다.

이시스와 아스티나는 피해자라는 공통분모가 존재했다. 이시스는 그것을 강조하여 서서히 제 뒤에 아탈렌타가 있다는 사실을 드러낼 생각이었다. 같은 계략에 휘말린 불쌍한 처지의 여자 둘이 친해지는 건 이상하지 않은 일이었다. 그리고 대공비가 비운의 황녀를 연민하며 그녀의 힘이 되기로 결심하는 것도, 충분히 벌어질 수 있는 일이다.

황제가 어떤 후계자를 세운다 한들 아탈렌타가 그를 믿을 수 있을까. 하지만 프리모에게 완전히 배반당한 이시스라면 손을 잡아도 이상하지 않았다. 자신을 죽이려고 했던 자를 보듬을 이는 없었으므로.

"흔쾌히 답해 줘서 고맙군. 사실 요즘처럼 일이 잘 풀린 적이 없어 신기하기도 해. 대소 신료들의 반발과 아버지의 고민…… 온갖 잡소리가 이어질 게 뻔하지만, 어쨌든 첫 단계를 그럭저럭 성공적으로 뛰어넘은 건 사실이지."

이시스는 피곤하다는 듯 말했지만 그 이면엔 만족감이 담겨 있었다. 아니나 다를까 이시스가 미소 띤 얼굴로 아스티나를 향해 치하하듯 잔을 들었다.

“그대의 공이 커.”

“과찬이십니다.”

“난 과찬 따위는 하지 않아. 그건 사람을 방자하게 만들거든.”

황녀는 자칫 불쾌하게 들릴 수 있는 말을 진솔함으로 꾸며 내는 재주가 있었다. 아스티나는 황녀의 농에 허심탄회하게 웃어 보였다. 이시스가 유쾌하게 말을 이어 나갔다.

“사실, 모든 게 끝나고 황위에 오르게 되면 그대에게 따로 작위를 내릴 생각을 하고 있어. 그대의 남편이 좋은 남자인 건 부정하지 않겠지만, 지참금 없이 시집온 여자는 뭐라도 손에 쥐고 있어야 하는 법이거든.”

카라벨라의 혼인 양식에선 대체로 아내에게 따로 부여된 재산이 없었다. 만일 부부가 갈라서기로 결정한다면, 재산 분할은 대개 아내가 혼인 전 가지고 왔던 지참금을 돌려받는 데 그쳤다.

그러나 아스티나는 아탈렌타에 팔려 온 것이나 마찬가지였기에 가져온 재산도 없었다. 만일 테리오드와 이혼하게 된다면 빈털터리와 마찬가지의 행색으로 바깥에 나앉게 될 것이다.

“물론 내가 내릴 상이 아탈렌타가 소유한 재산에 비할 바는 아닐 거야. 하지만 부부 싸움 시 그대가 소유한 저택으로 도망칠 수 있다는 건 꽤 매력적인 일 아닌가?”

“세심한 배려이십니다.”

아스티나의 입가에 미소가 떠올랐다. 감사를 표한 것과 별개로 내려질 재물에 대한 설렘은 그 안에 비치지 않았다. 대공비는 단순히 황녀가 건넨 농에 재밌어하는 기색이었다. 이시스가 기민하게 그 사실을 알아채고는 지적했다.

"별로 기뻐 보이지 않는군."

아스티나가 조금 눈을 크게 떴다. 곧 아스티나의 입가에 의미를 알 수 없는 미소가 떠올랐다.

"실제로 받기 전까지 그것은 제 것이 아닙니다."

"내가 허언을 하고 있다 말하는 건가?"

"사실 황녀님께서 저를 내치실 가능성도 생각해 두고 있답니다, 항상."

황녀를 위해 가문의 명예까지 내던졌던 충신이 할 말은 아니다. 이시스가 어이없다는 듯 되물었다.

"농담이겠지?"

"역사에서도 익히 나오지 않습니까? 충신 마티나와 우군 테오도르의 비극적인 서사시가."

아스티나가 툭 내던지듯 말했다. 농담인지 진담인지 짐작할 수 없는 태도였다. 방자한 모습에 이시스는 크게 웃음을 터트렸다.

"하하! 나를 그따위 옹졸한 사내와 비교하는가?"

술기운 탓인지 이시스의 뺨은 이미 불콰해져 있었다. 아스티나는 황녀가 술꾼이라는 가정을 조용히 정정했다. 아무리 좋게 봐도 애주가가 될 수 있는 주량은 아니었다.

술기운 때문인지 이시스는 딱히 고민을 거치지 않고 속마음을 털어 냈다. 그녀가 평소보다 커진 목소리로 호탕하게 말했다.

"사내들은 심신이 졸렬하여 보은 따윈 금세 잊고 말지. 내 그 어리석음은 답습하지 않을 생각일세."

"황녀님을 불신하여 드린 말씀은 아니었습니다만—"

"아니, 됐네. 그대가 현실적인 사람인 건 알았지만 이렇게까지 철두철미할 줄은 몰랐어. 원한다면 공증이라도 해 주지."

그런 걸 바란 건 아니었지만 아스티나는 결국 잠자코 입을 다물었다. 이시스의 말마따나 영지가 하나 더 생겨서 나쁠 점은 없었다. 이시스는 종이를 꺼내 꼬부라진 글씨를 적어 내리기 시작했다. 그러나 몇 자 이어지기도 전에 그대로 늘어지고 말았다.

"글자가 머리에 안 들어오는군."

"술이 약하신가 봅니다."

"전혀?"

이시스가 자존심이 상한다는 듯 되물었다. 아스티나는 조용히 술병을 뒤로 치워 두었다.

"술을 이리 가져오게, 대공비. 오늘은 내가 취하고 싶어서 취한 거야. 평소엔 잘 조절할 줄 안다네."

"예, 그래도 몸이 좋지 않으시니까요."

"내 말을 안 믿는군."

이시스가 불만스러운 기색으로 턱을 손에 괴었다. 잠시 먼 곳을 응시하던 그녀가 툭 내뱉듯이 아스티나를 불렀다.

"대공비."

"예."

"오늘 벨리타가 죽었어."

아스티나는 잠시 뜸을 들인 끝에 대꾸했다.

"……몰랐습니다."

"몰랐겠지. 황궁의 깊은 지하에서 조용히 처리됐거든."

아스티나는 이시스를 죽이려 했던 자매의 부고에 무어라 반응해야 할지 알 수 없었다. 외려 이시스의 입장에선 앓던 이가 빠진 상황이 아닌가. 그러나 이시스가 들고 온 술은 축포를 위한 샴페인이 아니었다. 이시스의 낯을 살피던 아스티나가 이내 담담히 대답했다.

"황녀님께서 하신 일은 아닌가 보군요."

그 말이 틀리지 않았다. 이시스는 아스티나의 눈치가 썩 마음에 든다는 듯 은근한 미소를 지어 보였다. 이시스가 자조적인 투로 말을 이었다.

"그래, 벨리타는 프리모를 버리고 살아남고 싶어 했고, 그건 아버지가 원한 결과가 아니었거든."

벨리타는 오라비에게 모든 업을 돌리고 이 사건에서 발을 빼려고 했다. 친동생을 암살하려는 패륜범이라면, 이복 누이를 협박하여 독을 수급하는 것도 충분히 가능한 일이었다. 벨리타의 결정은 이성적이었고 심지어 실현 가능성도 충분히 있었다. 그녀가 한 가지 놓친 게 있다면, 애석하게도 그녀는 황제의 아픈 손가락이 아니었다는 점이다.

"아버지는 프리모를 살려 두고 싶어 했지만 벨리타에겐 그럴 가치조차 없었지. 프리모가 지방으로 내려가는 데 그친 건 아버지가 벨리타를 제물 삼았기 때문이야."

둘 중 하나가 살아남기 위해선 한쪽이 그의 악행을 뒤집어쓰는 수밖에 없다. 이시스는 버려진 벨리타를 보고도 속 시원히 웃을 수 없었다. 권력의 정점에 서려는 계획과 별개로, 이시스도 황제에 의해 언제든 벨리타와 같은 입장이 될 수 있었다.

이시스가 헛웃음을 터트리며 중얼거렸다.

"어지간히 웃기는 집안 아닌가? 자식이 부모를, 부모가 자식을, 또 형제가 형제를……, 이런 가문이 통치하는 나라에 도덕이란 게 존재할 수 있을지 난 잘 모르겠군."

"권좌는 비정한 것이니까요. 현 황제 폐하의 대에서도 같은 일이 있었다는 걸 아시지 않습니까?"

"그걸 몰라서 이런 말을 하고 있는 건 아냐. 다만…… 이런 날도 있는 게지. 그 비정함에 지치는 날이."

아스티나는 입을 다물었다. 황녀는 해답을 바라 이런 이야기를 하고 있는 게 아니었다. 그저 들어 주기를 바라는 것이라면 그러지 못할 것도 없다. 아스티나는 결국 뒤편으로 치워 두었던 술을 다시 꺼내 들었다. 이시스의 말마따나 이런 날이라면 취해도 좋으리라.

이시스가 제 잔 위로 쏟아지는 보랏빛 액체에 시선을 고정한 채 중얼거렸다.

"나는 남동생을 죽이고 프리모는 여동생을 죽이고……. 다 똑같군."

아스티나는 말없이 이시스에게 잔을 밀어 주었다. 이시스가 인상을 쓰며 술을 홀짝였다.

"결혼은 인생의 무덤이라던데, 난 그 애의 결혼을 중매 선 것도 모자라 진짜 관까지 만들어 준 셈이지."

"그건 그분의 선택이었습니다. 전하께서 죄책감을 가지실 일은 아니지요."

"죄책감 같은 건 느껴 본 적이 없어. 그 선택이란 것에 대해 생각하고 있는 거지."

"……."

"내가 벨리타의 중매를 섰었다고 말했던가?"

"방금요."

술에 취한 자의 이야기엔 두서가 없었다. 이시스가 아, 하고 앓는 소리를 내며 제 관자놀이를 문질렀다. 그러고는 두통이 가시지 않은 표정으로 말을 이었다.

"벨리타는 본디 벵텐 후작의 처로 갈 예정이었어. 하나뿐인 동복 남동생이 죽고 난 뒤라, 그때 그 애에게 그리 좋은 혼처들이 들어오진 않았거든."

"벨리타 황녀와 벵텐 후작의 나이 차가 좀 나긴 하지만, 그의 세력은 무시할 바가 못 되지 않습니까?"

"조건만 보면 그랬겠지. 속내는 그보다 더 금수 같은 자가 없어. 창녀를 손찌검해 죽였던 인물로 술을 마시면 몹시 포악해진다더군. 그래서 벨리타를 술이라곤 입에도 안 대는 순박한 셀렌 자작에게로 보냈지. 다이아몬드 광산 사업이면 그 애의 사치 정도는 감당할 수 있을 것 같았거든."

"……벨리타 황녀님도 그 사실을 아셨습니까?"

아스티나의 물음에 이시스는 고개를 저었다. 벵텐 후작쯤 되는 대귀족이 제 흠을 드러내 놓고 다닐 리 없다. 이시스로서도 우연찮게 알게 된 정보였기에 벨리타에게까지 소식이 닿진 않았을 것이다.

아니, 어쩌면 알면서도 그를 선택했을까?

지금에 와선 알 수 없게 된 일이었다.

"글쎄, 그때 난 굳이 그 애가 세상의 더러운 꼴을 더 볼 필요는 없다고 생각했어. 순박한 남편을 볼 때마다 울화가 터지는 데다 이복 언니는 밉고 증오스럽겠지만, 그 원망을 양분 삼아 살 테니 그걸로 되었다고."

이시스가 피식 웃으며 아스티나에게 되물었다.

"그렇잖나. 일단 살아 있어야 뭐라도 할 수 있는 것 아니겠어? 그게 나를 만날 때마다 노려보며 악을 쓰는 일이라도 말이야."

이시스가 붉게 달아오른 뺨을 찬 손으로 덮었다. 눈을 반쯤 감은 채 그녀가 중얼거리듯 말했다.

"그런데 그 애에겐 그 이상이 필요했던 거야."

"……."

"우리는 단순히 살아남는 데 만족할 수가 없는 종류의 사람들이었지. 한데 우리만 특별했던 건 아니야. 벨리타도 그랬어. 값비싼 옷을 두르고 그럴듯한 식사 앞에서 수저를 들면서도, 그 애는 무언가가 목에 걸려서 채 넘어가질 않았던 거야."

이시스는 벨리타가 권력과는 먼 곳에서 유유자적한 여생을 보내길 바랐다. 그러나 그 완벽한 계획에 벨리타의 동의는 없었다. 그저 그런 아낙으로 살 수 없었던 벨리타는 부나방처럼 황궁이란 전쟁터에 뛰어들었다. 벨리타는 결국 최악의 형태로 황궁에 돌아왔고, 다시는 살아서 이곳을 나갈 수 없게 되었다.

어쩌면 이것이 처음부터 벨리타에게 정해진 결말이었을 수도 있었다는 생각이 머릿속을 떠나질 않았다. 이시스가 이렇게밖에 살 수 없었던 것처럼.

"……미리 알았더라도 달라지진 않았을 겁니다."

아스티나의 지적에 이시스가 느리게 눈을 깜빡였다. 실제로 이시스는 벨리타를 구제해 주지 않았다. 벨리타의 계략을 기회라 생각하고 덫을 놓고 기다렸을 뿐이다. 이시스에겐 이복동생의 생존보다 더 중요한 것들이 있었다. 그러니 그 죽음에 애도를 표현하는 것은 분명 기만이다.

이시스가 짙은 숨결을 흘리며 읊조렸다.

"그래……, 참으로 피로하군."

✣ ✣ ✣

"티나."

"……."

"티나."

여러 차례의 부름이 잇따르고서야 아스티나는 고개를 들었다. 테리오드가 문고리를 잡은 채 제 쪽을 돌아보고 있었다. 아스티나가 이토록 넋을 빼고 있는 건 흔치 않은 일이었기에 테리오드는 걱정스러운 표정을 숨기지 않았다. 아스티나가 아무것도 아니라는 듯 고개를 저었다.

"아, 잠깐 생각을 좀 하느라고요."

지난밤 황녀는 아스티나에게 그녀의 유일한 자매에 관해 털어놓았다. 벤자민에게조차 들은 적 없는 이야기였기에 아스티나는 그에게 누이가 있었단 사실도 모르고 있었다. 이시스 황녀에게 정을 둔 친지가 있었다는 건 영 어울리지 않는 일이었다. 그도 그럴 것이 부모와 친형제까지도 이용하는 여자가 아닌가. 벤자민을 끌어들인 건 이용하기 위해서인 줄로만 알았는데 그에 사감이 얽혀 있었을 줄이야. 아스티나가 보아 온 황녀답지 않은 일이었다.

그 의외성은 베스라는 자매가 이시스에게 그만큼 소중한 존재였음을 의미했다. 아스티나는 베스를 만나 본 적이 없었지만, 그녀에 빗대어 벨리타를 연민하는 게 어리석은 일이란 것쯤은 알았다. 애초에 여동생이라는 사실 외에 둘에겐 아무런 접점이 없었다. 그럼에도 이시스는 흔들렸다. 베스가 진정 그녀의 변모를 반겼을지 알 수 없다는 이유로.

왜 황위에 오를 여자들은 모두 타의에 의해 변해야만 했을까. 감히 욕심내지도 않았다가, 눈앞에서 흔들리는 욕망을 움켜쥐고 나서야 저도 가질 수 있다는 걸 깨닫는다. 마티나도 테오도르가 죽고 나서야 자신이 꽤나 소질 있는 군주라는 사실을 알았다.

"별것 아닙니다. 이만 들어가요."

아스티나는 모른 척 화제를 돌렸다. 테리오드에게 황녀의 기밀한 가정사를 멋대로 털어놓을 수도 없는 노릇이었다. 그러나 테리오드의 이어진 부름이 아스티나의 귀를 잡아챘다.

"티나, 피곤하면 오늘은 저 혼자만 가도 괜찮습니다."

말을 꺼낼 때마다 한 번씩 뒤따라오는 호칭은 고집스럽게까지 느껴졌다. 그러고 보니 그가 은근슬쩍 애칭을 입에 담는 일이 잦아지고 있었다. 아스티나가 어이없다는 듯 대꾸했다.

"이젠 티나라고 아주 자연스럽게 부르시는군요."

"그러게요, 이쯤 되면 허락이 돌아올 법도 한데 말입니다. 훔쳐 부르는 애칭은 말하는 입장에서도 별로 기분이 좋지 않거든요."

"가족한테도 허락하지 않았다고 말씀드리지 않았습니까? 억울해하실 것 없습니다."

아스티나가 매정하게 일축했다.

'티나'라는 애칭은 아스티나에게 친밀함과는 전혀 다른 경계에 있었다. 과거를 잊고자 하는 그녀에게 그보다 족쇄 같은 부름이 또 없다. 하물며 테리오드가 부르는 '티나'라는 말이 아스티나에게 기꺼울 리 없었다. 아스티나는 테리오드와 테오도르가 되도록 겹치지 않았으면 했다. 보이는 얼굴이 같으니 저를 부르는 이름이라도 차별성을 두어야 한다.

"주의하지요, 티나."

테리오드가 웃으며 대꾸했다. 테리오드는 부인이라는 호칭도 좋아했지만 더 선호하는 건 이름을 줄여 부르는 쪽이었다. 아스티나의 말대로 '티나'라는 부름은 가족들도 허락받지 못한 것이었다. 아스티나가 못 이긴 척 그의 어리광을 넘겨 줄 때마다 테리오드는 그녀에게 특별한 사람이 된 것 같은 느낌을 받았다. 이번에도 아스티나는 입만 벙긋거렸을 뿐 크게 화를 내지 못했다.

아스티나는 요즘 종종 그에게 말려들고 있는 느낌을 받았다. 예전엔 싫다고 하면 그런 줄 알았던 것 같은데, 요즘은 꼭 그렇지만도 않았다. 상대가 고집을 부려도 도통 밉지 않으니 큰일이었다. 이 기분을 그에게 설명할 수 없으니 뭐라고 책할 수도 없었다.

아스티나는 결국 꾸지람을 유보했다. 어쨌든 안쪽에선 약속 상대가 기다리고 있었고, 그녀의 남편은 너무 예쁘게 웃었다.

"생각보다 일찍 오셨군요. 들어오시죠."

노크를 남기고 기다리자 곧 문이 열렸다. 오늘 찾아온 건 아탈렌타 가계의 초상을 취급하고 있다는 업자였다. 전달받은 주소는 의외로 광장 근처의 한 평범한 가정집이었다. 확실히 이런 곳에서 장사를 한다면 단속에 걸릴 염려는 적을 것도 같았다.

아스티나는 문으로 들어서며 천천히 안을 둘러보았다. 실내는 건물 밖의 외관과 그리 동떨어져 보이지 않았다. 무언가를 전시하고 판매하는 용도라기보단, 생활의 흔적이 배어 있는 곳이었다. 아무래도 실제로 남자가 생활하는 공간인 것 같았다. 어쩌면 업자가 아니었는지도 모르겠다.

"이곳으로 부른 이유라도 있나? 그림을 보기에 썩 좋은 공간 같아 보이지는 않은데."

아스티나와 똑같은 생각을 했는지 실내를 둘러보던 테리오드가 지적했다. 직접적인 핀잔에도 남자는 당황한 기색이 없었다. 테이블 앞에 서서 의자를 꺼내 주던 남자가 별것 아니란 듯 대답했다.

"아, 여긴 제가 실제로 살고 있는 집입니다."

아스티나는 잠자코 남자가 내어 준 의자에 자리를 잡고 앉았다. 잘 관리된 반질반질한 가구들은 확실히 생활의 손때가 묻어나 보였다. 주인에 의해 아기자기하게 잘 관리된 집이었다.

"차는 홍차가 좋을까요, 아니면 허브티? 말린 꽃도 몇 종류 가지고 있습니다."

"허브티로 하지."

아스티나의 대답에 남자가 빙그레 미소 지으며 찻잎을 정리했다. 집을 둘러보던 테리오드가 뒤늦게 아스티나의 옆으로 와 앉았다. 남자가 뜨거운 물에 차를 우리며 입을 열었다.

"사실, 그 그림들을 가게 이름으로 사들인 건 아니었어서요. 개인 소장품을 처분하는 것이라 부득이하게 자택으로 안내드렸습니다."

"아탈렌타 가계의 초상을 굳이 개인 소장품으로 사들일 이유가 있나?"

테리오드는 더 이해가 가지 않는다는 표정으로 되물었다. 의외로 남자는 그 질문이 반갑다는 듯 미소 지었다.

"제 증조부와 조부께선 아탈렌타 지방 출신이셨습니다. 특히 증조부께선 대공저에서 직접 대공님을 모셨었죠. 친인척의 사업이 잘되어 수도로 가족 전체가 이사를 해서, 실제로 조부께서 아탈렌타령에 머무신 건 십 대까지셨지만 말입니다."

테리오드는 잠시 멈칫하여 남자의 얼굴을 살폈다. 대공가에서 일했던 자의 후손이라면 아탈렌타에 대대로 내려오는 저주에 대해서도 알고 있을 법했다. 입을 열지 않은 건 무지일까 배려일까.

그러나 무언가를 숨기고 있다기에 남자는 지나치게 명랑해 보였다. 긁어 부스럼을 낼 필요는 없었으므로 아스티나는 그저 우스갯소리로 되받아쳤다.

"그게 장물을 취급하는 사업이었나?"

그에 남자가 과장스럽게 앓는 소리를 냈다. 그가 꼭 연극 같은 어조로 하소연하듯 말했다.

"오, 그렇게 오해하시면 곤란합니다. 그냥 골동품을 취급하는 업종입니다. 장물이 섞여 드는 건 어쩔 수 없지만요. 그래도 이렇게 자진 신고를 하지 않았습니까?"

남자가 눈을 찡긋이며 장난스럽게 덧붙였다.

"할아버지께선 돌아가실 때까지 대공저에서의 경험을 무용담처럼 떠벌리시곤 했답니다. 굳이 그림들을 사들여 보관한 건, 증조부가 충성했던 아탈렌타가에 대한 존경의 의미라고 해 두지요."

"흠, 대대로 내려온 신의가 무척 감동스럽군. 내 그 공적을 훼손해선 안 될 테니 금전적 편의를 봐줄 수는 없겠어."

아스티나가 부러 안타깝다는 듯 대답했다. 그에 남자가 천연덕스럽게 말을 바꿨다.

"물론, 아탈렌타가에서 이 물건들이 나도는 걸 두고 보지 않으리란 계산도 있었죠."

사람 된 도리와 물질적 이득에서 균형을 잡을 줄 아는 보기 드문 남자였다. 아스티나는 작게 웃음을 흘렸다. 테리오드도 어이가 없었는지 입꼬리를 끌어 올린 채였다.

그 와중 차가 다 우러났는지 허브티의 향이 거실 전체로 번졌다. 남자가 깔끔한 동작으로 차를 따라 주며 말했다.

"대부분은 습도와 햇빛 때문에 가게 창고에 두었지만, 보여 드릴 두어 개 정도는 집으로 옮겨 두었습니다. 그림을 가지고 올 테니 차를 좀 들고 계세요."

그리 말하고는 그가 아래층으로 내려가는 계단을 향했다. 사업이 잘되었다는 말이 거짓은 아닌지 사용한 찻잎은 꽤 고가품으로 보였다. 가구 역시 품질 좋은 목재로 만들어진 듯 오랜 세월이 묻어나 있는 데 반해 벌어짐이 없었다.

남자가 물려받은 가업을 망치지 않고 잘 이어 온 건 때를 알아보는 사업 수완 덕분일 것이다. 그는 유서 깊은 아탈렌타가가 전통을 포기할 리 없다는 사실을 너무도 잘 알고 있었다. 증조부와 조부의 이야기가 그의 향수를 자극하긴 했겠지만, 현실적인 이득이 전무했다면 아탈렌타와의 연 역시 과거의 것으로만 남겼을 터였다.

아래층에서 문을 여닫는 소리가 들려왔다. 아스티나가 차를 한 모금 들이켜며 말했다.

"재밌는 인연이네요."

"그러게 말입니다. 인망이 있었던 당대 대공께 감사 인사를 전해야겠군요."

의외의 뒷이야기에 테리오드는 다소 얼떨떨한 표정이었다. 그림값과 보유하고 있는 품목을 가늠하며 눈치 싸움을 벌이리라고 여겼는데 생각보다 일이 순탄하게 잘 풀려 가고 있었다. 이 모든 일이 누군가의 질 나쁜 장난으로, 남자가 이대로 사라져 모습을 드러내지 않을까 걱정이 될 지경이었다.

그러나 그 생각을 비웃기라도 하듯 남자는 곧 커다란 그림 두 점을 들고 등장했다. 얇고 큼직한 헝겊에 뒤덮여 있어 캔버스의 크기 정도만 가늠할 수 있었다.

남자가 함께 들고 온 이젤 위로 그림을 세웠다. 천을 벗겨 내자 연식이 오래된 초상화가 모습을 드러냈다. 아스티나로서는 처음 보는 물건인지라 감별해 낼 방법이 없었다. 아스티나가 테리오드를 돌아보며 물었다.

"이 물건이 맞습니까?"

"누군가 그사이에 정교한 가짜를 유통시킨 게 아니라면, 맞습니다."

말은 그렇게 했지만 진품임을 확신하는 어조였다. 테리오드는 손을 뻗어 가만히 그림 위를 쓸어 보았다. 손에 묻어나는 것은 없었다. 대공가가 가문의 분실품을 찾아 나섰다는 소문이 돈 것은 근래의 일이었다. 그동안 이만한 크기의 그림을 그려 내고, 또 완전히 말릴 여유는 없었을 것이다.

남자는 친절한 미소를 띤 채 다음 그림도 보여 주었다. 이 역시 테리오드의 기억에 있는 물건이 맞았다. 남자가 안심하란 듯 덧붙였다.

"원하시면 따로 감정사에게 의뢰해 보셔도 될 것 같습니다. 내일 저택에 그림들을 모두 가져다 드릴 테니 그때 확인하시고, 이상이 없으면 인수하시는 걸로요."

깔끔한 정리였다. 일 처리에 있어 흠잡을 부분이 보이지 않았다. 테리오드가 그림에서 시선을 떼어 남자를 응시하며 물었다.

"보유하고 있는 그림은 총 몇 점이나 있지?"

"제가 가지고 있는 건 총 열두 점입니다. 아마 시중에 돌아다니는 건 이게 전부일 겁니다. 발견하는 족족 제가 사들였으니까요."

"역대 대공들의 초상 외에 다른 물건들도 있나 보군."

"예, 대공가의 소장품으로 알려진 것들이 나오면 그것도 구매해 두었습니다."

남자의 말에 아스티나도 감탄하지 않을 수 없었다. 물건들을 이렇게 쉽게 되찾을 수 있으리라곤 생각지 않았던 탓이었다. 덕분에 귀찮은 일을 덜었다. 이대로라면 아탈렌타령으로 복귀하기 전까지 대부분의 보화를 되찾을 수 있을 것 같았다.

남자는 생각보다도 유능한 인물이었다. 이런 세심한 배려를 내어 준다면 앞으로도 기꺼이 좋은 고객이 되어 줄 의향이 있었다. 아스티나의 얼굴에 만족스러운 표정이 떠올랐다. 아스티나가 진심을 담아 말했다.

"덕분에 수고를 덜었군. 필히 괜찮은 값을 쳐주어야겠어."

"노고를 알아봐 주시니 다행입니다."

"앞으로도 대공가의 물건이 시장에 나오면 보고해 줄 수 있겠나? 사례는 섭섭지 않게 하지."

"물론입니다, 장사치는 제공하는 재화의 가치를 알아보는 고객에게 충성하는 법이죠."

남자가 자신만 믿으라는 듯 호탕하게 대답했다. 그러고는 조심스럽게 가지고 온 그림을 다시 헝겊으로 덮었다. 이송에 있어서도 큰 걱정은 필요 없을 듯했다.

"그럼 내일 정오쯤 저택으로 찾아뵙도록 하겠습니다."

"그럼 내일 보지."

남자의 싹싹한 대답에 테리오드와 아스티나는 가타부타 않고 자리에서 일어섰다. 남자의 배웅을 받으며 건물을 나서자 아직 쨍쨍하게 떠 있는 해가 눈에 들어왔다. 생각보다 빠르게 일을 처리한 덕에 시간이 남았다. 단둘이 오붓하게 시내를 둘러보고 돌아가도 좋을 듯했다.

테리오드가 은근슬쩍 아스티나의 손을 쥐며 말했다.

"이대로 돌아가긴 좀 아쉬운데요."

품고 있는 생각이 겹칠 때마다 아스티나는 그와 자신이 부부는 부부구나 싶었다. 아스티나는 자연스럽게 테리오드의 손을 단단히 마주 깍지 껴 잡았다.

"저도 그렇습니다. 어디로 시간을 때우러 갈까요?"

마침 타인의 눈에 띄지 않으려 일반적인 평상복을 차려입고 온 참이었다. 이대로라면 사람들 사이에 섞여 들어도 이상하지 않을 듯했다. 아스티나와 테리오드는 타고 온 마차를 물리고는 광장 쪽을 향해 걸었다. 이왕 밖으로 나온 김에 광장 중앙의 분수라도 보고 갈 생각이었다.

즉흥적인 데이트라 특별한 계획은 없었다. 배가 고파지면 식사를 하고, 석양이 내릴 때쯤 달콤한 디저트를 먹으면 충분하지 않을까. 아스티나가 손을 들어 내리쬐는 해를 가리며 중얼거렸다.

"우리의 집사가 알면 기겁을 하겠군요."

"호위가 없어서요?"

"올리버에게 혼나고 싶진 않으니, 불량배가 등장하면 대공 전하는 제가 지켜 드리지요."

아스티나의 말에 테리오드가 파안했다. 농담으로 하는 소리가 아님을 알아 더욱 유쾌했다. 테리오드가 눈꼬리를 접어 웃으며 대답했다.

"예, 참으로 든든합니다."

아스티나는 문득 저렇게 웃는 것은 반칙이라는 생각이 들었다. 지나가던 사람들이 보고 저도 모르게 걸음을 멈춰 세웠을 정도의 파급력을 가진 얼굴이었다. 정작 테리오드 본인은 그런 반응에 익숙해진 듯 아무렇지 않아 보였지만.

인파 쪽으로 시선을 돌리던 테리오드가 멈칫했다. 주말이라 돌아다니는 객이 많은 줄로만 알았는데, 정체해 있는 사람들이 상당수였다. 인파가 모인 쪽으로 가까이 다가가려는 순간 누군가 목청 크게 소리쳤다.

"오, 마티나. 내 핏줄이 바로 그대가 증오하는 블란체인 것이 원망스럽소!"

아무래도 모여든 인파를 대상으로 연극을 벌이고 있는 모양이었다. 구경객들 앞에선 조그만 소년이 돌아다니며 관람료를 걷고 있었다. 신분 탓에 아스티나와 테리오드는 홀로 길거리를 돌아다닐 일이 많지 않았다. 고가에 표를 매매하는 오페라나 연극은 보았어도 이러한 길거리 극은 처음이었다. 좋은 구경거리를 만났다는 생각에 테리오드는 제자리에 멈춰 섰다.

장소에 차이는 있었지만 테리오드도 마티나 여제의 이야기를 담은 공연은 몇 번 본 적이 있었다. 대체로 극은 마티나의 업적보다는 테오도르와의 비극을 담은 신파의 형식을 띠고 있었다. 극 속에서 항상 마티나와 테오도르는 세기의 연인으로 등장했다.

마티나는 테오도르를 사랑하지만, 그가 블란체의 피를 이어받았다는 생각에 그의 고백을 거절한다. 꼬이고 꼬인 오해 끝에 테오도르는 신하들의 계략에 의해 연인을 축출하려 하다가 결국 비극적인 죽음을 맞이한다. 연극의 결말은 항상 마티나가 테오도르의 시신을 안고 오열하는 것으로 끝났다.

테리오드가 눈을 반짝이며 물었다.

"잠시 구경할까요?"

"저는……."

아스티나는 곧바로 대답하지 못하고 망설였다. 그다지 보고 싶지는 않았으나 거절하면 그가 이상하게 여길 것이다. 무엇보다 테오도르가 언급되는 상황마다 굳이 유난을 떨고 싶지 않았다. 진정 과거를 아무렇지 않게 생각한다면 자리를 피할 이유도 없었으므로.

결국 아스티나는 말없이 고개를 끄덕였다. 벨라체 아카데미에서 배웠던 역사책들이라고 사실을 담고 있었던 건 아니었다. 이까짓 거짓된 이야기쯤이야 그저 웃어넘기면 되는 문제였다.

마침 흥미가 떨어졌다는 듯 앞에 있던 사람이 자리를 비켰다. 아스티나와 테리오드는 무대에 더욱 가까이 섰다. 그러나 좁아진 간격은 열악한 환경을 좀 더 면밀히 볼 수 있게 만들 뿐이었다.

배우들의 연기는 썩 좋은 수준이 아니었다. 귀족들을 흉내 냈으되 입고 있는 옷들은 엉성한 티가 났고, 무대 장치 역시 한정된 배경의 판화를 서너 번 갈아 끼우는 데 그쳤다. 극을 구성하는 방식도 진부한 건 마찬가지였다. 내용은 테리오드의 예상과 별다를 것 없이 흘러갔다.

신하들은 미천한 출신의 여자를 국비로 받아들일 수 없다며 목소리를 높인다. 마티나 역시 테오도르가 블란체의 성을 가지고 있는 한 그와 혼인할 생각이 없다. 마티나는 사랑하는 연인을 상처 주어야만 하는 상황에 고통스러워하다가 엘시어에게 위로를 받는다. 그 다정한 모습을 목격한 테오도르는 마티나가 부정을 저질렀다고 의심한다. 간신들은 그 틈을 타 마티나에 관한 온갖 험담을 고해바친다. 마티나가 엘시어와 손을 잡고 왕국을 삼키려 한다는 것이 주요지다. 모함에 넘어간 테오도르는 결국 연인을 죽이기로 마음먹는다.

[그녀와 나는 처음부터 이루어질 수 없는 사이였구나.]

테오도르는 통탄하며 칼을 쥔다. 영문 모른 채 습격을 당한 마티나는 암살자에게서 왕가의 문양을 발견하고는 배신감에 치를 떤다.

[원수를 믿고 충성한 대가가 이런 식으로 돌아오는가!]

결국 마티나는 반군을 일으켜 단숨에 왕궁까지 다다른다. 그리고 같은 기세로 망설임 없이 배신자가 된 연인을 찌른다.

그러나 마티나는 곧 의아한 시선을 든다. 죽어 가는 테오도르의 입가에 떠오른 것은 분명 미소다.

[이제야 평안하오.]
[어리석은 왕이여, 그게 무슨 뜻인가?]
[마티나, 나는 차라리 당신이 나를 죽여 주길 바랐소. 평생 그대를 갖지 못하느니 그대의 기억 속에라도 남으려 한 거요. 이 비겁한 남자를 부디 용서하시오.]

테오도르가 결국 눈을 감는다. 마티나는 검을 뽑아내고는 떨리는 손으로 테오도르의 뺨을 감싼다.

[테오도르.]

망자에게선 대답이 없다. 마티나는 다시 연인의 이름을 외친다.

[테오도르!]

돌아오지 않는 대답에 마티나가 결국 오열한다.
관중의 눈가에도 물기가 어렸다. 오독당한 당사자로서, 오직 아스티나만이 불만을 견지한 채 극을 지켜보았다. 그녀가 따분한 음성으로 중얼거렸다.
"유치하군요."
테리오드가 옆에 선 사람은 듣지 못할 크기로 작게 웃었다. 심심찮은 동의를 표하는 얼굴이었다.

"길거리 공연이니 조악한 건 어쩔 수 없지요."

"심장에 칼을 찔린 사람은 저렇게 긴 말을 할 수가 없습니다."

아스티나가 분석적인 태도로 남배우의 가슴을 손가락질했다. 마티나 역은 연인을 부둥켜안은 채 계속 오열하는 중이었다. 정말이지 현실과 같은 장면이 하나도 없었다.

"그래도 목을 베는 것보다는 심장을 찌르는 편이 로맨틱하지 않습니까? 유언쯤은 들어 줘야 관객들도 만족스러울 테고요."

"연인의 기억에 남으려 그 손에 죽는 남자는 남주인공으로서 결격입니다. 실제라면 소름이 끼쳐 천년의 애정도 식을걸요."

테리오드는 곰곰이 생각해 보다가는, 결국 아스티나와 같은 의견으로 돌아서지 않을 수 없었다. 죽어서라도 기억에 남겠다니. 그런 미친 작자는 결코 실제로 만나고 싶지 않았다. 만일 마티나가 왕을 정말 사랑했다면 후대 사람들은 테오도르를 정신병자라고 평가해야 할 것이다.

테리오드가 빨간 색소로 물든 남배우 가슴팍을 응시하며 중얼거렸다.

"뭐, 어차피 다 가짜니까요."

사람들이 재미로만 떠드는 야사이자 삼류 각본이다. 실존 인물을 배경으로 하고 있는 것치고 오류는 셀 수 없을 만큼 많았다. 특히나 배우 구성이 그러했다.

"왕 테오도르는 분명 미남이라고 하였는데, 배우의 인물은 그 발끝조차 못 미치는군요."

아스티나의 냉철한 지적에 테리오드는 의외로 즐거운 기색을 내

보였다.

“그거 기분 좋은 말이네요.”

“……무엇이 말씀이십니까?”

“외간 남자는 부인의 눈에 차지 않는 것이요.”

결론은 배우가 자신보다 못생겨서 좋다는 소리였다. 아스티나의 얼굴에 애매한 표정이 떠올랐다.

“대공께서는…… 성격이 좋으신 듯하면서 참으로 나쁘십니다.”

“그래서 싫으십니까?”

곰곰이 생각하던 아스티나가 불쑥 태도를 바꾸며 대답했다.

“아니요, 저는 대공께서 성격이 나쁜 게 더 좋습니다.”

아스티나는 고개를 돌려 테리오드를 응시했다. 그녀가 눈을 가늘게 뜨며 검지로 테리오드의 턱을 쓸었다.

“저 하나를 위해 영지민을 모두 버리실 수 있다고 하지 않으셨습니까. 저는 그런 파렴치한 남자가 취향이랍니다.”

“……칭찬이십니까?”

“물론, 칭찬이지요.”

아스티나가 장난스럽게 웃으며 테리오드의 뺨을 감쌌다. 테리오드는 간지러움을 참으며 가만히 그녀를 내버려 두었다. 아스티나는 그의 그런 사소한 행동에서도 애정을 발견할 수 있었다.

그녀는 문득 자신을 위해서라면 뭐든지 할 수 있다는, 그 맹목적인 사랑 속에서 유영하고 싶어졌다.

아스티나가 불쑥 물었다.

“사랑한다고 말해 주시겠어요?”

그 사랑이 나를 제자리에 서게 하니까.

"갑자기요?"

영문을 모르겠다는 표정을 짓던 테리오드가 곧 싱겁다는 듯 웃었다. 왜냐고 묻지도 않았다. 그는 아스티나에게 아무런 이유 없이도 그 말을 할 수 있었다. 그가 아스티나와 이마를 맞대며 말했다.

"사랑합니다."

낯간지러운 고백이었다. 아스티나는 대답하지 않고 가만히 테리오드의 얼굴을 매만졌다. 사랑으로 충만한 남자의 눈동자는 아무리 보고 있어도 질리지 않았다. 테리오드가 푸른 눈동자로 다정히 그녀를 응시할 때면 아스티나는 모든 것이 다 괜찮아지고 있다는 느낌을 받았다.

아스티나가 속삭이듯 중얼거렸다.

"눈이 예쁘세요."

때마침 극이 끝나고 죽었던 남배우가 퍼뜩 자리에서 일어섰다. 모든 등장인물이 손을 잡고 관객에게 인사를 하는 것으로 반짝 공연은 끝났다.

그래서 아스티나는 아무렇지 않았다.

다음 날은 유독 해가 밝았다.

준비할 물건이 많아 방문이 늦을 줄 알았는데, 업자는 생각보다 이른 시간에 도착했다. 테리오드에겐 마침 처리해야 할 서류가 있었기에 방문객을 맞이하러 나선 건 아스티나 혼자였다. 대공저에 있던 물건이 맞는지 확인해야 했기에 아스티나는 올리버를 대동하고 1층으로 향했다. 열 점이 넘는 그림을 응접실에서 펼쳐 볼 수는 없었으므로 업자는 미술품을 보관하는 공간으로 안내되었다.

아스티나가 도착했을 즈음엔 살펴보기 쉽도록 그림을 모두 벽에 걸어 둔 후였다. 올리버가 꼼꼼히 감정사와 의견을 나누는 사이 아스티나는 미술품 전체를 둘러보았다. 업자가 소유한 아탈렌타 가계의 초상은 여덟 점으로 초대 대공과 그 인척의 것까지 포함하고 있었다.

초대 대공의 바로 옆엔 그의 부친까지 나란히 걸려 있었다. 분명 부자지간이었지만 둘에게선 닮은 점이 보이지 않았다. 아탈렌타 공작이라 불린 마지막 사내는 테리오드의 선조라고 믿을 수 없을 만치 우락부락한 생김새의 소유자였다.

그와 혼인한 셀린느 왕녀의 핏줄이 후손을 살렸다. 유전학적 측면으로만 분석해도 블란체 왕가와의 결혼은 아탈렌타에게 있어 큰 축복이었다.

오랜만에 보는 심복의 얼굴은 반가움을 자아냈다. 아스티나는 천천히 초대 대공의 낯 앞으로 다가갔다.

"초대 대공이신 알로이드 반 아탈렌타 경이십니다. 마티나 여제에게 직접 첫째 기사의 칭호를 받아 공이라는 호칭보다는, 경이라고 불리기를 반기셨다고 하더군요."

어느새 아스티나의 옆에 붙은 업자가 설명을 시작했다. 불필요한 친절이었다. 그녀가 손수 대공위를 내렸던 남자를 기억하지 못할 리 없었다. 뛰어난 무예로 전장에서 큰 공을 세워 첫째 기사의 칭호까지 내리지 않았었나.

그러나 아스티나는 업자의 말을 막는 대신 가만히 뒷짐을 졌다. 그녀가 담담히 호응했다.

"꽤 잘 아는군. 하기야 증조부께서 아탈렌타 출신이라고 했었나?"

"예, 증조부께선 알로이드 경의 꽤 가까운 심복이셨다고 합니다. 워낙 오래된 과거인 데다 남아 있는 증거도 없으니 영 믿을 만한 건 못 되지만요. 그래도 조부께선 그걸 유일한 가문의 자랑으로 삼으셨죠."

"조부와는 사이가 꽤 좋았나 보군."

"좋다마다요. 돌아가시기 전까지 저를 난로 앞에 앉혀 놓고 이런 저런 이야기를 해 주셨지요. 사실 재미는 있되 그리 믿을 만한 건 아니었어요. 알로이드 경의 아드님과 긴밀한 사이셨다는 둥, 함께 공놀이를 하며 놀았다는 둥 허풍을 떠셨거든요."

아스티나는 어렵지 않게 어린 손자와 다정한 할아버지의 모습을 상상할 수 있었다. 눈빛에 그리움이 담긴 것을 보아 꽤 사이좋은 가족이었음에 틀림없었다. 아스티나가 피식 웃으며 대꾸했다.

"사실이었을 수도 있지 않나. 영애들도 종종 유모의 딸을 놀이 상대로 두곤 하니까."

"글쎄요, 말년엔 워낙 정신이 온전치 못하셨어서요. 종종 이상한 말씀을 하시곤 하셨죠. 이를테면……."

남자가 말을 잇다 말고 입을 다물었다. 실수했다는 듯 그는 몹시 당황스러운 표정을 띠고 있었다. 아스티나는 눈을 돌려 그런 남자를 쳐다보았다. 영문 모를 반응에 호기심이 일었다.

"왜 그러나?"

"너무 무엄한 말씀이라 드리지 않는 편이 나을 것 같습니다."

알로이드의 창피한 일화라도 알고 있는 걸까. 아스티나가 기억하는 초대 대공은 늘 근엄한 얼굴을 하고 있었다. 의외의 이야기를 들을지도 모른다는 생각에 아스티나는 업자를 얼렀다. 오랜만에 그녀가 살았던 과거를 이야기하자 추억에 젖는 기분이었기 때문이다.

"그렇게 말하니 더욱 궁금하군. 책하지 않을 테니 말해 보게."

남자는 잠시 머뭇거렸다. 고객의 기분을 상하게 할지 모르는 이야기를 굳이 꺼내야 하나 싶었던 탓이다. 그러나 아스티나의 재촉에 업자는 결국 입을 열었다.

"초대 대공께서 젊은 나이에 요절하셨다는 사실을 아십니까?"

그에 아스티나의 표정이 흐려졌다. 엘시어에게 제위를 넘기고 귀향한 후, 머지않아 마티나는 충실한 심복이었던 알로이드의 비보를 들었다.

"독감과 폐렴이 겹쳤다고 들었는데."

"의사는 그렇게 진단했지만 할아버지께서 목격하신 죽음은 그런 게 아니었죠."

"그게 무슨 말이지?"

"할아버지께선 아이처럼 우셨습니다. '얘야, 내가 직접 그 친절한 대공의 사체를 치웠던 걸 아니? 어찌 온몸이 터져 멀쩡한 부분이 단 한 군데도 없었단다. 들러붙은 살점을 치워 내는 데 일주일이 꼬박 걸렸지. 얼마나 아프셨을까, 가엾은 알로이드 전하!'"

남자가 조부의 목소리를 흉내 내며 그의 흐느낌을 옮겼다. 아스티나의 입가가 천천히 굳었다. 남자의 설명에서 기시감을 느낀 탓이다.

미묘한 표정 변화에 업자는 차라리 다른 이야기를 지어낼 걸 그랬다며 내심 후회했다. 남자가 황급히 고개 숙여 사죄했다.

"정신을 놓으신 후의 일입니다. 무엄함을 용서하세요."

"……좀 더 자세히 설명해 보게."

대공비의 목소리엔 노기가 비치지 않았다. 업자는 계속해서 조부의 헛소리를 늘어놓아도 될지 감이 잡히지 않았으나, 그를 응시하는 눈은 재촉의 빛을 띠고 있었다. 남자가 머뭇거리며 설명을 이었다.

"말씀드린 대로입니다. 초대 대공께선 온몸이 터져 죽으셨다고, 마치 악마의 저주라도 받은 듯한 모습이었다고 하셨지요. 처음엔 주변에 빠진 털이 무성하여 산짐승의 습격인 줄로만 알았는데, 살점에 들러붙어 도통 떨어지지 않는 것이 해체된 짐승과 다를 바 없었다지 뭡니까."

"그 이야기를 자네 외에 아는 사람이 있나?"

남자가 황급히 손을 내저었다.

"아이고, 아닙니다. 그런 무엄한 소리를 지껄였다가 무슨 변을 당하려고요. 노망난 노인네 입단속을 하느라 아버지께서 생전에 꽤나 고생하셨습니다."

"그렇군. 잘 알았네."

아스티나는 이내 말끔하게 표정을 갈무리했다. 업자는 잠시 고개를 갸웃거렸으나, 곧 얌전히 뒤로 물러섰다. 아스티나가 성큼성큼 걸음을 옮기며 집사를 불렀다.

"올리버!"

"예? 예."

"감정을 마치고 진품임이 확인되면 저치에게 적당한 값을 들려

보내게. 이 일은 시종에게 따로 맡기고 자네는 나를 따라와."

올리버는 어리둥절한 표정을 하면서도 명대로 시종에게 지시를 남겼다. 조심스럽게 문을 열고 따라 나오자 팔짱을 낀 대공비의 뒷모습이 보였다. 아스티나가 창을 향해 서 있었기에 올리버는 그녀의 얼굴을 확인할 수 없었다.

그녀가 물었다.

"대공가의 저주는 언제부터 시작되었지?"

"초대 대공인 알로이드 전하 때부터였다고 알고 있습니다."

"세대가 지나가며 변화는 없었나?"

영문을 알 수 없는 화제였다. 역대 대공들의 얼굴을 보자 새삼 가문의 내력에 대한 탐구심이라도 생긴 걸까. 올리버는 희끄무레해진 기억 속에서 몇 가지 단서를 꺼내 들었다.

"그, 처음엔 더욱 심각했다고 듣긴 했습니다. 짐승으로 변하는 일을 견디지 못했는지 초반엔 광증에 시달리다 그대로 죽음을 맞이한 이들도 많았다고 합니다. 후대로 올수록 내성이 생겨 나아진 게지요. 피가 희석되었거나요."

아스티나가 날카롭게 질문했다.

"어떻게 죽었는지는 알지 못하나?"

"모두가 말하길 꺼리어…… 매우 끔찍했다고만 들었습니다."

"대공 전하께서는 전혀 모르는 눈치시던데."

"괜한 걱정을 끼쳐 드릴 필요는 없다고 생각해 굳이 말씀드리지 않았었습니다. 어차피 더 이상 그런 증상을 보이는 후손은 없으니까요."

아스티나는 그만 헛웃음을 터트렸다. 커다란 조소는 날카로운 파열음처럼도 들렸다. 업자의 말은 거짓이 아니었으며, 그 조부의 눈물 역시 노망이 아니었다.

아스티나가 뒤를 돌았다. 그녀가 형형하게 눈을 밝히며 물었다.

"하나만 더 묻지. 가문의 여식들에겐 이 유전병이 이어진 적이 없는 게 확실한가?"

처음 보는 대공비의 무서운 기세에 올리버는 몹시 당황했다. 그가 영문을 알 수 없는 표정으로 더듬더듬 답했다.

"예? 예, 오직 사내아이들에게만 발병하는 병입니다."

아스티나는 그대로 올리버를 지나쳐 위층으로 향했다. 올리버는 놀란 얼굴을 할 뿐, 무서운 기세에 그녀를 붙잡지 못했다.

아스티나는 자신이 말도 안 되는 가설을 세우고 있다고 생각했다. 그러나 동시에 기묘한 확신이 가슴을 어질렀다. 그녀는 무서운 기세로 서재까지 다다랐다. 그러고는 책상 속에 숨겨진 금고를 뒤집어엎다시피 하여 숨겼던 물건을 꺼냈다. 서류들이 바닥으로 쏟아짐과 동시에 낡은 갈색 표지가 모습을 드러냈다.

왈도의 일기다.

지난번 숨겨 둔 뒤로 한 번도 찾지 않았던 물건이었다. 그녀로서도 제 손으로 이것을 다시 꺼내게 될 줄은 정녕 몰랐다. 견딜 수 없는 내용이라 하여 읽지 않고 덮어 둔 것이 문제였을까. 아니, 아니면 차라리 앞으로도 쭉 무지한 편이 나았을까.

의자에 주저앉다시피 하고는 잠시 심호흡을 했다. 심장이 무섭게 뛰었다. 펜을 낚아채듯 집어 들어, 마침내 책장을 펴 들었다. 그러고는 주의 깊게 한 자 한 자 짚어 내리기 시작했다.

암호 형식으로 얽혀 있는 글인지라 많은 내용을 단번에 파악할 수는 없었다. 아스티나는 눈에 띄는 단락을 발견할 때마다 빈 종이 위에 해독한 문장을 써 내렸다. 지난번 보았던 것과 다를 바 없는 농도의 역겨운 문장들이 끝없이 이어졌다.

[과연 몸 상태가 더 나아지는 것도 같다. 그년의 피를 좀 내어 마신 탓일 수도 있고. 이깟 계집애가 내 목숨줄이라니 마음에 들지 않는다. 버릴 수도 없는 처치 곤란한 쓰레기……. 분이 풀리지 않는다.]

아스티나는 이를 악물었다. 책장을 넘기는 손이 더욱 빨라졌다. 머지않아 앞쪽에서 목적한 단락을 찾을 수 있었다. 분석을 위해서인지 빗금과 동그라미 표시가 여럿 되어 있어, 언뜻 살피기에도 중요한 단락으로 보였기 때문이다.

[대부분의 야만족을 사냥하고 남은 극소수의 군락을 덮쳤을 때의 일이다. 헝겊 같은 옷을 뒤집어쓴 여자가 칼을 들고 나타났다. 위협인 줄 알았으나 그 여자는 칼날의 방향을 제 쪽으로 돌렸다. 본인이 인질 삼을 만큼 대단한 목숨이라 여겼나 싶어 신하들과 비웃는데, 여자가 갑자기 소리를 지르는 게 아닌가.

금수보다 못한 블란체의 왕이여, 그대는 그대 성미에 맞는 껍질을 얻게 될지어다. 대대로 그 피가 자손을 괴롭게 하리라.

레타의 용서가 없는 이상 저주는 풀리지 않을 것이다. 그대의 흉악한 모습도 사랑으로 안는 레타의 딸이 있다면 또 모르겠구나.

일족의 원수에, 끔찍한 거죽이라! 가능은 하겠는가?

답은 있되 의미가 없구나.]

분을 이기지 못한 듯 유독 글씨가 거칠었다. 가장 눈에 띈 부분은 우습게도 사랑이라는 단어였다. 자신에게 쏟아진 저주를 옮겨 적은 후 왈도는 그 아래에 비아냥을 보탰다.

[곱씹어도 뜻을 알 수 없다. 레타의 딸과 사랑이라니. 천한 야만족 여자와 교접이라도 하란 말인가?]

아스티나는 그만 책을 내동댕이쳤다. 아스티나의 목에서 찢어지는 듯한 비명이 쏟아져 나왔다. 그녀는 바닥에 얼굴을 묻은 채 소리 없는 신음을 쏟아 냈다.

왜 이따위 치부가 될 거리를 기밀을 대하듯 보관하였나 궁금했었다. 구제 못할 변태 성욕자의 성벽이라고도 생각했다. 그러나 이건 그런 사사로운 목적의 기록이 아니었다.

이건 실험 일지였다.

"티나, 이게 무슨……."

때마침 문을 열고 들어온 테리오드가 엉망이 된 실내를 발견하고는 멈춰 섰다. 테오도르의 얼굴을 본 아스티나가 섬뜩한 음성으로 소리쳤다.

"날 그렇게 부르지 마!"

아스티나의 얼굴은 하얗게 질려 있었다. 평소처럼 아내를 찾아왔다가 예기치 못한 상황과 마주치자 테리오드도 당황을 숨길 수 없었다. 테리오드가 일을 끝마치고 업자를 만나러 내려갔을 때 아스티나는 이미 자리를 비운 후였다. 집사는 아스티나가 그림을 보던 도중 위층으로 향했다고 말했다. 그녀는 왜 갑자기 서재로 들이닥친 것일까.

테리오드가 이내 정신을 차리고는 다시 아스티나에게로 다가섰다. 아스티나는 형용할 수 없는 심정으로 천천히 제게로 다가오는 과거의 낯을 올려다보았다.

"무슨 일이라도 있으셨습니까? 대체……."

테오도르의 후손, 그의 피를 이은 사람.

"그게 답이었어."

아스티나가 테리오드의 말을 끊고는 툭 내뱉었다. 뜻을 알 수 없는 말에 테리오드의 눈빛엔 더욱 의문이 짙어졌다. 그러나 아스티나만은 지금 이 순간 모든 걸 이해할 수 있었다.

아스티나는 마티나일 적 사람이 터져 죽는 공포를 안 적이 있었다. 일가가 몰살당함으로써 마무리 지어졌던.

"그게 답이었다고. 왈도에게도, 테오도르에게도, 이번에도……."

"무슨 말을……."

"끝이 아니라 약해진 거야."

아스티나가 넋을 놓은 채 불분명한 음성으로 중얼거렸다. 테리오드는 아스티나와 대화하기를 포기하고는 그녀의 앞으로 와 섰다. 테리오드는 우선 침착하게 바닥으로 떨어진 서류나 책 따위를 잠시간 살폈다. 단서 없이는 갑작스럽게 아내가 변모한 이유를 짐작할 수 없었던 탓이다.

이내 테리오드는 책상 위에 놓인 종이 위에서 그녀의 필체를 발견했다. 황급히 써 내린 듯 알아보기 힘든 글씨였으나 중간중간 선명한 문장들이 있었다. 그녀가 하는 말처럼 영문을 알 수 없는 건 다르지 않았지만.

"이게 대체 무슨 내용입니까?"

이것이 답이라니 대체 무슨 소리인가. 영문을 알 수 없는 와중에도 저주와 끔찍한 거죽이란 말이 유독 그의 시선을 잡아끌었다.

테리오드가 미간을 좁히며 재차 물었다.

"이 일기의 주인이 대체 누구길래……."

"왕 테오도르의 형제인 왈도입니다. 레타 일족을 몰살한 대가로 그 딸 중 하나에게 끔찍한 저주를 얻었죠."

아스티나가 테오도르의 얼굴을 멍하니 응시하며 대답했다. 온기 없는 음성이 사람의 것 같지 않아 소름 끼치게 느껴질 정도였다.

테리오드가 감이 잡히지 않는다는 듯 재차 물었다.

"여기 적힌 저주가 대공가에 내려온 저주란 말입니까? 아탈렌타는 블란체와는 다른 가문이지 않습니까?"

"다 죽었으니까. 블란체라는 성이 더 이상은 이 세상에 존재하지 않으니까. 악착같이 그 피 냄새를 맡고서……."

아스티나는 말을 잇지 못하고 그만 참담히 눈을 감았다.

아아, 왈도여.

내 인생을 망쳐 놓은 원수. 모든 불행의 시작과 끝. 검질기게도 이번 생까지 따라붙어 나를 좀먹는가.

"말이 안 됩니다. 그렇다고는 해도 레타의 딸과 이어짐으로써 풀릴 저주라면 나는 왜……."

테리오드의 말대로 왈도가 받은 저주와 아탈렌타의 저주는 접점이 희미했다. 사랑으로 풀릴 저주와 끔찍한 거죽이라는 말이 흡사하긴 했으나, 정작 당사자가 된 사람들이 다르다. 테리오드가 블란체의 피를 이었다고는 하나 이는 반쪽짜리 충족에 불과하다. 아스티나와의 관계로 대공이 온전한 정신을 찾았던 일을 무어라 설명하겠는가.

레타 집시들은 백 년 전 왈도의 폭정으로 모두 살해당했다. 아스티나는 레타 집시가 아니었다.

그러나 아스티나는 그 불완전한 명제에 대한 답을 알고 있었다. 그녀가 파리한 입술을 달싹였다.

"내가…… 니까."

마티나 오웬 드 레타 카라벨라는 레타의 마지막 딸이었다.

"내가 마티나였으니까."

그리고 그녀는 지금 여기 있다.

3부

Back to december

18. 테오와 티나

18. 테오와 티나

"또 싸우셨습니까?"

마티나는 서류를 살피다 말고 고개를 들었다. 엘시어가 왠지 모르게 재수 없는 미소를 띤 채 그녀를 내려다보고 있었다. 마티나가 아무렇지 않은 척 마저 펜을 놀리며 대꾸했다.

"그분께서 말도 안 되는 고집을 부리시는 거지."

"좀 봐주십시오. 궁 분위기가 얼마나 살벌한지 아십니까? 참 두 분 다 어지간하십니다."

"왕께서 왕답지 않으신 게 어디 하루 이틀 일인가?"

엘시어가 피식 웃다 말고 헛기침을 했다. 마티나는 왕의 연인이니 이런 수위 높은 농이 아무렇지 않을지 몰라도, 엘시어에게 테오도르는 까마득한 높이에 선 주군이었다. 당사자가 부재한 자리라고는 하나 무엄한 행동이었음은 다르지 않았다.

하지만 흥미와 존경은 별개의 문제다.

엘시어가 책상 앞으로 다가가며 허리를 숙였다. 그가 가까이에서만 들릴 크기로 조심스럽게 물었다.

"그래서 왜 싸우셨는데요?"

마티나에게서 긴 한숨이 흘러나왔다. 그녀가 심려가 뒤섞인 표정으로 대답했다.

"결혼을 안 하시겠다더군."

엘시어의 눈이 커졌다. 단단하게 끼고 있던 팔짱에서도 힘이 빠졌다. 엘시어가 말도 안 된다는 표정으로 되물었다.

"그런…… 같은 남자 입장에서 보기에도 파렴치한 말씀을……?"

테오도르가 세상에 둘도 없는 사랑꾼이라는 사실은 측근이라면 누구나 아는 사실이었다. 정통을 중시하는 대소 신료들이 소문을 막으려 무던히 힘을 쓴 탓에 둘의 연애는 그다지 공신력 있게 다뤄지지 않았으나, 테오도르를 아는 사람이라면 누구나 그에게 이런 수식을 붙였다.

'남자 망신은 다 시키는 간도 쓸개도 없는 인간.'

그에 마티나를 보태면 한 쌍의 바퀴벌레쯤 될까.

어쨌든 그런 테오도르가 마티나와 결혼을 하지 않겠다고 했다니 믿을 수 없는 일이다.

"이유는…… 아니, 됐습니다. 굳이 말씀하지 않으셔도 됩니다."

엘시어가 겨우 혼란스러운 낯을 추슬렀다. 마티나의 상처를 후벼 파는 행동이라는 생각이 뒤늦게 든 탓이다. 객관적으로 봤을 때 테오도르가 마티나와 결혼하지 않는 게 현명한 선택인 건 맞았다. 마티나의 출신을 문제 삼는 귀족들은 얼마든지 있었고, 세력을 아우르기 위해서라도 국혼은 몹시 까다로운 조건을 거쳐 성사되어야 했다.

정통성 있는 핏줄과 부유함, 온화한 성격과 고이 지켜 온 정절까지. 마티나는 그중 어떤 거름망도 통과하지 못할 여자였다. 하지만 테오도르가 어떤 사람인가. 늘 제멋대로의 행선으로 모두를 놀라게 하는 남자가 아닌가.

언뜻 보기에 그는 왕좌라는 자리에 그다지 어울리지 않는 이였다. 위엄은 공적인 자리에서만 겨우 내보이는 것이었고 대체로 불성실했다. 타고난 머리로 업무 처리엔 빈틈이 없었으나, 기실 그것이야말로 신하들의 가장 큰 불만이었다. 야근에 파묻혀 사는 신하들을 놀리듯 이곳저곳 잘도 쏘아 다니면서, 업무 시간만 되면 준비가 미비한 안건을 잘도 집어내기 때문이다.

테오도르는 하고 싶은 건 해야 직성이 풀리는 성격이었고 그 행동엔 대체로 운이 따랐다. 탑에 유폐돼 손발이 묶인 상태에서도 마티나라는 충신이 제 발로 굴러들어 왔던 일이 그를 증명한다. 젊은 왕은 속에 백 마리 뱀이 똬리를 튼 귀족들에게도 호락호락 넘어가는 법이 없었다.

그런 테오도르가 유일하게 제 뜻을 굽힌 게 바로 사랑 앞에서였다. 그라면 온 세상 사람들이 반대해도 아랑곳하지 않을 줄 알았는데, 세기의 사랑도 결국은 현실 앞에서 무너지고 마는가.

엘시어가 안쓰러운 눈으로 마티나를 응시했다. 마티나가 동조하듯 혀를 찼다.

"그래, 이유는 안 듣는 게 나을 거야. 내가 직접 말하기도 낯부끄럽군. 의무보다는 제 기분이 우선이신 모양이신지 들어오는 혼담을 다 거절하고 있지 않은가."

"예? 들어오는 혼담이라니 그게 무슨……."

"도대체 후계는 어찌하실 예정인지 심려가 커."

"아니, 잠깐. 무슨 말씀을 하시는 겁니까?"

엘시어가 미간을 찌푸리며 되물었다. 마티나가 엘시어와 눈을 맞추며 똑똑히 대답했다.

"아이 말일세. 명문가 소생의 정비를 들여 후계를 낳으셔야 할 것 아닌가."

"……지금 제 귀엔 그 여자가 후작님 본인은 아니신 걸로 들리는데요, 제가 제대로 들은 게 맞습니까?"

"당연하지. 내가 어찌 왕과 혼인하겠나?"

마티나가 담백하게 대답했다. 엘시어는 더더욱 혼란스러워졌다. 그녀가 대체 지금 무슨 이야기를 하고 있는 건지 이해할 수 없었다.

잠깐의 고민을 거친 엘시어가 다른 가설을 제시했다.

"혹시 저 모르는 사이 왕과 결별하셨습니까?"

"아니."

"……그럼 지금 교제하는 남성에게 왜 다른 여자와 결혼하지 않느냐고…… 물으셨다는 겁니까?"

"아까부터 대체 무슨 엉뚱한 소리를 하고 있는 건가?"

마침내 엘시어가 마티나를 질린 눈으로 응시했다. 저 피도 눈물도 없는 여자가 결국은 이렇게 일을 쳤다. 그녀가 원체 무뚝뚝하고 정이 없는 성격인 건 알았지만 이 정도였을 줄이야.

"왕께서 화나신 건 두 분의 애정 전선에 돌을 던지는 신하들 때문이 아니셨군요."

엘시어가 감탄 어린 목소리로 말했다. 물론 비꼼의 의미였다. 마티나가 딱 잘라 대꾸했다.

"어리광일 뿐이야."

"사랑하는 여자와 결혼하고 싶어 하는 마음이 어리광입니까?"

"그가 왕의 자리에 앉아 있다면, 물론."

그 답에 연인 간에 쌓아 온 정이라고는 존재하지 않았다. 누가 이 광경을 본다면 테오도르의 연인이 마티나가 아닌 엘시어라고 착각할지도 모른다. 엘시어는 답답한 마음에 그만 제 머리를 헤집었다. 그가 어리벙벙한 표정으로 되물었다.

"후작님은 대체, 그런 말을 하시면서 정말 아무렇지 않으십니까? 출신이 문제라고는 해도 당신은 이 왕권의 공신이십니다. 밀어붙이면 불가능할 것도 없는 혼인이란 말입니다. 한데 왜……."

"엘시어 경, 난 불임이야."

엘시어의 몸이 그대로 굳었다. 마티나는 잠시간 그런 엘시어를 빤히 응시했다. 엘시어는 도무지 이 상황에 내어야 할, 예의에 걸맞은 답을 찾아낼 수 없었다. 그를 대신해 마티나가 깔끔하게 결론을 내 주었다.

"석녀는 왕가의 일원이 될 수 없지."

그 말이 담고 있는 무게와는 어울리지 않게 대수롭지 않은 투였다. 그녀가 내놓은 정답엔 감정이 거세되어 있었다. 그러나 그녀의 눈동자 속엔 지난 세월 동안 부식되어 무뎌진 상처가 자리 잡고 있었다. 왈도에게 잡혀 있을 적 마티나의 상태가 온전치 않았다는 건 모두가 알았다. 아이를 품지 못하는 게 선천적인 원인 때문은 아닐 것이다.

엘시어는 마티나에게 무어라 더 말을 보탤 수도 없었다. 그는 사랑하는 남자의 품에 다른 여자를 들이밀어야 하는 기분을 몰랐다. 엘시어가 겨우 입을 열어 물었다.

"왕께서도 아십니까?"

"상관없다고 하시더군. 그러니 말이 통할 리 없지."

"……전 잘 모르겠습니다."

"엘시어, 멍청하게 굴지 마. 후계자는 정비의 태를 빌려 나오는 게 맞아. 내가 그 자리를 차지해 봤자 반쪽짜리에 그칠 것이고, 신하들은 후비를 들여서라도 후계자를 생산하라 노래를 부르겠지. 블란체는 후궁 제도란 게 있으니까. 어디 내 말이 틀린가?"

마티나가 말을 하다 말고 눈을 돌렸다. 뒤편에서 문소리가 들려왔기 때문이다. 마티나의 눈이 미미하게 커졌다.

새로운 방문객이 삐딱한 투로 반박했다.

"멍청하고 사랑 많은 남자라 아주 미안하게 됐군."

왕의 목소리에 엘시어는 황급히 고개를 돌려 뒤를 확인했다. 과연 불만 가득한 표정의 테오도르가 천천히 안으로 걸어 들어오고 있었다.

엘시어가 빠르게 허리를 굽혀 인사했다. 테오도르는 고개 숙인 신하에게 인사를 위해서인지 작별을 위해서인지 모를 손짓을 해 보였다.

"오랜만에 보는군, 엘시어 경, 이제부터 사랑싸움을 할 예정이니 자리를 좀 비켜 주겠나?"

"예? 예, 물론입니다."

엘시어가 재차 허리 숙여 인사하고는 재빨리 문밖으로 나갔다.

나무 판이 문턱과 부딪는 소리가 소란스럽게 울렸다.

곧 방 안엔 둘만이 남았다. 테오도르가 고압적으로 턱을 들며 마티나의 앞에 와 섰다. 마티나는 꿈쩍도 않고 그런 테오도르의 시선을 맞받아쳤다.

테오도르가 먼저 말했다.

"이제라도 취소하면 그간의 무례는 그냥 넘어가도록 하지."

"생각을 바꿔야 하는 건 왕이십니다."

"계급장 떼고 붙어. 연인 간에 그런 말을 하는 게 진짜 맞는 일이라고 생각해?"

"왕이 되려고 그 고난을 거쳐 놓고 모든 걸 내팽개치겠다고?"

"안타깝게도 난 어렸을 때부터 욕심이 없었거든. 날 찢어 죽이려는 형제가 없었다면 그럭저럭 놀고먹으며 살았을 거야."

"그거 자랑이군."

마티나의 비꼼에 테오도르가 울컥한 표정을 지었다. 그가 답답하다는 듯 머리칼을 쓸어 넘겼다.

"난 도무지…… 이해가 안 돼. 대체 무슨 생각으로 그따위 소릴 지껄이는 거야?"

"나야말로 당신이 왜 그렇게 아이처럼 구는지 모르겠어. 내 말이 그리 어렵나? 당신한텐 후계를 낳아 줄 하자 없는 여자가 필요해. 나 같은 석녀가 아니라."

마침내 테오도르의 눈이 노기로 물들었다. 그가 가시 돋친 투로 되물었다.

"그대 말대로 내가 결혼을 한다고 쳐. 그럼 그 불쌍한 여자는 어떡하지? 당신은 또 어떻게 하고?"

"내 말은—"

"그래, 어디 그대가 하는 주장의 의미를 파헤쳐 볼까? 우선 나는 애정 하나 주지 않을 여자를 간판처럼 세워 놓고, 가끔 내킬 때 가서 씨를 뿌리는 거야. 아이를 낳고 나서는 전혀 들여다볼 일이 없겠지. 왜냐, 내가 사랑하는 여자는 따로 있으니까. 출산으로 뼈가 삭은 정비를 버려두고 난 애인과 희희낙락 놀러 다니기만 하는 거야."

"……."

"이게 재밌나?"

마티나가 입술을 깨물었다. 곧 그녀가 지지 않고 되받아쳤다.

"그걸 원하는 여자를 찾으면 돼. 왕의 아내가 아닌 왕의 모친이 되고 싶은 여자를."

"자식을 권력의 매개로 생각하는 여자가 잘도 좋은 양육자가 되겠군. 정상적인 여자라도 남편의 냉대 속에 궁에만 갇혀 살면 머지않아 미칠 것 같은데."

"냉대하지 않으면 되잖아."

"아, 그러니까 나더러 처첩을 끼고 여색을 즐기라?"

마티나의 표정이 답답함으로 물들었다. 그러나 마티나가 반박하기도 전에 테오도르가 먼저 싸늘하게 말을 잘랐다.

"미안하지만 난 그렇게 못해. 만일 내가 다른 여자와 결혼한다면 그녀만 볼 거야. 난 분산된 총애가 어떤 결과를 낳는지 빌어먹게도 잘 알고 있거든."

정실과 사랑하는 여자를 따로 두었던 선친의 행동은 결국 비극의 씨앗이 되었다. 마티나에게서 뒤늦게 아이를 볼 일이 없다고 해도, 테오도르가 그녀만을 아낀다면 자연히 정실과 그녀의 아이는 홀대

당할 것이다. 비인간적인 행동일뿐더러 비의 친정 가문이 그 경우 없는 상황을 가만두고 볼 리 없었다.

"그럼 그렇게 해."

홧김이었지만, 그 말을 내뱉자마자 마티나도 실수였다는 걸 깨달았다.

테오도르의 얼굴이 완전히 굳어 들었다. 테오도르가 마티나를 노려보며 되물었다.

"내가 그대와 헤어지고 다른 여자를 품어도 괜찮다고?"

"……."

"말해, 티나. 그 잘난 입으로 다시 지껄여."

마티나는 다른 여자를 품으란 말을 다시 입에 담을 수 없었다. 그렇다고 제 실수를 정정하지도 않았다. 감정이 격해져 뱉은 말이라고는 하나 그것이 나라에 있어 가장 이상적인 결말임은 다르지 않았기 때문이다.

붉게 달아올랐던 그의 분노가 곧 푸른빛을 띠었다. 테오도르가 싸늘하게 경고했다.

"당신 지금 크게 실수한 거야."

그가 돌아섰다. 마티나는 그를 붙잡지 못했다.

엘시어의 희망과 다르게 궁의 분위기는 더욱 냉랭해졌다. 공석에서 만나도 테오도르는 마티나와 말 한번 섞는 일이 없었다. 냉전이 길어지며 점차 두 사람이 헤어졌다는 소문이 알음알음 번져 갔다. 둘의 불화설은 테오도르가 뻔질나게 드나들던 마티나의 업무실에 완전히 발길을 끊음으로써 정점을 찍었다.

마티나와 테오도르의 결별은 대체로 긍정적인 방향으로 해석되었는데, 특히나 딸 가진 부모들에게 그러했다. 이들은 환희에 젖어 국혼을 주선하기 위해 문턱이 닳도록 알현실에 드나들곤 했다.

"……안녕하시오, 후작."

마티나는 길을 걷다 말고 멈춰 섰다. 그녀를 붙잡은 것은 희끗한 머리칼의 노인이었다. 마티나는 상대에게 고고하게 고개를 까딱여 보였다.

"스카이라 공작님."

스카이라 공작은 마티나도 익히 알고 있는 인물로, 테오도르와 마티나의 만남을 깎아내리는 데 대단한 열정을 할애해 온 이였다. 그 이유는 공작의 가족 내력을 들여다보면 간단히 확인할 수 있다.

공작에겐 말년에 얻어 금지옥엽으로 기른 딸이 하나 존재했다. 아비의 권세에 힘입어 사교계의 꽃으로 성장한 아리따운 공녀는 그 나이 대의 영애들답지 않게 차일피일 혼인을 미루고 있었다. 그녀의 눈에 찬 남자는 이미 임자가 있었기 때문이다.

테오도르는 굉장한 미인이었고 무려 한 나라의 왕이었다. 여인들이 마음속에 연심을 품게 되는 것도 이상하지 않은 일이다. 이상형을 발견한 공녀의 눈에 고만고만한 혼담이 마음에 찰 리 없었다. 딸의 혼기가 아슬아슬한데 왕의 곁엔 천한 집시가 질기게 달라붙어 있으니 공작으로선 뒷목을 잡을 일이었다. 마티나를 향한 스카이라 공작의 감정을 명명한다면 아마도 증오에 가까우리라.

마티나는 그의 얼굴을 보자마자 좋은 의도로 말을 건 게 아니라는 사실을 짐작할 수 있었다. 역시나 스카이라 공작은 불쾌한 음성을 내었다.

"알현실까진 어쩐 일이오?"

"그저 지나치던 길입니다."

스카이라 공작이 다 들리도록 콧방귀를 뀌었다.

"누군가와 마주치길 의도한 게 아니고?"

체통에 맞지 않는 행동이었지만 마티나는 굳이 지적하지 않았다. 노인들은 때때로 아이처럼 유치해지기도 하는 법이다. 그 파급력은 결코 미성년의 그것이 아니라는 게 조금 문제였지만.

"전하께서 이제라도 정신을 차려 모두가 안도하고 있는 참이오. 한데 그대가 이리 왕의 눈에 띄어 마음을 어지럽혀서야 되겠소?"

이어 스카이라 공작이 검지를 들어 경고하듯 흔들었다.

"후작, 잘 들으시오. 그대가 왕께 은혜를 이런 식으로 갚아서는 안 될 것이야. 다 죽어 가는 천출을 살려 작위를 준 것만으로도 감읍해야 마땅하지."

물론 마티나는 늙은이의 노망을 그냥 인내할 생각이 없었다. 그녀가 픽 웃음 지었다.

"글쎄요, 제가 기억하는 것과는 조금 다른 말씀을 하시는군요. 다 죽어 가는 남자를 왕좌로 이끈 인물은 바로 공작님의 눈 앞에 있지 않습니까?"

"이…… 천한 계집이 주제도 모르고……! 어느 안전이라고 그따위 말을 지껄이는 게야!"

"어느 안전이라…… 기둥 뒤에서 떨며 소변을 지리던 추한 늙은 이가 하나 보이긴 합니다만."

마티나의 비웃음에 스카이라 공작의 얼굴이 빨갛게 달아올랐다.

고위 귀족인 그가 왈도가 죽었던 무도회에 불참했을 리 없다. 마티나가 왕의 목을 자르고 근위대를 베기 시작하자 객들은 썰물처럼 밀려 나갔다. 발 빠른 이들은 도망에 성공했지만 테오도르가 회장의 문을 잠그자 그마저도 여의치 않게 되었다. 젊은이들의 걸음을 따라잡지 못했던 스카이라 공작 역시 낙오자 무리에 포함되었다.

마티나는 스카이라 공작이 기둥 뒤에 숨어 기도문을 외우던 모습을 기억했다. 그의 바짓단을 적셨던 노란 물줄기까지도. 아마 그게 스카이라 공작이 마티나를 싫어하는 가장 큰 원인이 아닐까. 그녀는 공작의 치부를 알고 있었으니까.

마침내 그가 짚고 있던 지팡이를 흔들며 노성을 질렀다.

"이런 무엄한……!"

"공작 각하, 그쯤 하십시오. 왕이 가까이 계신 자리에서 소란을 벌이실 작정이십니까?"

스카이라 공작은 반사적으로 성을 내려다 말고 고개를 돌렸다. 마티나의 뒤편에서 엘시어가 걸어오고 있었다. 분하긴 했으나 명문가 태생의 관료가 등장하자 스카이라 공작도 더 언성을 높일 수 없었다.

공작이 짓씹듯이 중얼거렸다.

"어디 천출의 말을 믿을 수가 있어야지……."

스카이라 공작은 마티나를 노려보며 지나쳤다. 마티나는 여유롭게 입꼬리로 호선을 그림으로써 그의 기분을 완전히 망쳐 주는 걸 잊지 않았다.

곧 씩씩거리는 숨소리가 완전히 멀어졌다. 공작의 부재를 확인한 엘시어가 검지를 관자놀이 주변에 돌리며 혐오스러운 표정을 지었다.

"저 늙은이는 언제 관에 들어간답니까?"

"저렇게 정정하니 10년은 더 살겠지."

"빨리 화해 안 하시면 승냥이들이 더 기세등등해질 겁니다."

"잘된 일인데 왜 그러나? 스카이라 공작이 좀 인물이 별로이긴 해도 공녀는 꽤 교양이 있다네."

눈이 벌게진 중매쟁이들을 보고도 마티나는 미미한 반응을 보였다. 그녀가 심드렁한 표정으로 엘시어를 앞서갔다. 엘시어가 지지 않고 마티나를 따라붙으며 약 올리듯 물었다.

"이대로 전하께서 혼인하셔도 상관없다 이겁니까? 염원이 이루어지셨으니 아주 기쁘시겠습니다."

"목적한 일을 반만 이뤘을 뿐이지."

"이걸 어쩌죠. 곧 나머지도 다 성취하실 것 같은데요."

엘시어의 빈정거림은 스카이라 공작에 이어 마티나에게까지 향했다. 연인 관계로 판단하면 제 쪽이 죄인인 걸 알았기에 마티나는 언성을 높이지 않았다. 그녀가 엘시어를 흘끗 돌아보며 물었다.

"그게 무슨 소리지?"

"멜라니 후작 아시잖습니까. 최근 왕께서 그 딸과 혼담을 주고받으신 모양입니다. 오늘 후작께서 딸을 데려와 선보이기로 했다던데요."

마티나의 걸음이 멎었다. 밀폐된 복도를 벗어나 후원 쪽으로 트인 길목에 다다랐기 때문이다. 당당히 받아치긴 했어도 스카이라 공작의 모욕 주는 말이 기분 좋게 들렸을 리 없었다. 풀 내음이 섞인 바람을 맞자 그제야 숨이 트이는 기분이었다.

마티나가 수풀을 넘겨보며 덤덤히 물었다.

"언제 도착한다고?"

"오늘 오후쯤이라고 들었습니다."

멜라니 후작은 먼 지방에 거주하는 인물로 수도에 올라오는 일이 잦지 않았다. 당연히도 그의 여식들 역시 사교계에 얼굴을 비친 역사가 없었다. 잠시 골똘하게 고민하던 마티나가 말했다.

"계속 영지에서 지냈다면 수도 물정을 모를 테니, 모범이 될 만한 영애들을 불러 소개의 자리를 만들어야겠군."

마침내 엘시어가 질린다는 표정으로 마티나를 응시했다. 저것이 아마 마티나의 결정을 향한 사람들의 대체적인 반응이리라. 애인을 종마 취급하는 여자라니, 아무리 테오도르라도 정이 떨어졌을 게 분명했다.

마티나는 그의 마지막 말을 회고했다.

'당신 지금 크게 실수한 거야.'

마티나도 자신이 잘못했다는 사실을 모르지 않았다. 테오도르와 연인 관계를 유지하고 싶었다면 그런 말을 해서는 안 됐다. 하지만 마티나는 이렇게 자문하지 않을 수 없었다.

'그와 나 사이에 미래가 있는가?'

마티나는 자신이 욕심낼 수 있는 선을 너무도 잘 알고 있었다. 마티나가 테오도르와 어울리고도 아직까지 권력의 풍파 속에 휘말리지 않았던 건 그와의 혼인을 바라지 않아서였다. 후계를 출산하지 못하는 정비가 어떤 취급을 받는지 마티나는 모르지 않았다. 아이 소식을 들려주지 못하는 정비에게 어떤 종류의 모욕이 돌아오는지 역시도.

장성한 딸을 가진 귀족들은 호시탐탐 후궁전으로 여자를 밀어 넣으려 안간힘을 쓸 것이다. 그리고 왕 앞에서 그의 연인을 깎아내리는 일을 서슴지 않을 테지. 테오도르를 사랑한다는 이유로 그 모든 흠집을 감당하기에, 마티나는 스스로가 소중했다.

마티나는 테오도르와 결혼할 생각이 없었고 비혼주의라는 말은 왕이라는 직책과 결코 어울리지 않는 단어였다. 테오드르가 계속 왕답길 바란다면 마티나는 이쯤 해서 그의 인생에서 빠져 주어야 했다. 테오도르도 그 사실을 깨달아 다시 그녀를 찾지 않는 것이리라.

이별은 갑작스러웠지만 곧 담담해졌다. 아니, 현실감이 없다는 말이 맞을까. 그의 품이 그리운 건 사실이었지만 못 견딜 정도는 아니었다. 왕은 언제나 그녀가 보고 싶으면 볼 수 있는 위치에 있었으니까. 그와의 행복했던 추억을 가슴에 간직한 채 긴 짝사랑을 이어 나가는 것도 나쁘지 않았다. 오히려 그를 위한 결정이라 생각하면 마음이 차분해지기도 했다.

마티나가 이상적인 말들로 재차 엘시어를 타이르려고 할 때였다. 누군가 둘의 발걸음을 붙잡았다.

"안녕하세요, 마티나 후작님."

처음 듣는 가냘픈 목소리였다.

마티나는 또 누가 저를 붙잡나 하여 후원 쪽으로 몸을 돌렸다. 꽃 무리 앞에 선 여인이 발간 뺨을 한 채 그녀를 보고 있었다. 언뜻 보기에도 사랑스러움이 온 구석에 묻어난 여자였다. 친근한 인사치고 마티나의 기억에 없는 인물이라는 게 문제였지만.

"……처음 보는 얼굴인데, 나를 아는가?"

"알다마다요. 어떻게 후작님을 모르겠어요?"

마티나의 물음에 여자가 반색하며 다가왔다. 그녀는 창틀에 손을 올리며 마티나를 향해 까치발을 들기까지 했다. 부담스러운 간격에 마티나는 저도 모르게 상체를 뒤로 물렸다. 그에 여자도 당황하여 제자리에 멈춰 섰다. 무례를 저질렀다는 걸 깨달았는지 그녀가 허둥지둥거리며 손을 내저었다.

"어머, 죄송해요. 제가 너무 급하게 인사를 드렸네요. 다음에 차라도 함께했으면 좋겠어요. 후작님의 영웅담을 들을 기회를 주시면 무척 기쁠 것 같아요."

그녀가 뺨을 감싸며 황급히 도망쳤다. 순식간에 멀어진 여자를 보며 마티나가 얼빠진 얼굴로 중얼거렸다.

"……자기소개도 않고서."

지켜보고 있던 엘시어가 슬쩍 마티나의 귓가에 대고 물었다.

"그래서 만족하십니까?"

"뭐가 말인가?"

"저분이 바로 그 소문의 왕비감이십니다."

마티나는 다시 눈을 돌려 여자의 뒷모습을 눈에 담았다. 어쩐지 궁에서 간만에 드레스 차림을 보았다고 했다.

마티나는 한동안 멀어지는 레이스 자락에서 시선을 떼지 못했다. 가슴이 이상하게 술렁였다. 마티나는 테오도르의 옆에 선 여자의 모습을 상상해 보려고 했다가, 이내 그만두었다. 시도만으로도 몹시 기분이 상했기 때문이다.

"그랬군."

짧게 중얼거린 마티나가 다시 걸음을 옮기기 시작했다. 엘시어 앞에서 불쾌한 기색을 드러냈다간 아마 평생의 놀림감이 될 것이다.

마티나가 반응하지 않자 엘시어는 그녀와 걷는 내내 간헐적으로 혀를 찼다. 그 모습이 몹시도 얄미워 결국 마티나는 그의 엉덩이를 걷어차 주었다.

✣ ✣ ✣

'여기, 이리 와 봐.'

뒤편에서 웬 소곤거림이 들려왔다. 마티나는 무의식적으로 검을 뽑아 들다가, 문득 그 음성이 몹시도 낯익다는 사실을 깨달았다.

마티나는 조용히 수풀을 헤쳐 소리가 들려온 쪽으로 넘어갔다. 주의 깊게 살피지 않으면 보이지 않는 사각지대에 숨은 건 침입자가 아닌 그녀의 왕이었다. 태평하게 누워 있는 자세로 미루어 보아 늘어지게 낮잠이라도 즐긴 모양이었다.

마티나가 어이없다는 듯 그를 불렀다.

'전하?'

회의 전 갑자기 사라진 왕 때문에 모두가 궁을 뒤지고 있던 참이다. 그 소란스러운 와중에 이곳에 홀로 쥐 죽은 듯 숨어 있었단 말인가.

'여기서 뭐 하시는 겁니까?'

마티나의 물음에 테오도르가 미간을 좁혔다. 그 모습이 짜증스럽게 느껴지기보다는 감탄을 자아내는 점이 참으로 기이했다. 몇 번을 봐도 참으로 그림 같은 생김새였다. 마티나는 내심 감탄을 숨기며 왕의 대답을 기다렸다.

곧 테오도르가 옅은 한숨과 함께 대답했다.

'스카이라 공작이 또 내게 딸을 소개하려 하지 뭔가.'

'공녀님이 그렇게 아름다우신데 뭐가 불만이십니까?'

'성이 마음에 안 들어.'

'풉.'

마티나는 무의식적으로 웃음을 토해 냈다가, 그대로 표정을 굳혔다. 의외의 반응에 테오도르의 눈이 조금 크게 뜨였다.

같은 사람을 싫어하는 이들의 동질감은 같은 사람을 좋아하는 이들의 것보다 특히 굳건한 법이다. 테오도르가 동지의 냄새를 놓치지 않고 되물었다.

'웃었지, 방금?'

'아닙니다.'

마티나가 헛기침을 하며 시선을 피했다. 테오도르는 알 만하다는 표정을 지으며 선선히 물러섰다. 대신 그는 훨씬 인자해진 태도로 마티나에게 자리를 권했다.

'불편하게 서 있지 말고 이리 가까이 오지 그러나.'

마티나는 왕을 찾는 이들에게 고자질을 하러 가는 대신 잠자코 그의 옆에 앉았다. 왕보다 높은 눈높이로 있는 것은 다소 무엄한 느낌이라, 망설임 끝에 그녀는 잔디에 머리를 대고 누웠다. 판단이

틀리지 않았는지 테오도르에게선 질책이 돌아오지 않았다.

그러고 보니 그는 무슨 자신감으로 자신의 위치를 알린 걸까. 마티나가 좀 더 원칙을 사랑하는 사람이었다면 테오도르는 지금쯤 그를 찾는 신하들에게 끌려가야 했을 것이다.

'왜 절 부르셨습니까? 제가 전하의 비밀 장소를 소문내고 다니면 어쩌시려고요.'

'혼자 있으니 심심해서 말이지.'

'전 그리 재미있는 사람이 아닙니다만.'

'일종의 동지애라고 해 두지. 그대도 이 궁에서 피하고 싶은 사람이 많을 텐데, 앞으로 사양 말고 이 자리를 빌려도 되네.'

마티나는 그만 참지 못하고 웃음을 흘렸다. 테오도르가 그런 그녀를 잠시간 빤히 응시했다.

'웃을 줄도 아는군.'

'당연한 말씀을 하십니다.'

'생과 사를 함께한 것치고 그대와 난 서로를 잘 모르지. 그래서 그대와 이렇게 듣는 귀 없는 자리에서 대화해 보고 싶었어.'

'전하께서 부르셨다면 얼마든지 그렇게 했을 텐데요.'

'그런 제안을 하는 걸 주변에서 듣는다면, 이상한 오해를 할 수도 있지 않겠나.'

마티나는 그의 판단에 동의할 수 없었다. 그의 측근들이 왜 그따위 무엄한 오해를 하겠는가.

마티나는 자신에게 따라붙는 소문들을 모르지 않았다. 무려 테오도르의 정적인 왈도에게 더럽혀진 천한 집시다. 왕에게 직접 작위를 받아 측근이 되었다고는 해도 마티나의 입지는 아직 위태로웠다. 그녀의 무력을 눈앞에서 본 이들도 대단하다며 칭송하기보다는 마녀의 핏줄이라 수군거리기 바빴다. 마티나에게 거리낌 없이 접근한 건 엘시어라는 피델리오가의 애송이 하나뿐이었다.

그러나 마티나는 굳이 자신을 낮추는 말을 꺼내지 않았다. 그녀의 잘못이 아닌 일에 일일이 민감히 반응하고 싶진 않았으니까. 마티나는 복수를 위해 인내했고 결국 걸맞은 결과를 얻었다. 그녀의 인생을 살아 보지 않은 자들의 수군거림은 재고할 가치도 없었다.

따라서 마티나는 그저 왕의 의도를 물었다.

'제게 따로 하실 말씀이 있으십니까?'

'궁금증이었지. 왜 나를 선택했나?'

그의 질문은 몹시 포괄적이었다. 마티나에겐 두 번의 기회가 있었다. 테오도르가 탑에 갇혀 있을 때와 그가 승리하여 세를 얻었을 때. 마티나는 전자를 답했다.

'복수를 위해서였습니다.'

왕이 궁금해했던 건 후자 쪽인 모양이었지만.

'복수는 이미 끝났잖나.'

마티나는 잠시 대답을 망설였다. 왕을 만족시킬 만한 답변이 그녀에겐 없었기 때문이다.

그러나 왕은 그녀를 축출하려 한다면 목을 베겠다는 무엄한 말을 들었음에도 온화하게 넘겼던 남자다. 그랬던 그가 이제 와 마티나의 낭만 없음을 크게 질책할 것 같진 않았다.

'……솔직히 말해도 됩니까?'

'말해.'

'아무래도 상관이 없었습니다.'

왈도를 죽인 마티나에겐 아주 많은 선택지들이 생겼고, 동시에 아무것도 남은 게 없었다. 그녀가 바랐던 미래는 화마에 불태워진 지 오래였다. 사랑하던 이들을 모두 잃은 자리에서 마티나는 새로운 목표를 찾을 수 없었다. 그래서 그녀는 텅 빈 고향으로 내려가 죽은 이들의 그림자를 밟는 대신 모험을 택했다.

'원하는 것은 없으나, 왕처럼 큰 뜻을 가지고 있는 이와 함께한다면…… 저도 언젠가 의미를 찾을 수 있지 않을까 했습니다.'

침묵하던 테오도르가 오묘한 표정으로 대답했다.

'그건 꼭 신자의 말처럼 들리는군.'

'제겐 그들과 같은 대의가 없습니다.'

'성인들의 특징이 뭔지 아나? 바로 그들은 자기 자신을 위해 움직이지 않는다는 점이야.'

일면만으로 판단하기에 테오도르가 택한 비교군은 몹시 동떨어진 것이었다. 권력자란 남들과는 다른 혀를 타고나는 법일까, 왕에겐 말도 안 되는 이야기를 참으로 그럴듯하게 말하는 재주가 있었다.

'그대는 그대 본인이 생각하는 것보다 훨씬 더 큰 사람이 될 거야. 그럴듯한 이유만 찾는다면 말이야.'

테오도르는 비어 있는 그녀에게서 무엇을 발견한 것일까. 홀로 남은 그녀에게 당최 어떤 가능성이 남아 있단 말인가. 왕의 밑에서 받은 것을 간수하는 것만도 벅찬 상황이거늘.

마티나는 고개를 들어 하늘을 올려다보았다. 오른편 끝에 있던 커다란 구름이 어느새 머리 위에 와 있었다. 본래 마티나는 처리할 일이 있어 이동하던 참이었다. 유예는 잠깐으로, 이제 그녀를 기다리는 곳으로 돌아가야 할 시간이었다.

마티나는 자리를 떠나기 전 마지막으로 왕의 얼굴을 돌아보았다. 그녀가 테오도르에게 반신반의하는 목소리로 물었다.

'당신께서는 저를 믿으십니까?'

'본인은 모르는 모양이지만, 그대는 지나치게 빛나는 사람이거든.'

굳이 비유하자면 자신은 어둠에 대유 되는 사람이라고, 마티나는 생각했다. 스스로 찾아야 할 대답을 타인이 내어 주길 바라는 미련한 짓을 할 뻔했다. 마티나는 비식 웃으며 상체를 일으켰다.

뒤편으로 비친 햇볕에 그녀의 정수리가 하얗게 물들었다. 그것을 지켜보는 테오도르의 입가에 천진한 미소가 감겼다. 그를 피해 물러설 짬도 없었다. 테오도르가 손을 뻗어 마티나의 머리카락 끝을 부드럽게 당겼다.

'이것 봐, 이렇게 반짝이는데.'

마티나는 멍하니 입을 벌렸다가, 화들짝 놀라 그만 그의 손을 쳐냈다. 그러고는 그 무엄한 행태에 스스로 놀랐다. 그녀는 왕에게 제대로 된 인사조차 남기지 못하고 자리를 떠났다.

제 뺨이 머리칼과 같은 붉은빛을 띠고 있었다는 사실은, 나중에서야 알았다.

"후작님은 머리 색이 정말 특이하신 것 같아요."

마티나는 붉게 핀 꽃송이를 들여다보다 말고 고개를 돌렸다. 그림 같은 정원엔 양산을 쓴 인형 같은 영애가 마주 앉아 있었다. 이전처럼 숨겨진 장소가 아니라 사용인들 여럿을 대동하고 있는 자리였지만 주변을 둘러싼 녹빛만은 같았다.

상념에서 벗어난 마티나가 가만히 대답했다.

"그런가요."

"네. 선명한 적발인데 햇빛을 받으니 분홍색으로 반짝여서, 꼭 후작님처럼 강인해 보여요."

그리 말하며 그녀는 아이처럼 맑게 웃었다. 마티나는 조용히 상대를 향해 방향을 고쳐 앉았다. 그녀와의 티타임은 테오도르와의 추억을 떠올리기에 적합하지 않은 때였다.

테오도르와 결별하며 비어 버린 마티나의 주말엔 의외의 객이 들어찼다. 아니, 의외라기보다는 파격적이라고 표현해야 맞을까. 마티나의 앞에 앉은 여자, 멜라니 후작의 여식인 샬럿 영애는 무려 테오도르의 새 연인 후보였으니 말이었다.

지난번 그녀와 마주친 이후, 머지않아 마티나는 상상하고 싶지 않았던 현실에 당면해야 했다. 테오도르가 샬럿 영애를 마음에 들어 해 궁에 머물 곳을 내어 주었다는 소식이 전해졌기 때문이다.

샬럿 영애는 당초 예정되었던 기일보다 몇 배는 늘어난 수도 나들이에도 빠르게 적응했다. 그녀는 원래 수도에서 지내 왔던 것마냥 자연스럽게 여러 유명 장소를 돌아다녔다. 다만 아비의 염려 때문인지 사교계에만은 출입하지 않았다. 아마 그의 아비는 노련한 감각으로 자신의 딸이 낱낱이 분석되리란 사실을 예감했으리라.

아버지의 염려를 이해한 것인지 샬럿 영애는 나이보다 어른스럽게 굴었다. 그녀는 또래 영애들과 교류하는 데는 큰 관심이 없어 보였고, 따라서 아비의 과한 간섭에도 크게 답답해하지 않았다. 대신 샬럿 영애는 다소 특이한 상대에게 호감을 드러냈는데, 그게 바로 마티나였다.

마티나로서는 이것이 시골 방식의 신종 괴롭힘은 아닌지 몹시 의심스러웠다. 결혼 상대로 점찍어진 남자의 전 애인을 찾아와 피를 말리는 행태를 다른 의미로 해석할 수는 없었다. 샬럿 영애가 계속해서 청해 오는 만남은 마티나를 다소 신경질적으로 만들었다. 계속 거절하는 것도 예의에 어긋나는 일이었기에 마티나는 꾸준히 샬럿 영애에게 여가 시간을 내어 주고 있었다.

마티나는 샬럿 영애의 순수한 얼굴을 보며 고민에 잠겼다. 혹시 그녀는 테오도르와 자신이 연인 관계라는 사실을 전혀 모르는 것일까?

가능성은 있었다. 테오도르의 세력은 대개 격에 맞지 않는 주군의 연애 상대를 숨기고 싶어 했다. 아버지가 따로 언질해 준 것이 없고, 수도에 와서 어울린 이도 없다면 그 무지함도 이상하지 않았다. 그도 그럴 것이 방금 막 촌에서 상경한 영애였으니까.

덕분에 마티나는 그녀를 속이고 있는 듯한 복잡한 감정을 느껴야 했다. 테오도르와 연인이었다는 사실을 밝히는 것도, 이대로 모른 척 그녀와 어울리는 것도 이상했다.

마티나의 고뇌를 아는지 모르는지 샬럿 영애가 뺨을 붉히며 이야기를 계속했다.

"제가 고향에 있을 적, 모두가 레타 후작님의 머리카락은 꼭 핏빛을 닮았다고들 이야기했어요."

"제 소문이 거기까지 닿았습니까?"

"워낙 유명하시잖아요. 단칼에 상대의 목을 벨 수 있는 분이라고 말이에요. 저희 영지는 순박한 사람들이 가득한 곳이라 후작님을 두려워했지만 전 조금 다르게 생각했어요. 피가 쏟아지는 광경에 적발이 함께 휘날리면 얼마나 황홀하게 보일지 궁금했거든요."

마티나는 그녀에 대한 평가를 조금 수정했다. 마냥 순수하게 보았는데 핏빛 궁정에 적응할 담은 있는 인물이었다.

샬럿 영애가 눈을 반짝이며 물었다.

"정말 단번에 장정의 목을 베실 수 있나요?"

"……이런 자리에서 드릴 말씀은 아닌 것 같습니다."

"그러지 말고 말씀해 주세요. 단신으로 무도회장에 대기하고 있던 근위대를 모두 물리치셨다는 게 사실인가요?"

연애담이 아니라 반역 쪽에 더 흥미를 보이다니, 여러모로 특이한 성격이었다. 마티나는 문득 대답을 꺼리는 자신을 발견하고는 멈칫했다. 내심 레이디에게 이런 이야기를 해도 되나 고민이 되었던 탓이다.

마티나가 어렸을 적, 얼큰하게 취한 어른들은 좀도둑의 손을 베었던 이야기를 영웅담처럼 들려주곤 했다. 레타 무리 사이에선 여자들끼리 칼과 싸움에 대해 이야기하는 게 전혀 이상하지 않았다.

벌써 자신도 블란체의 분위기에 익숙해진 것일까. 그도 그럴 것이 마티나가 알아 왔던 집시들과 블란체의 귀부인들은 완전히 종이 다른 듯 보였다. 우선 검을 다루는 여자가 없었을뿐더러, 그에 관심을 가지는 이조차 찾을 수 없었다. 그네들의 마른 몸과 창백한 얼굴을 보면 아예 무술을 연마할 만한 신체적 여건이 되지 않는 듯도 보였다.

무슨 차이인가 기이하게 여긴 것도 잠시, 마티나는 왕궁 연회에 참가하며 처음 드레스 차림을 해 보고서야 그 이유를 절절히 깨달았다. 레이디들은 모두 허리에 올가미를 매고 있었던 것이다.

코르셋을 걸친 순간 마티나는 귀족 여자란 원죄를 품고 사는 존재가 아닌가 진지하게 의심해야 했다. 교수대에나 걸려 있어야 할 물건이 왜 죄 없는 사람들에게 쓰이는지 알 수 없었기 때문이다. 조금만 움직여도 숨이 가쁘니 몸을 단련하는 일에 관심을 두지 못해도 이상하지 않았다.

결국 마티나가 고개를 내저으며 대답했다.

"왈도는 적이 많았기 때문에 내궁보다는 외궁을 방위하는 데 더 힘을 썼습니다. 안에 남은 건 많지 않은 숫자였죠. 현왕께서 문을 잠그고 바깥을 맡아 주시기도 했고요."

"어머, 환상의 호흡이셨군요. 그때 상대했던 근위병들이 총 몇 명이었나요?"

"스물 정도였습니다. 왈도는 포악한 성격이었기에 진짜 충정을 다하는 병사도 많지 않았습니다. 열을 베었을 즈음, 대부분은 회장 밖으로 도망쳤죠."

"소문으론 백 명이나 되는 병사를 처리하셨다고 들었는데요."

"원래 소문이란 과장되기 마련 아니겠습니까."

마티나가 대수롭지 않게 대답하며 차를 홀짝였다.

그때 멀리서 시녀 하나가 걸어왔다. 언뜻 보기에도 걸음이 다급해 보였다. 마티나의 뒤로 온 시녀가 귓가에 당황스러운 소식을 고했다.

"후작님, 전하께서 방문하셨다고 합니다."

마티나의 움직임이 조용히 멎었다. 몸을 굳힌 것도 잠시, 마티나는 천천히 테이블 위에 찻잔을 내려놓았다. 자신을 만나러 왔을 리는 없으니 아마 샬럿 영애를 찾아온 것이리라. 당황하지 않고 샬럿 영애에게 왕의 방문을 전함으로써, 마티나는 의도치 않게 자신이 연기에 소질이 있다는 걸 깨우쳤다.

"샬럿 영애, 전하께서 찾아오신 모양입니다."

"어머, 제가 늦으니 마중 나오셨나 봐요. 다정하셔라."

샬럿 영애가 발개진 뺨을 감싸며 말했다. 주변을 살피던 그녀가 마티나에게로 몸을 숙였다. 그러고는 작은 목소리로 속삭였다.

"사실 오늘 전하께서 수도 구경을 시켜 주신다고 했는데…… 전하는 항상 아버지랑 함께 뵀었거든요. 남자랑 단둘이 있는 건 처음이라 너무 떨려요."

마티나는 샬럿 영애의 말에 안도하는 자신을 발견하고는 그만 얼굴을 일그러뜨릴 뻔했다. 단둘이 시간을 보낸 적이 없다는 말에 기뻐해서 무엇하랴. 직접 등을 떠밀어 떠나보낸 남자이거늘.

마티나는 잠자코 샬럿 영애와 마주 앉아 테오도르를 기다렸다. 왕이 이곳으로 오고 있는 상황에서 먼저 자리를 뜰 수는 없었다.

곧 검은 머리칼이 멀리서부터 눈에 띄었다. 그 칠흑 같은 색은 낮의 자연 속에서 이질적으로 느껴질 정도였다. 테이블로 다다른 테오도르는 마티나에게 턱을 까딱여 짧게 인사하고는, 곧장 샬럿 영애에게 손을 내밀었다.

"이만 갈까."

"어머, 후작님과도 이야기를 좀 나누셔야죠. 갑자기 회의가 생겼다고 하셔서 제가 얼마나 심심했는데요. 후작님께선 외로운 절 구해 주신 고마운 분이시랍니다."

사용인들도 주인인 마티나만큼이나 테오도르를 어떻게 대해야 할지 파악하지 못한 기색이었다. 눈치를 보던 하녀들이 결국 의자를 하나 더 공수해 왔다. 테오도르는 마지못한 표정으로 자리에 착석했다. 테오도르가 도착하자마자 그들을 내보낼 생각이었던 마티나는 묘한 기분이 되었다.

이상한 조합이었다. 연인이었던 남녀와 남자의 새로운 여자. 비극도 희극도 아닌 우스꽝스러운 광경이었다.

불편한 건 피차 마찬가지였는지 테오도르가 샬럿 영애를 재촉했다.

"어서 가 보는 게 좋겠군. 후작도 모처럼의 주말을 방해받고 싶진 않을 것 아닌가."

"어머, 그런가요? 후작님, 혹시 바쁜 일이 있으세요?"

"……그런 건 아닙니다만, 저도 두 분의 오붓한 시간을 방해하고 싶지 않군요."

마티나의 대답에 샬럿 영애가 어쩔 줄 모르는 표정을 지었다. 그녀가 달아오른 뺨에 손등을 대더니 자리에서 일어섰다.

"그럼 나가기 전에 잠시 화장 좀 고치고 올게요."

애교 있는 인사와 함께 샬럿 영애가 종종걸음으로 사라졌다.

마티나는 그녀가 떠나자마자 고개를 돌려 테오도르의 얼굴을 응시했다. 미세하게 휘어진 그의 입꼬리는 여전히 고혹적이었다. 별생각 없이 하는 행동으로도 타인의 넋을 빼놓는 작자다. 저 잘난 면상에 누가 거부감을 느끼랴. 샬럿 영애가 그를 보자마자 사랑에 빠졌대도 이상하지 않았다.

마티나가 불만을 숨기지 않고 말했다.

"인편을 통하셨다면 어련히 파장했을 텐데요. 여기까진 어인 일로 찾아오셨는지요."

테오도르에게서 무감한 눈빛이 돌아왔다. 그가 손을 휘저어 사용인들을 물렸다. 왜 그러나 했더니, 둘만 남은 자리에서 테오도르가 꺼낸 말은 아플 만치 직설적이었다.

"그대가 내 피앙세에게 이상한 말이라도 할까 겁이 나서 말이지."

마티나는 테오도르의 말에 동요하지 않을 수 없었다. 피앙세라니. 서로 간을 보고 있는 상황이라고만 생각했는데 벌써 혼약이라도 맺었단 말인가. 마티나가 통보한 이별에 대한 반발심 때문일까, 결혼 결정이 지나치게 빨랐다. 지금은 마티나와 헤어지고 얼마 되지도 않은 시기였다. 국혼이 이루어지는 건 나중이 되리라 여겼는데 안이한 판단이었던가.

입가가 굳는 게 느껴졌지만, 마티나는 곧 표정을 갈무리했다. 그녀가 담담히 대답했다.

"그럴 일 없습니다."

"그거 다행이군."

"잘 어울리십니다."

"축하 고마워, 아주 좋은 여자더군."

"그녀가 마음에 드십니까?"

테오도르는 말끔히 웃어 보였다. 왜 아니겠냐는 듯이.

마티나는 스스로가 구차해 보인다는 사실을 알면서도 이 질문을 꺼내지 않을 수 없었다.

"……정말 결혼하실 겁니까?"

테오도르의 눈이 가늘어졌다. 그가 오른손에 턱을 괴며 대답했다.

"그래, 조건이나 뭘 따져 보나 아주 괜찮은 여자야. 좋은 왕비가 될 것 같아."

마티나는 그만 입술을 깨물었다. 자신은 '좋은 왕비'라는 역할에 도무지 들어맞지 않는 사람이었으니까. 그럴 의도로 한 말이 아니라는 걸 알았음에도, 테오도르가 입에 담은 그 단어는 마치 그녀를 비난하는 것처럼 느껴졌다.

테오도르가 마티나에게서 고개를 돌리며 말했다.

"그런 건 왜 묻는지 모르겠군. 이제 와 질투라도 하나?"

"……이리 쉽게 마음이 바뀌실 줄은 몰라, 조금 당황해서 그렇습니다."

"그대가 주선한 결혼이나 마찬가지니, 축하 선물은 좋은 것으로 준비하도록 해."

테오도르의 말에 마티나는 무의식적으로 입을 벌렸다.

결혼 선물? 지금 저한테 결혼 선물을 달라는 건가?

"왕께선 마음이 참으로 가벼우신가 봅니다."

생각도 거치지 않고 내뱉은 말이었다. 마티나가 제 충동을 주워 담기도 전에 테오도르가 어이없다는 듯 반문했다.

"뭐?"

이어 그가 가라앉은 눈빛으로 되물었다.

"그거, 내가 해야 할 말 아닌가?"

"전 옳은 결정을 내렸습니다. 국혼에 당사자의 의지가 개입한 역사가 어디 흔하던가요."

"그래, 그래서 그대가 원하는 대로 했잖아. 대체 뭐가 문제야."

"이른 기간은…… 문제 삼지 않겠습니다. 말마따나 제가 떠민 혼처니까요. 하지만 굳이 이곳까지 찾아오신 의도는 좀 불순하게 느껴지는군요. 새로운 약혼자와 저, 전하 셋이 마주 앉아 있는 게 가당키나 한 일이랍니까? 이건 예의의 문제예요. 저뿐만 아니라 샬럿 영애에게도요."

"그것참 당황스럽군. 난 그대와의 이별에서 그 예의란 것, 구경도 못해 본 걸로 기억하는데."

"……."

"티나, 그대야말로 날 정말 사랑하기는 했어? 그래서 그런 결정을 내렸나?"

마티나는 대답하지 않았다. 테오도르가 온기 없는 눈으로 마티나를 쏘아보았다.

"그대가 포기한 사랑이라고 해서 내 몫까지 별것 아닌 것처럼 취급하진 마, 자격 없는 사람한테 듣기엔 꽤 불쾌한 말이거든, 그거."

"내가 어떤 마음으로 당신을 보냈는데."

마티나가 충동적으로 내뱉었다. 테오도르가 의미를 알 수 없는 눈빛으로 잠시간 마티나를 응시했다.

분위기가 바뀌는 건 갑작스러웠다. 테오도르가 자리에서 몸을 일으켜 상 위를 짚었다. 거친 움직임에 찻잔이 바닥으로 떨어지며 파열음을 냈다. 테오도르가 마티나에게로 몸을 숙이며 그녀의 턱을 당겼다. 그대로 입술을 삼켜 오려는 듯이.

이성으로 판단하기도 전에 몸부터 반사적으로 움직였다. 짧은 순간, 마티나는 그를 밀어내는 대신 이끌리듯 턱을 들었다.

그러나 입술이 부딪치기 직전 테오도르는 멈춰 섰다. 가쁜 숨소리가 온통 주변을 울렸다. 서로에게 닿아도 이상하지 않은 거리에서, 테오도르가 눈을 맞추며 속삭였다.

"얼마나 대단한 결심이었기에."

"……."

"왜 날 안 밀어내?"

마티나는 테오도르의 입술을 내려다보았다가, 그대로 떨리는 눈을 들어 그와 시선을 마주했다. 그의 푸른빛 눈동자에 무엇이 담겨 있는지를 살피기 위하여.

애석하게도 탐색을 시도한 건 그녀뿐만이 아니었다. 그리고 먼저 간파당한 것도, 그녀 쪽이었다.

테오도르가 빳빳하게 힘이 들어간 마티나의 어깨에 흘긋 시선을 주었다. 그의 입꼬리가 느슨하게 휘어졌다.

"사실 흔들렸지?"

마티나는 입술을 깨물며 그의 손을 쳐 냈다. 테오도르는 의외로 선선히 숙였던 몸을 세웠다. 마티나가 입술을 짓씹으며 그를 쏘아보았다.

"나한테 왜 이래."

"날 헌신짝 버리듯 내팽개쳐 놓고, 얼마나 잘살지 궁금해서."

테오도르가 스치듯 웃으며 대꾸했다. 비틀린 자세로 선 그는 어쩐지 위태로워 보였다. 평정을 되찾으려는 마티나를 자극하기라도 하는 것처럼.

"방금, 안 흔들렸어?"

테오도르가 조용히 마티나를 내려다보며 되물었다. 낮은 음성이 유혹처럼 귓가에 감겼다. 마티나는 이를 악물었다.

"전혀."

"그럼 내가 어떻게 해야 흔들려 줄래. 다 버리면 되나?"

"뭐?"

"왕위고, 블란체라는 성이고 다 버린다고 해도 우린 안 된다는 이야기나 하고 있을 거냐고."

현기증이 이는 기분에 마티나는 머리를 짚었다. 지금 이 상황 중 하나도 제대로 된 게 없었다. 장소와 함께 모인 사람들, 그리고 그가 꺼낸 물음까지도.

마티나는 이 자리에 놓인 의자의 수를 상기했다. 샬럿 영애가 곧 돌아올 것이다. 그녀가 보기 전에 이 난장판을 정리해야 했다.

마티나는 이성을 유지하기 위해 심호흡을 했다. 마티나가 애써 냉소적으로 내뱉었다.

"제정신이야? 말이 되는 소리를 해."

"말이 안 될 건 또 뭐야, 내가 농담으로 이러는 것 같아?"

"왜 나한테 그렇게까지 하겠다는 건데?"

"난 그대처럼 별것 아닌 사랑이 아니었으니까."

말문이 막혔다. 삐뚤게 선 자세와 달리 그의 시선은 마냥 곧았다.

마티나는 맹목적인 애정 앞에서 도망치고 싶었다. 테오도르와 함께 있으면 정말 그녀가 고민하는 것들이 아무것도 아닌 것처럼 느껴진다. 결코 좋지 않은 징조였다. 다칠 것을 알면서도 그에게 말려들고 싶지 않았다.

마티나가 제 왼편에 있는 빈 의자에 시선을 고정한 채 말했다.

"우린…… 처음부터 끝이 보이는 관계였어. 이렇게 헤어질 거 알고 시작한 거 아냐?"

"그건 그대 생각이지, 난 한 번도 이별 따위 고려해 본 적 없어."

거칠게 내뱉으며 테오도르가 마티나에게로 한 걸음 다가섰다.

"티나, 한 번만이라도 이기적으로 굴어 봐. 우리 둘의 감정만 생각하고 결정해. 그래도 결과가 같아? 날 더 이상 안 사랑해서 그런 말을 하는 거야?"

"……."

"나와 정말 남처럼 살 자신이…… 있어?"

시선이 마주쳤다. 그녀를 향한 푸른 눈동자가 불안하게 흔들렸다. 애원이라도 하는 듯한 눈빛이었다. 마티나가 떨리는 음성으로 답했다.

"아니."

"그럼—"

"그런데 당신과 평생을 함께할 자신도 없어. 난 당신…… 감당 못해."

테오도르가 무어라 대꾸하기도 전, 마티나가 잔인하게 덧붙였다. 테오도르가 그대로 얼어붙었다. 그는 마티나의 말을 속에서 삭이기라도 하는 것처럼 천천히 눈을 감았다. 그에게서 한숨도 흐느낌도 아닌 옅은 숨이 터져 나왔다.

마티나는 그의 이지러진 표정을 잠시간 입에 담았다. 그가 자신을 보지 않을 때가 되어서야 그녀는 마음껏 그를 볼 수 있었다. 이전이었다면 그의 뺨을 손으로 감싸고 다정하게 입 맞춰 주었을 것이다. 아니면 가만히 끌어안아 주었겠지. 이제는 모두 할 수 없는 일들이다. 그녀의 눈에 비친 것이 미련임을 알아본다면 테오도르는 포기하지 않을 테니까.

심호흡을 마친 마티나가 공적인 목소리를 자아냈다.

"전하, 이쯤 하시지요. 새 신부께서 무엄한 오해를 하실까 두렵습니다. 제 결정은…… 바뀌지 않아요."

"티나, 샬럿은—"

테오도르가 답답한 목소리로 말문을 떼었을 때였다. 뒤편에서 나뭇가지가 부러지는 소리가 들려왔다. 마티나와 테오도르의 고개가 동시에 돌아갔다. 놀란 표정의 샬럿 영애가 뒷걸음질 치고 있었다. 마티나의 귓가에 테오도르가 나직하게 욕설을 지껄이는 소리가 스쳤다.

"제가…… 잘못된 때에 왔나 보네요."

샬럿 영애가 머쓱한 투로 말했다. 남편 될 자의 외도를 발견한 것치곤 위기감이 없었다.

혹 눈치채지 못한 것일까?

마티나는 조용히 엉망이 된 테이블을 돌아보았다. 주먹다짐이 있었던 건 아니지만 주변 경관만 보면 충분히 분위기가 험악했다. 사랑싸움으로 비치진 않았을 듯도 싶었다. 그렇다면 영애의 마음을 편하게 해 주는 것이 맞으리라.

표정을 가다듬은 마티나가 정중히 고개를 숙였다.

"좋지 못한 모습을 보여 미안합니다, 샬럿 영애. 국정을 논의하다 전하께서 그만 감정이 격해지셨네요. 건방진 태도를 보인 제 잘못입니다. 너그러이 용서하세요."

"국정?"

테오도르가 비꼬듯이 헛웃음을 지었다. 그가 고개를 돌려 마티나를 쏘아보았다. 마티나가 반응하지 않자 테오도르는 그대로 옆을 지나쳤다. 샬럿 영애가 테오도르의 눈치를 보며 주춤주춤 뒤로 물러섰다. 테오도르는 아랑곳 않고 샬럿 영애에게 팔을 내밀었다. 그가 가시 돋친 투로 말했다.

"샬럿 영애, 볼일이 끝났으니 우린 이만 가지."

어쩔 줄 모르는 표정으로 서 있던 샬럿 영애가 결국 테오도르의 팔에 손을 올렸다. 테오도르는 마티나에게 인사도 남기지 않았다. 샬럿만이 겨우 고개를 꾸벅여 보였을 뿐이었다.

마티나는 둘이 멀어지는 모습을 잠시간 지켜보았다.

"그냥 둬."

마티나의 말에 깨진 찻잔을 치우려던 하녀가 멈칫했다. 마티나는 천천히 테오도르가 깨부순 물건 앞으로 다가갔다. 그러고는 화풀이처럼 그것을 걷어차 보았다. 마티나가 숨을 고르며 물었다.

"내가 맞는 일을 한 거겠지?"

하녀는 고개 숙인 채 대답하지 않았다. 테오도르와 말싸움을 할 때 모두가 자리를 비웠었으니, 당연히 그들은 이해하지 못할 질문이었다.

마티나는 뜨거워진 눈을 감쌌다. 싸늘하게 식은 마음과 별개로 얼굴엔 잔뜩 열이 올라 있었다. 방금 샬럿 영애를 발견했을 때, 마티나는 당신과 결혼할 남자는 아주 나쁜 놈이라고 말하고 싶은 충동을 느꼈다. 그러지 못한 건 그 오지랖이 결코 선의가 아니라는 사실을 알고 있었기 때문이다.

좀 더 솔직해지면, 마티나는 그대로 테오도르에게 넘어가고 싶었다. 뒷일 따윈 생각하지 않고.

"사기꾼."

마티나가 중얼거리듯 테오도르를 욕했다. 테오도르에게 말려든 샬럿 영애가 불쌍했다.

가장 비참한 건 결국, 그럴 자격조차 갖추지 못한 그녀 본인이었지만.

✣ ✣ ✣

그 소란을 겪었으니 다시 찾아오진 않으리라는 생각이 안이했을까. 샬럿 영애는 며칠 뒤 마티나의 저택이 아닌, 일터에 다시 방문했다. 여전히 아름다운 미소를 띤 채, 반짝이는 것을 가는 손가락에 고이 끼고서.

"반지예요, 예쁘죠?"

마티나는 대답하지 않고 그 반짝이는 물건을 들여다보았다. 고운 손에 끼워진 반지는 하나의 예술품처럼도 보였다. 보고할 서류를 들고 왔던 엘시어가 경악한 표정으로 그대로 뒷걸음질 쳐 사라졌다. 마티나와 마주 앉은 상태라 샬럿 영애가 그 모습을 보지 못한 게 다행이었다.

샬럿 영애가 제 손가락에 눈을 고정한 채 명랑하게 말했다.

"전하께 받은 거예요. 전하께서 식을 앞당기자고 하셨거든요."

"약혼…… 반지인가요?"

"그런 셈이죠. 진짜 결혼식 땐 훨씬 더 대단한 걸 선물하겠다고 약조하셨어요."

"그렇군요."

그 말을 내놓는 게 고작이었다. 마티나는 자신이 화가 난 것인지, 아니면 그저 멍한 것인지 알 수 없었다.

자신이 받아 주지 않았기에 남은 패라도 알뜰하게 챙기기로 한 것일까?

거절당하자마자 착실하게 결혼 준비를 시작하다니, 그것참 눈물 나도록 계산적인 결정이었다. 마티나의 앞에선 다 포기하겠다는 듯 세기의 사랑인 양 굴었던 것치곤 지나치게 변심이 빨랐다. 마티나는 테오도르에게 화내지 않기 위해 애썼다. 자신에겐 더 이상 그럴 이유도, 명분도 없었다.

마티나의 평온한 표정을 살피던 샬럿 영애가 입술을 깨물었다. 잠시간 골똘히 고민하던 그녀가 이내 조심스레 입을 열었다.

"후작님, 그래서 드리는 말씀인데……."

"예, 말씀하세요."

"앞으로 전하와 만남을 삼가 주실 수 있나요?"

마티나의 몸이 그대로 굳었다. 지난번 별다른 물음 없이 넘어가기에 잘 속였다고 생각했었다. 한데 모른 척 넘겼을 뿐 모든 걸 눈치채고 있었던 것인가. 하기야 모르는 게 더 바보였다. 궁내의 아무나 붙잡고 물어도 왕과 후작의 관계를 엳어들을 수 있을 테니 말이었다.

마티나의 얼어붙은 표정을 본 샬럿 영애가 회심의 미소를 지었다. 미끼에 걸려든 사냥감을 보는 표정이었다.

"전하와 각별한 사이셨던 것 알아요. 하지만 두 분께서 끝내기로 결정하셨다고 하니, 이제 와 혼사를 무를 생각은 없어요. 다만 후작님께서 조금 더 행동을 조심해 주실 필요는 있겠죠?"

"……이미 전하와는 사적인 만남을 삼가고 있습니다."

마티나는 기꺼이 샬럿 영애의 눈앞에서 사라져 줄 수 있었다. 누구보다도 마티나 본인이 그러길 원했다. 마티나는 샬럿 영애가 등장할 때마다 테오도르를 떠올리지 않을 수 없었다. 그녀가 눈앞에서 얼쩡거리지만 않는다면 좀 더 독한 마음을 먹을 수도 있었을 것이다.

"어머, 물론 그건 당연한 일이죠. 제 말은, 이만 영지로 내려가 보시는 건 어떻냐는 거예요."

샬럿 영애가 입가를 가리며 작은 웃음을 흘렸다. 마티나가 잘못 들었다는 듯 되물었다.

"예?"

"후작님께서 영지에 방문하지 않으신 지 꽤 오랜 시간이 흐르지 않았나요?"

마티나는 잠시 후에야 그녀의 뜻을 완전히 이해할 수 있었다. 샬럿 영애는 마티나에게 테오도르를 피하다 못해, 완전히 지방으로 떠나라고 말하고 있었다.

마티나는 테오도르의 고집 때문에 왕궁에 관직을 얻어 지금까지 줄곧 수도에서 지내고 있었다. 왕에게 하사받았던 영지는 한두 달 겨우 들여다본 게 고작이었다.

"아시다시피 수도는 사람을 흔드는 유혹이 많은 곳이잖아요? 물 좋고 공기 좋은 곳에서 시간을 보낸다면 후작님께서도 안정되실 거예요."

"샬럿 영애, 그건—"

"제 마음 이해해 주시리라 믿어요. 웬만하면 결혼식에도 참석하지 않아 주셨으면 해요. 옛 여자가 식에 참가하는 건, 아무래도 조금 모양이 이상하잖아요?"

샬럿 영애가 쐐기를 박듯 말을 맺었다.

처음 후원에서 마주쳤던 순진한 모습은 뭐였을까. 본심인지 허세

인지 알 수 없는 표독스러움이 느껴졌다.

웃기는 건, 샬럿 영애의 말에 하나 틀린 부분이 없다는 점이었다. 샬럿 영애의 결정은 현명했다. 어쩌면 불참 요구는 마티나를 위한 배려로 기능할 수도 있었다. 마티나는 점차 그것이 나쁘지 않은 의견이라는 데 생각이 옮겨 갔다. 마티나가 수긍하듯 고개를 끄덕였다.

"그러…… 겠습니다."

"예?"

"왜 그러십니까?"

"결정이…… 빠르시네요."

샬럿 영애가 떨떠름히 말했다. 이내 그녀가 헛기침으로 당황한 기색을 지우며 덧붙였다.

"제가 나쁜 사람이 된 것 같아서요."

"그렇지 않습니다. 맞는 말씀을 하셨어요. 불쾌하신 마음 이해합니다."

"와, 진짜 독하네……."

샬럿 영애가 감탄하듯 중얼거렸다. 부지불식간에 속내를 내뱉고 만 기색이었다. 곧 샬럿 영애가 아차 한 얼굴로 표정을 가다듬었다.

마티나는 그저 쓰게 웃었다. 연적이 보기에도 제가 지나치게 정이 없긴 한 모양이라며. 부디 테오도르도 제게서 빨리 마음을 떼길 바랄 뿐이었다. 이것이 그가 오기로 결정한 결혼이라면, 마티나는 그에 기꺼이 부채질을 해 줄 의향이 있었다.

탐색하듯 마티나의 낯을 살피던 샬럿 영애가, 이내 새침한 표정을 지으며 자리에서 일어섰다.

"좋아요. 말이 통하는 분이신 것 같아 기쁘네요. 빠른 시일 내에 떠나 주시리라 믿고 있겠어요."

죄인이 된 마티나는 깍지 낀 두 손만 내려다보았다. 샬럿 영애의 말에 토를 달 구석이 있을 리 없다. 신사적으로 대화를 먼저 시도한 것만 해도 샬럿 영애는 충분히 교양 있는 응대를 보여 준 셈이었다.

샬럿 영애는 할 말이 남은 듯 잠시 머뭇거렸지만, 곧 고고히 몸을 돌려 문을 나섰다. 샬럿 영애가 떠나고 마티나는 그대로 등받이 위에 늘어졌다. 올려다본 천장은 그녀의 기분마냥 탁한 빛을 띠고 있었다. 그대로 홀로 생각을 정리하고 싶은 기분이었지만, 엘시어는 그녀를 가만히 내버려 두지 않았다.

샬럿 영애가 집무실을 완전히 떠나자마자 엘시어가 뛰쳐 들어왔다. 엘시어가 사납게 문짝을 열어젖히며 숨을 헐떡였다.

"두 분 다 미치셨습니까? 자존심 싸움은 그만하세요."

마티나는 제 표정을 가리려 두 손으로 얼굴을 감쌌다. 공기가 후덥지근한 편이었음에도 손끝은 차게 식어 있었다. 마티나가 힘없이 중얼거렸다.

"이건 그런 게 아니야."

"그게 아니면 뭡니까? 여자는 남자보고 결혼하라고 등 떠밀고, 남자는 후회할 거라며 두고 보라는 식으로 식장에 걸어 들어가고. 신부 생각은 안 해요? 이 미친 사람들 같으니……."

그나마 이성을 유지해 왔던 엘시어가 이번만은 특히나 유난하게 반응했다. 엘시어가 보기에도 테오도르가 정말 웨딩 카펫 가까이 서긴 한 모양이었다.

혀를 내두르는 엘시어의 모습에 마티나는 짧게 웃었다.

"자넨 역시 아직 젊군."

"……누가 보면 후작님은 할머니인 줄 알겠습니다? 저랑 몇 살 차이도 안 나시면서……."

"나와 테오도르는 혼인 적령기의 마지막 끝에 섰지, 자넨 아니고. 그런 차이야."

"이성적으로 말씀하시는 것치고 얼굴이 창백하신데요."

마티나는 대답하지 않았다. 자신만도 이미 처참한 기분인데 타인에게까지 비난받고 싶진 않았다. 엘시어와 얼굴을 마주해 봤자 속만 긁어 올 게 뻔했다. 그녀는 등받이에 목을 기댄 채 늘어져 잠시간 미동하지 않았다.

곧 마티나에게서 맥없는 음성이 들려왔다.

"테오도르도 안정을 얻을 거야."

아니나 다를까 엘시어는 조금도 지체하지 않고 혀를 찼다. 그제야 마티나는 고개를 들었다. 그녀의 입가엔 약간의 조소가 어려 있었다.

"자네는 내가 꼴사납다고 생각하겠지."

"당연한 말씀을 하십니다."

테오도르를 포기할 거였으면 괴로워하지도 말았어야 했다. 샬럿 영애가 면전에 대고 직접 축객령을 내렸을 때, 마티나는 자신이 얼마나 추한 짓을 하고 있었는지 깨달았다.

정말 테오도르를 떠나기로 결심했다면 마티나는 진작 수도를 떠났어야 했다. 테오도르의 애인 자리를 상실한 그녀에겐 수도의 귀족으로 남을 명분이 없었다. 애초에 지금 가지고 있는 직무도 테오도르가 영지로 내려가지 말라며 만들어 준 자리였다. 이런 어정쩡한 마음가짐과 행동으론 무엇도 정리될 수 없었다.

계속 모른 척 테오도르와 사랑했으면 차라리 행복했을까. 얼마 지나지 않았는데도 그의 입술에 입 맞추던 일이 까마득하게 느껴졌다.

뒤척이다 깬 새벽녘, 가끔은 테오도르와 자신 외에 더 중요한 게 있나 싶을 때도 있었다. 스카이라 공작 따위의 노망에 휘둘리고 있다고 생각하면 국정에 점잖은 체 모여 앉은 늙은이들이 미칠 듯이 증오스러워졌다. 그러나 가장 원망스러운 건, 이루어질 수 없는 사이라는 걸 알면서도 테오도르를 사랑하고 만 자신이었다.

이리 헤어질 줄 알았다면 애초에 왕에게 마음을 털어놓지도 말았어야 했다. 그랬다면 속내야 답답했을망정 그를 잃는 슬픔은 겪지 않아도 됐을 테니까.

"더 추해지기 전에 끝낸 거지."

마티나가 이 사태의 한 가지 장점을 끄집어냈다. 그녀가 부러 쾌활한 투를 자아내며 덧붙였다.

"잘된 일이야. 이젠 돌이킬 수도 없게 됐잖아."

"그래서 후작님껜 대체 뭐가 남습니까?"

"……자넨 정말 할 말 못할 말을 못 가리는군. 분위기 파악 좀 하라고 내가 누누이 말하지 않았었나?"

"후작님이야말로 회피하지 말고 말씀해 보세요. 왕께 건강한 씨줄과 가정적인 여자를 선물해 주고 독신이 된 후작님께는 뭐가 남느냐고요. 외로움?"

마티나와 테오도르를 연결하는 고리는 사랑이라는 감정 단 하나

밖에 없었다. 그리고 두 사람이 이어져선 안 되는 이유는 수백 수천 가지도 넘게 꼽을 수 있었다.

마티나가 변명하듯 말했다.

"미련해 보여도 그게 내 사랑이야. 나 때문에 그가 잃지 않아도 될 것을 놓치는 건 싫어."

"왕께서는 아이보다는 후작님을 더 원하셨을 겁니다."

엘시어의 말을 부정할 수 없었다. 테오도르는 마티나를 찾아와 왕위를 포기하겠다고까지 말했었으니까. 마티나도 그에 감동하고, 또 조금은 흔들렸던 것도 사실이었다. 하지만 그녀는 감정보다는 이성으로 판단할 줄 아는 여자였다. 마티나가 전자를 더 중요하게 여겼다면 왈도는 아직도 목숨을 부지하고 있었을 것이다.

변할지도 모르는 마음 따위에 인생을 위탁할 수는 없다. 끝끝내 이성을 부여잡고 있는 것이 그녀가 가장 덜 비참해질 수 있는 방법이었다.

마티나는 결국 왈칵 언성을 높이고 말았다.

"지금은 그렇겠지. 아직 젊으니까. 하지만 나이가 들고 외로워지는 순간이 올 거야. 귀족들이 목덜미에 이빨을 드러내고 후계가 걱정될 때, 그가 후회하면 어떡하지? 날 거추장스럽게 여기게 되면?"

"……."

"난…… 버려지고 싶지 않아."

마티나의 목소리가 떨렸다. 엘시어는 그런 그녀의 창백한 얼굴을 잠시간 빤히 응시했다.

"그래서 먼저 버리셨군요."

엘시어가 잔인하게 지적했다. 마티나의 주먹에 힘이 들어갔다.

마티나는 입술을 깨물며 왼편으로 고개를 돌렸다.

마침내 엘시어의 눈빛에도 체념이 어렸다. 사랑하는 여자를 놓치고 싶지 않은 테오도르나, 불확실한 미래를 고민하는 마티나의 입장이나 이해되긴 매한가지였다.

엘시어는 마티나 같은 대단한 이도 하자 있는 여자로 취급되는 결혼 시장이 몹시도 유감스러웠다. 단순히 부모를 잘 만났다는 이유로 작위를 물려받은 멍청이들이, 본인의 능력으로 성을 얻은 마티나보다 어찌 더 고귀할 수 있단 말인가.

엘시어가 깊은 한숨을 내쉬며 말했다.

"후작님 말마따나 어차피 다 벌어진 일을 뭐 어쩌겠습니까. 부디 그 생각이 바뀌지 않길 바라겠습니다. 후작님마저 후회하게 되면, 이 결정은 두 분 모두에게 다 비극으로 남지 않겠습니까."

마티나는 결국 영지로 돌아가기로 결정했다.

엘시어가 그럴 필요까지 있느냐며 만류했지만 샬럿 영애의 불안감을 해소해 주기 위해선 꼭 필요한 일이었다. 다만 마티나는 후임자에게 업무를 인계하기 위해 한 달이라는 유예를 두었다. 그 이상으로 영지로 향하는 일정을 앞당길 순 없었다. 테오도르와 결별하여 수도를 떠나는 건 맞았지만, 타인의 눈에 도망치듯 떠나는 것처럼 급박하게 비치고 싶진 않았다. 그게 마티나의 마지막 자존심이었다.

다행히 샬럿 영애도 마티나의 결정에 더 가타부타 말을 더하진 않았다. 그렇게 마티나는 이별을 받아들일 여유를 얻었다. 그러나 바꿔 말하면, 그건 떠나기 전까지는 테오도르와 계속 얼굴을 마주해야 한다는 사실을 의미했다.

왕궁은 테오도르의 거처였으므로 그를 완전히 피해 가기는 불가능했다. 그나마 다행인 점은 테오도르가 마음을 독하게 먹은 듯 더 이상 마티나를 찾지 않는다는 사실이었다. 샬럿 영애가 상냥한 미소로 그를 잘 보듬어 주고 있는 것일까. 그래서 그는 순조로이 마티나를 잊어 가고 있는가.

추측만은 아니었다. 마티나는 종종 길을 지나치다가 샬럿 영애와 테오도르의 애정 행각을 발견할 수 있었다. 샬럿 영애는 장미꽃을 특히나 좋아했고, 그 군락은 하필이면 마티나가 근무하는 외궁 근처에 있었다. 오늘도 마티나는 어렵지 않게 그들의 애정 행각을 훔쳐 볼 수 있었다.

출근하는 길, 보란 듯이 하하 호호 웃으며 산책을 즐기는 연인을 발견하자 마티나의 끔찍한 기분은 더욱 정점을 찍었다. 마티나는 둘에게서 거리를 두며 멀리 돌아갔다. 더 이상의 불쾌한 삼자대면은 사양이었다. 드문드문 대화 소리가 들려왔지만, 마티나는 애써 신경 쓰지 않으려 노력했다.

"전하, 아무래도 이건 좀…… 슬슬 방법을 바꾸……."

"그렇다고 딱히 다른……."

마티나가 적당히 거리를 벌렸을 즈음이었다. 샬럿 영애가 마티나를 발견하고는 눈을 크게 떴다. 곧 샬럿 영애의 얼굴에 부자연스러울 만치 사랑스러운 미소가 가득 찼다.

샬럿 영애가 과장스레 테오도르의 뺨을 감싸며 말했다.

"어머, 전하, 여기 뭐가 묻으셨어요."

"이 무슨 징그…… 지저귐인가. 나의 피앙세, 얼른 직접 닦아 주게."

"참, 여기 제 사랑이 묻었네요. 호호."

샬럿 영애가 테오도르의 눈가를 쓸어 주며 마티나를 응시했다. 샬럿 영애는 마티나와 시선을 맞춘 채 그대로 눈꼬리를 접어 웃었다. 그 행복한 모습이 화살처럼 마티나의 가슴에 박혔다. 마티나는 자신도 모르게 그만 제자리에 멈춰 섰다.

샬럿 영애는 마치 행동으로 마티나에게 이렇게 경고하는 듯했다.

'이것 봐, 이 사람은 내 남자야. 방해꾼은 이만 자리를 비켜 주지 그래?'

더 이상 샬럿 영애의 얼굴을 보고 있을 수 없었다. 다른 여자를 향한 테오도르의 다정한 눈빛 따위 알고 싶지 않았다. 마티나는 그 순간 절실하게 깨닫지 않을 수 없었다. 그녀는 이미 테오도르의 연인에서, 불청객 정도의 존재로 격하되어 있다는 걸.

마티나는 황급히 걸음을 돌려 그 자리를 떠났다. 안 그래도 다급했던 움직임은 갈수록 뜀박질에 가까워졌다. 건물 앞까지 다다르고서야 발을 멈춰 세웠다. 마티나가 벽을 한 손으로 짚은 채 멍하니 중얼거렸다.

"결혼…… 결혼이라."

그래, 테오도르는 결혼을 할 것이다. 마티나가 원했던 대로 그녀가 아닌 다른 여자와.

겨우 한 달이었다. 고작 그 정도 시간을 그 없이 보냈을 뿐인데도 아득한 낭떠러지 앞으로 발을 디딘 기분이었다. 그와 농담을 주고받으며 웃거나, 찡그린 미간을 손끝으로 펴 주거나, 혹은 그를 끌어안지 못하는 시간들이 영원히 지속되는 것이다. 인내 끝에 반드시 나아지리란 확신이 있는 것도 아니었다. 다만 견디는 것 외에 다른 방도가 없을 뿐이다.

구체적인 상상은 더한 상실감을 몰고 왔다. 얼마 전까진 당연했던 일들이 이제는 불가능하게 되었다는 게 믿기지 않았다. 이 모든 게 그녀가 자초한 일이었음에도 불구하고.

마티나는 감정을 추스르듯 눈을 감았다. 그러나 입술을 비집고 나온 침음은 차마 삼켜 낼 수 없었다. 지나온 모든 일들이 후회투성이였다.

새삼 왈도를 향한 증오가 차올랐다. 아이에 그다지 관심이 없었기에 불임을 선고받았을 당시에도 마티나는 크게 신경 쓰지 않았었다. 그러나 지금 이 순간만큼은 왈도가 증오스러워 미칠 것 같았다. 아이를 낳아 테오도르의 곁에 있을 수 있다면 그러고만 싶었다.

"더 끔찍하게 죽였어야 했는데."

얼굴은 볼 수 없는 각도였지만 테오도르의 목소리는 분명 생기 있게 들렸다. 그는 분명 나아지고 있었다. 정체되어 있는 것은, 오히려 이별 앞에서 단호했던 그녀 쪽이다.

마티나는 안으로 들어가지 못하고 한참을 우두커니 서 있었다. 형용할 수 없는 기분이 밀려들었다. 누군가가 말을 건다면 그대로 왈칵 울어 버릴 것만 같았다.

"후작님? 왜 여기……."

그녀의 바람을 조롱하기라도 하듯 곧 아는 목소리가 들려왔다. 엘시어였다. 마침 마주친 것이 그라서 다행인지 불행인지 알 수 없었다.

마티나는 아무렇지 않은 듯 대꾸를 돌려줘야 한다고 생각했지만, 도통 입이 움직이지 않았다. 그녀는 고개를 숙인 채 엘시어가 눈치껏 사라져 주길 바랐다. 그러나 엘시어는 당황한 표정으로 그녀 앞으로 성큼 다가왔다.

"무슨 일…… 있으셨습니까?"

"아무, 일도……."

말의 마디가 잘렸다. 마티나는 심호흡을 거친 후에야 상대가 알아들을 만한 말을 뱉어 낼 수 있었다.

"아무 일도 없었어."

그러나 엘시어는 속아 주지 않았다. 아무리 눈치 없는 사람이라도 그녀의 상태가 아무 일도 없었던 사람 같다고는 믿지 않을 것이다.

"후작님, 힘드시면…… 그만하셔도 됩니다."

그리 말하며 엘시어가 조심스럽게 마티나의 어깨를 감쌌다. 마티나는 숙인 고개를 들지 못했다.

"눈 감고 있을 테니 눈물이 나시면 우세요. 소리 지르고 싶으시면 사람이 없는 곳으로 데려가 드릴게요. 괜찮은 척하지 않으셔도 됩니다."

가라앉은 줄 알았던 감정에 다시 파랑이 일었다. 엘시어의 말대로 속에 담긴 악을 쏟아 내고 싶은 기분이었다. 한참을 소리 죽인 채 버티던 마티나가 겨우 입술을 달싹였다.

"많이 버텼어."

"예?"

마티나가 그만 휘청이듯 무너졌다. 주저앉은 채 중심을 잡지 못하는 마티나를 엘시어가 겨우 일으켜 세웠다. 마티나는 힘겹게 엘시어의 옷깃을 붙들었다.

"더는, 더는 못 해. 더 이상은 못 하겠어. 그런 거 알고 싶지 않아. 그 남자가 나 없이도 행복하게 사는 꼴 따윈 보고 싶지 않았어."

엘시어는 그제야 마티나에게 무슨 일이 있었는지 이해한 듯했다. 마티나의 어깨를 감싼 그의 손에 힘이 들어갔다. 마티나가 슬픔으로 얼룩진 얼굴을 들며 다급히 물었다.

"내가 바보 같았다고 생각해? 엘시어? 직접 이별을 고해 놓고 아파하는 내가 얼간이 같나?"

우악스럽게 옷깃을 잡힌 상태인데도 엘시어는 불쾌한 기색이 아니었다. 다만 그는 연민의 눈으로 마티나를 내려다보았다.

"후작님, 이젠 다 됐습니다. 아무것도 고려하지 말고 그냥 후작님만 생각하세요."

"아니야, 엘시어. 난 언제나 나만 생각했어. 내가 더 아프기 싫어서 이쯤에서 그만둔 거야."

그것이 진심이었다. 마티나는 더 깊어지기 전에 그만두려고 했다. 테오도르가 삶의 전부가 되었을 때 그에게 버려진다면 버티지 못할 것 같았다. 지금이라면 조금만 아프고 발을 뺄 수 있다고 생각했다.

"그런데 어떡하지? 이것만으로도 충분히 죽을 것 같은데."

결국 참지 못한 눈물이 비집고 흘러나왔다. 억지로 웃어 보려고 했지만 입꼬리만 겨우 들어 올린 흉한 모양에 그쳤다. 덜 아픈 이별이 되리라 여겼던 건 그녀의 오만이었다. 이미 벗어날 수 없는 지점에 다다라 있었다는 걸, 이 지경이 되고 나서야 깨달았다.

누군가 들을까 싶어 마티나는 차마 크게 흐느끼지도 못했다. 힘껏 깨물린 입술에서 아릿한 통증이 느껴졌다.

엘시어는 뭐라고 말해야 할지 모르겠다는 표정으로 그저 마티나를 응시했다. 이별의 아픔은 어디까지나 당사자의 몫이었으므로 그가 대신 아파해 줄 순 없었다. 대신 엘시어는 어떻게 하면 마티나가 더 편해질 수 있을지를 고민했다. 그는 눈에서 멀어지면 마음에서도 멀어진다는 말을 한번 믿어 보기로 했다.

"후작님, 뒷정리는 제가 하겠습니다. 후임 같은 건 생각하지 말고 먼저 영지로 내려가 보세요. 버틸 수 없으면…… 그만 견디셔도 돼요."

마티나는 우습게도 괜찮다고 말할 수 없었다. 괜찮지 않았으니까. 도무지 이대로 일터로 돌아가, 아무 일 없었던 것처럼 일상을 살아 낼 자신이 없었다. 자존심 따위가 무슨 소용인가. 곧이라도 죽을 것 같은데. 숨 쉴 수 있는 곳이 있다면 그리로 도망치고만 싶었다.

마티나는 힘겹게 호흡을 가다듬었다.

"……고마워, 엘시어."

"제가 뭘 했다고요."

"내가 수도로 돌아오지 못해도, 날 보러 와 줄 수 있겠나?"

"불러만 주신다면, 얼마든지 그러겠습니다."

엘시어는 대답과 함께 크게 고개를 끄덕였다. 확신 어린 어조였다.

마티나의 입가에 힘없는 미소가 어렸다. 마티나는 왕궁에 들어와 그녀에게 남은 게 있다면, 그건 엘시어라는 좋은 친구 하나가 아닐까 생각했다.

✣ ✤ ✣

갑작스러운 이동에 저택의 사용인들은 당황했지만 준비는 빠르게 끝났다. 수도의 일을 잊으려 떠나는 길에 가지고 가는 짐이 많을 리 없다. 마티나는 간단한 옷가지만 챙겨 도망치듯 이별에서 멀어졌다. 마부와 하녀 하나만 겨우 대동한 채였다.

엘시어에게 귀찮은 일을 떠민 셈이라 미안했지만, 지금 그녀에게 남까지 챙길 정신은 남아 있지 않았다. 수도에서 교류했던 지인들에게 떠난다는 인사를 전할 짬도 없었다. 엘시어와 그녀 단둘만이 알고 있는 급박한 이동이었다. 아니, 마티나의 빈자리를 해명해야 했을 테니 이젠 궁에도 그녀의 부재가 알려졌을까. 아무렇지 않은 척 버텨 보려 했는데 결국 가장 최악의 형태로 도망치고 말았다.

테오도르는 그런 그녀를 비웃었을까?

마티나는 옛 연인의 이름을 떠올리자마자 그대로 창에 머리를 부딪쳤다. 그러고는 스스로에게 되새기듯 중얼거렸다.

"잊어, 미련하게 굴지 마. 생각할수록 더 아플 뿐이니까."

그러나 그 주문이 효과가 있는지는 알 수 없었다. 테오도르에 대해 생각하지 않으려 애쓸수록 오히려 더 떠올랐으니까.

영지까지는 마차로 이틀을 꼬박 달려야 다다를 수 있었다. 울퉁불퉁한 길을 달리자 자연히 몸엔 피로가 쌓였다. 마티나는 이 이틀이 몹시 지긋한 시간이 되리라 예감했다. 영지에 도착해 한숨 자고 일어나면, 피로와 함께 아팠던 사랑도 함께 털어 버릴 수 있길 바랄 뿐이었다.

그러나 그녀의 도주는 생각만큼 순조롭지 않았다. 늦여름이라 크게 비 걱정을 하지 않았는데 그런 안이함을 비웃기라도 하듯 저녁 무렵 빗줄기가 쏟아지기 시작한 것이다. 그리 대단한 비는 아니었지만 점점 날이 어두워지고 있었다.

마티나는 결국 근처 여관에서 하룻밤을 쉬어 가기로 결정했다. 현명한 판단이었다. 숙박업소 안으로 들어서자마자 빗소리가 더 커졌으니까. 잠깐 지나가는 소나기인 줄 알았던 것이, 방을 배정받고 나자 완연한 폭우의 모습을 띠었다.

방 안엔 조악하게나마 유리창이 하나 있었다. 투시도가 좋지 않은 불투명한 물건이었지만 험악한 날씨를 확인하기엔 충분했다. 하녀가 창밖을 확인하며 어머, 하고 감탄사를 내뱉었다.

"멈추길 잘한 것 같네요. 쉽게 그칠 비가 아닌 것 같아요."

"시간도 늦었으니, 그대로 출발했다간 마부가 고생했겠지."

비탈길을 장시간 달렸더니 몸이 곤했다. 마티나는 웃돈을 얹어 여관 주인에게 목욕물을 부탁했다. 뜨거운 물에 몸을 담그자 그나마 좀 살 것 같았다. 혹 감기라도 걸릴까 걱정했는지 하녀는 마티나의 몸에 남은 물기를 꼼꼼히 닦아 주었다. 목욕을 마치고 옷을 갈아입자마자 타이밍 좋게 노크 소리가 울렸다.

"잠시 실례하겠습니다."

여관 주인이었다. 욕조를 치워 가려고 온 줄 알았는데 그는 의외의 부탁을 전했다.

"저어……, 젖은 손님이 도착했는데 남은 수건이 없어서요. 날이 궂어 마른빨래가 더 없는데, 혹 안 쓰신 게 있다면 좀 빌릴 수 있을까요?"

"저런, 막 씻어서 다 쓴 참인데. 미안하게 됐군."

"아이고, 아닙니다."

여관 주인이 고개까지 내저으며 손을 흔들었다. 그도 크게 기대하진 않았던 표정이었다. 애초에 마티나 일행도 빗줄기를 제치고 도착한 이들이었으니까.

여관 주인은 허리를 한번 크게 굽혀 인사한 후 문을 나섰다. 마티나는 불운한 손님을 동정하듯 혀를 찼다.

"우리처럼 빗길을 달린 손님이 또 있었군."

"지금 도착했으면 꽤 고생했겠는데요."

그리 말하며 하녀가 다시 창밖을 내다보았다. 그러나 걱정스러운 표정도 잠시, 무언가를 발견한 것인지 하녀의 눈이 커졌다. 탁상 쪽으로 다가간 하녀가 벗어 둔 옷에 가려져 있던 여분의 수건을 꺼내 들었다.

"후작님, 안 쓴 게 한 장 남아 있었어요. 가져다주고 올까요?"

그 손님이 생각만큼 불운하진 않았던 모양이다. 마티나가 고개를 내저으며 하녀에게 손을 내밀었다.

"날이 늦었잖나. 험악한 사람들이랑 마주칠 수도 있으니 내가 갖다주지, 이리 줘."

사용인의 일을 대신해 주는 주인이 어디 있나. 하녀가 말도 안 된다는 표정으로 거부했으나 마티나는 고집을 부렸다. 그녀에겐 밖으로 나가야 할 다른 이유가 있었으니까.

마티나는 주인에게 수건을 건네주는 김에 술을 주문할 요량이었다. 싸구려 맥주라도 한잔 마시면 깊이 잠들 수 있을 것 같았다. 하녀에게 술을 내오라 말했다간 잔소리가 돌아올 게 분명했다. 근래의 마티나는 음주 없이 잠드는 날이 없었기 때문이다. 마티나로서도 좋지 않은 습관인 걸 알고는 있었지만, 막상 침대 위를 뒤척이다 보면 마냥 버티고 있기가 힘들었다. 깨어 있으면 자꾸 나쁜 생각만 떠오르는 와중에야 더더욱 그러하다.

마티나는 조용히 계단을 걸어 내려갔다. 어두운 복도에서 나무판자가 삐걱이는 소리가 을씨년스럽게 울렸다. 아래층에선 인기척이 들려오지 않았다. 아무래도 주인은 포기하지 않고 다른 객실에도 양해를 구하러 간 모양이었다. 술을 주문할 만한 직원이 남아 있을지나 의문이다.

'아니, 사람이 아예 없진 않았나.'

불이 꺼진 홀엔 남자 하나가 남아 있었다. 그리 늦은 밤도 아닌데 다들 일찍 잠자리에 든 듯 그 외의 테이블은 전부 빈 상태였다. 중앙의 테이블엔 숯으로 공기를 덥히는 난로가 놓여, 주변을 구분할 수 있게 하는 유일한 광원이 되어 주었다. 덕분에 사위가 어두웠음에도 그럭저럭 사람의 형체를 알아볼 수 있었다.

남자는 언뜻 보기에도 골격이 넓었다. 후드를 뒤집어쓴 상태라 체격을 확인하기 힘든 여건인데도 장신임이 티가 났다. 위험하다는 말은 변명으로 꺼낸 것이긴 했지만, 마티나는 뒤늦게 하녀가 아니라 자신이 나와서 다행이라는 생각이 들었다. 홀로 있는 여자를 추행하려는 우악스러운 사내는 얼마든지 있었으니까.

마티나는 잠시 예의 남자를 유심히 살폈다. 축축이 젖은 옷에서 흘러나온 물이 마룻바닥 위로 뚝뚝 떨어지고 있었다. 저 사람이 비를 뚫고 들이닥친 예의 방문객인 걸까. 마티나는 천천히 남자 앞에 다가가 수건을 내려놓았다.

"이걸로 닦아요."

그러나 남자는 수건을 집어 들지 않았다. 고맙다는 인사라도 할 법하거늘 대답 역시 돌아오질 않는다. 그제야 마티나는 눈을 들어 남자를 응시했다. 곧 마티나의 입가가 그대로 굳어 들었다.

남자가 자리에서 일어섰다. 마티나는 그대로 뒤돌아 계단으로 올라서려 했다. 남자가 그녀를 붙잡는 것이 더 빨랐지만.

"가지 마!"

마티나는 그대로 못 박힌 듯 제자리에 멈춰 섰다. 그가 왜 여기 있는지 알 수 없었다. 이게 가능은 한 일인가. 너무 말도 안 되는 상황이라 현실감이 없었다. 얼마 전까지만 해도 약혼자와 다정한 시간을 보내던 남자다. 그런 그가 왜 마티나를 쫓아 이곳까지 왔단 말인가.

도망칠까 싶었지만, 마티나는 곧 1층에 남기로 결정했다. 위층으로 올라가 봤자 다른 투숙객들에게 소란을 들려주는 결과밖에 낳지 못할 것이다. 마티나는 흔들리는 눈으로 테오도르를 돌아보았다. 잠깐의 침묵을 견딘 후에야 해야 할 말의 가닥을 잡을 수 있었다.

"여긴…… 어떻게 왔어?"

테오도르가 다급히 마티나의 앞으로 걸어왔다. 그가 갈라진 목소리로 말했다.

"당신을 찾았어. 영지로 내려갔다기에, 다시 안 돌아올 것만 같아서."

"내가 수도에 있든 없든, 당신이랑 무슨 상관이야. 샬럿 영애는 어쩌고. 지금 제정신이야?"

"아니, 제정신이 아니었어. 그러니까 다른 건 아무것도 생각 못 하고 여기까지 쫓아왔겠지."

마티나는 테오도르의 말을 차마 비웃을 수 없었다. 샬럿 영애를 걱정하는 게 비열한 짓이라는 사실을 알았으니까. 테오도르가 자신을 쫓아온 걸 알고 가장 먼저 떠오른 감정은 다른 무엇도 아닌 기쁨이었다.

눈을 마주쳤던 아주 잠시의 찰나, 테오도르는 희열에 젖었던 자신의 표정을 보았을까?

스스로가 너무도 추하여 견딜 수가 없었다. 마티나는 테오도르의 눈길을 피하며 고개만 내저었다.

"돌아가. 당신은 여기 있으면 안 돼."

"당신 곁이 아니면, 나보고 대체 어디로 가란 거야."

"언제까지 같은 말을 반복하게 할 셈이야? 우린 안 된다고 했잖아, 몇 번이고!"

"그래서 날 버리겠다고?"

화를 내는 거라고 생각했다. 따져 묻는 듯한 다급한 기색은 충분히 그런 모습으로 읽혔다.

그러나 그것은 분노보다 갈증에 가까운 반응이었다. 테오도르의 표정이 이지러졌다. 그가 흔들리는 목소리로 말했다.

"어떻게 사람이 그렇게 독해. 어쩌면 이렇게 나만 아픈 것 같아."

마티나는 그의 얼굴을 적신 것이 빗물인지, 눈물인지 분간할 수 없었다. 그러나 지금의 그는 충분히 우는 것처럼 보였다.

테오도르가 감정을 억누르듯 숨을 가다듬었다. 파리하게 떨리는 입술엔 핏기가 없었다.

"처음엔 화가 났어. 난 당신이 다른 남자와 함께 있는 모습을 상상만 해도 미칠 것 같은데, 당신은 아무 일도 아니란 듯 말하니까. 나만 당신을 사랑한 것 같아서 자존심이 상했던 거야."

정확히 샬럿 영애와 함께 있는 테오도르를 보며 마티나가 품었던 생각이었다. 때때로 마티나는 손쉽게 돌아선 테오도르를 보고 위안한 적도 있었다. 이렇게 쉽게 사라질 감정이었다면, 그에게 평생을 내주지 않은 건 현명한 결정이었다고.

"내가 모든 사람을 다 아우를 수는 없어. 맞아. 난 그대에게 아무것도 걱정할 필요 없다는, 그런 무책임한 단언을 할 수는 없었지. 난 왕이니까."

세상만사에 제멋대로 구는 왕을 폭군 외의 다른 단어로 표현할 수 있을까. 마티나는 테오도르에게 눈에 거슬리는 작자들을 치워 달라 베갯머리송사를 속삭일 애첩이 아니었고, 테오도르도 그가 부재한 자리에서조차 모두의 입을 다물게 만들 방도를 생각해 내진 못했다.

테오도르는 왈도가 짓밟은 민심을 딛고 선 왕이었다. 왈도가 악이면 테오도르는 선이었고, 왈도가 밤이라면 테오도르는 낮이었다. 그것이 그의 세력을 유지시키는 근거였다. 그 말은 테오도르가 비위를 맞춰야 하는 사람이 수없이 많다는 뜻이기도 했다.

"내 입장을 이해하지 못하는 당신이야말로 잔인하다고 생각했어. 내가 어찌할 수 없는 일로 날 몰아세우는 게 원망스러워서, 당신이 후회하고 날 돌아봤으면 했어."

"당신을 이해해서, 그래서 떠나 주려고 한 거야. 나는…… 당신한테 절대 도움 같은 건 될 수 없는 여자잖아."

테오도르가 눈가를 문지르며 고개를 저었다. 그의 목에서 갈라진 음성이 비집고 나왔다.

"아니야. 그런 건 문제가 아니었어. 그대를 만나기 전엔 도대체 어떻게 살았나 싶어. 하루가 다르고 또 이틀이 달라. 이대로 영원히 그대가 내 옆에 없다고 생각하니까 미칠 것 같아."

"시간이 지나면…… 다 해결될 문제야."

마티나는 자신조차 확답할 수 없는 말을 테오도르에게 들려주었다. 마치 스스로에게 되새기기라도 하는 모양새로. 테오도르는 그 막연한 장담에 그저 헛웃음을 짓고 말 뿐이었지만.

"얼마나 지나야 하는데?"

얼마나 더 아파야 우리는 괜찮아질 수 있는가. 아무도 그 답을 모른다.

"어떻게 해야 할지 모르겠어. 그대가 어떻게 하면 내 옆에 남을지, 도무지 이젠 다른 방도가 없어. 정말…… 죽을 것 같아."

테오도르가 한 걸음 더 마티나에게로 가까워졌다. 그는 어쩔 줄 모르는 아이 같은 표정을 짓고 있었다. 조금은 슬프고, 조금은 초조하고, 또 조금은 애달픈.

"뭘 해도 그대가 내 곁을 떠날 거라면, 난 어떻게 해야 하지?"

아니다. 마티나는 그가 품고 있는 감정을 한 단어로 정의할 수 있었다. 그건 그녀 역시 익히 알고 있는 이름을 하고 있었으니까.

"그대가 나를 택한다면, 뭐든지 할게. 한낱 필부로 남아 그대에게 남은 삶을 다 바치라고 하면 그리할게."

고귀한 왕이 한낱 사랑을 구걸했다.

"이런 나는…… 그대에게 사랑받을 자격이 없나?"

테오도르가 오른손을 들어 일그러진 얼굴을 감쌌다. 그의 손바닥을 적신 눈물이 가련히 흘렀다. 그가 숨죽여 애원했다.

"날 버리지 마, 제발."

아, 내가 어리석었듯, 나를 사랑하고 만 가련한 남자야.

마티나는 목 아래에서부터 흘러넘친 뜨거운 감정을 겨우 눌러 삼켰다. 주먹 쥔 손에 힘이 들어갔다. 감은 눈을 뜨지 못했다. 겨우 가두고 있던 눈물이 그대로 비집고 나올 것만 같았으니까. 그런 마티나를 보고 테오도르가 스스로에게 조소를 보내듯 중얼거렸다.

"이조차 내 이기심이겠지."

"맞아."

마티나가 떨리는 입을 열어 대답했다. 그녀는 이를 악물었다. 눈을 들어 테오도르와 시선을 마주했다. 언제나 그녀를 약하게 만드는 저 얼굴이 지금처럼 원망스러웠던 적이 없었다.

"왜 그렇게 이기적이야. 내 생각은 안 해? 내가 어떤 마음으로 당신을 보냈는지 몰라? 내가 스카이라 공작 따위에게 어떤 소리를 듣는지, 당신이 아느냐고."

한 번 말문을 트자 원망이 숨 쉴 틈 없이 쏟아졌다. 마티나가 밀어내듯 그의 가슴팍을 쳤지만, 테오도르는 제자리에서 그저 버텼다.

"어쩜…… 당신이야말로 내 생각은 하나도 할 줄을 몰라. 날 아프게만 해."

"이젠 안 그럴게. 다 내 잘못이야. 앞으로 그런 일 없을 거야."

"그럴 거면 여기 오면 안 됐지. 모른 척 떠나서 잘 살았어야지! 왜 여기까지 찾아와서 사람을 미치게 만들어. 애초에 내가 고백했을 때 받아 주지 말지 그랬어. 그렇게 웃어 주지 말지 그랬어!"

"……."

"왜…… 왜 내가 당신을 사랑하게 만들었어?"

"미안해, 그런 남자라서."

슬픔 때문인지 원망 때문인지 모를 눈물이 마티나의 뺨을 뜨겁게 달구었다. 테오도르가 손을 뻗어 그 눈물을 조심스럽게 닦아 주었다. 그의 눈가 역시 잔뜩 젖어 있었으므로 다소 우스운 배려였다. 그토록 서투르고 어리숙하다.

마티나는 테오도르의 일그러진 얼굴을 천천히 제 기억에 담았다. 그녀는 평생 그녀가 사랑한 이 얼굴을 잊지 못할 것이다. 먼 곳으로 떠난다고 한들 다시금 그리울 것이다.

마티나는 그럼에도, 그의 옆에 남은 자신 역시 고통스러우리라 예감했다. 분명 아프고 괴로운 시간들이 그녀를 조롱하고 짓밟기 위해 기다리고 있을 터였다. 그러나 발을 빼기엔 너무도 깊이 빠져들었다. 도무지 이 수렁 같은 사랑을 벗어날 방도가 없다.

마티나는 이를 악물었다. 그녀는 지금까지 품었던 것 중 가장 큰 결심을 버렸다. 그녀를 흔든 테오도르에게도 마땅한 책임이 있었다. 그 역시 그만한 각오로 마티나에게 응해 주어야 한다.

마티나는 테오도르의 목깃을 붙들었다. 젖은 목소리로 그에게 으름장을 놓듯 경고했다.

"난 당신한테 분명 떠날 기회를 줬어. 뿌리친 건 당신이야. 나중에 후회 같은 거 해도 소용없어."

"후회할 일 따윈 없어. 당신이 내 옆에 남는다면."

"이 순간을 평생 기억해, 이젠 어떻게 해도 못 놔줘. 날 버리려거든 죽을 각오를 해."

마티나가 가쁜 숨으로 말을 이었다.
"감당할 수 있으면 키스해."
테오도르가 그대로 마티나의 입술을 삼켰다. 짠맛이 나는 키스였다.

✣ ✣ ✣

테오도르는 순간 눈을 떴다. 사방이 온통 조용했는데도 이상하게 갑자기 잠이 달아났다. 뺨에 푹신한 감각이 느껴지고서야 테오도르는 자신이 침대 위에 있다는 사실을 깨달았다.
깜빡 잠이 들었던가.
뻑뻑한 눈을 몇 번 깜빡이자 시야가 트였다. 옆에선 마티나가 침대맡에 앉아 창밖을 내다보고 있었다. 어스름한 새벽의 색으로 물든 그녀의 머리칼은 다소 탁한 빛을 띠었다. 왜 깨었나 했더니, 이 얼굴을 보려고 그랬나 싶었다.
테오도르가 스치듯이 웃었다. 그 소리를 들은 것인지 마티나가 테오도르 쪽으로 고개를 돌렸다.
"깼어?"
잠긴 목소리가 몹시 유혹적이었다. 테오도르가 조용히 미소 지으며 답했다.
"응."
"더 자도 괜찮아. 아직 비가 안 그쳤거든."
귀를 기울이자 과연 벽 너머로 쏟아지는 빗소리가 들려왔다. 소음이 거세어 창밖으로 보이는 빗줄기보다 날이 더 험악하게 느껴지는 듯도 했다. 아무래도 이 건물은 방음이 형편없는 모양이었다. 하녀에게 근처가 아닌 반대쪽 끝 방을 잡아 주길 잘했다. 바로 옆 객실 사람들은 새벽 중 잠을 설쳤을지도 모르겠다.

테오도르가 베개에 이마를 비비며 물었다.

"당신이야말로 너무 조금 잔 거 아니야?"

"일을 벌여 놓고 나니 역시 고민이 돼서."

"그래 봤자 이젠 못 무르는 거 알지?"

마티나는 입가에 옅은 미소를 띤 채 테오도르에게로 손을 뻗었다. 그가 덮고 있던 이불을 걷어 내고는, 깊이 파인 등줄기를 검지로 쓸어내렸다. 예기치 못한 간지럼에 테오도르의 등에 힘이 들어갔다. 날갯죽지 근처에 붙은 근육이 다소 위협적으로 꿈틀거렸다.

마티나가 손장난을 멈추지 않은 채 중얼거렸다.

"……샬럿 영애에게 뭐라고 해야 할지 모르겠어."

샬럿 영애의 앞에서는 모든 것을 이해한다고, 테오도르의 앞에 다신 나타나지 않겠다고 단언하더니 이 꼴을 좀 보라.

마티나는 스스로가 비겁하다는 사실을 인정했다. 결국 그녀는 신의보다는 본인의 아픔을 우선으로 두는 사람이었던 거다. 마티나는 샬럿 영애를 다시 만났을 때 뺨을 얻어맞을 결심을 했다. 설령 머리채를 잡힌다고 해도 기꺼이 두피를 내어 줄 자신이 있었다.

그러나 테오도르는 영문을 모르겠다는 듯 눈을 끔뻑였다. 그가 콧잔등을 긁더니, 무언가를 골똘히 생각했다. 이어 그가 조심스럽게 반문했다.

"……어제 내가 말 안 했던가?"

"뭘 말이야?"

"샬럿과 결혼한다고 한 거, 거짓말이라고."

"……뭐?"

"그러니까…… 왕비님은 내가 한참 어렸을 때부터 날 잡아 죽일 듯이 굴었거든. 왕비님과 열 살배기 아이 중 누가 더 머리가 굵었겠어, 내가 알아서 피해 다녀야 할 시절이었지."

"그거랑 이 일이랑 대체 무슨 상관인데?"

"덕분에 멜라니 영지에서 신세졌을 때가 있었어. 샬럿은 그때 3년 정도 같이 살면서 친동생같이 지냈던 애야."

마티나는 잠시간 아무 말도 하지 않았다. 잠이 번쩍 깼다.

"날 속였다고?"

마티나가 싸늘하게 가라앉은 음성으로 되물었다. 테오도르는 눈을 빠르게 깜빡이며 고개를 끄덕였다. 마티나는 무엄하게도 왕의 머리 위로 베개를 휘두르고 말았다.

"잠깐, 잠깐!"

테오도르가 제 위로 떨어지는 무서운 공세를 막아 내며 항복을 외쳤다. 때리는 사람의 무력이 워낙 대단한지라 베개로 맞은 것치곤 엄청나게 아팠다.

테오도르는 황급히 팔을 뻗어 마티나를 완전히 끌어안았다. 마티나가 그대로 그의 품 안으로 쓰러졌다. 숨이 찼다. 두 가슴이 호흡할 때마다 올랐다가 내려앉으며 규칙적으로 맞물렸다.

그간의 마음고생이 전부 쓸모없는 일이었다고 생각하니 가슴속 깊은 곳에서부터 울화가 치솟았다. 분이 풀리지 않았던 마티나는 주먹 쥔 손으로 테오도르의 단단한 팔을 내리쳤다. 멍이 들 것 같았지만 테오도르는 신음도 내지 않고 참았다. 그녀를 화나게 만든 자신이 죄인이었다.

마티나가 심각한 낯으로 되물었다.

"화가 안 풀리는데 어떡하지?"

"내가 비겁해서 미안해. 중간에 알리려고 했는데, 당신이 아무렇지 않아 보이니까 오기가 생겼어."

"내가 아무렇지 않아 보였다고?"

마티나에게서 헛웃음이 터져 나왔다. 이어 그녀가 입꼬리를 굳히며 음산히 말했다.

"그때 내가 느꼈던 기분대로 행동했으면, 당신 살아서 여기 못 있어."

역시 왕의 목을 베었던 검사의 기세는 남다르다. 테오도르는 손바닥에 배어난 식은땀을 잊어버리려 애쓰며 마티나의 등을 토닥였다. 한참 테오도르를 노려보던 마티나가 한숨을 쉬며 다시 그를 베고 누웠다. 마티나가 테오도르의 가슴팍에 뺨을 댄 채 웅얼거렸다.

"그래도 당신이랑 결혼 같은 건 안 해."

"……그거, 나한테 주는 벌인가?"

"아니, 당신이랑 가계도 같은 걸 합쳤다간 모두가 내 문제를 물어뜯을 테니까."

마티나는 자신이 불임인 걸 그다지 부끄러워해 본 적이 없지만, 그렇다고 그게 남의 험담까지 아무렇지 않다는 소리는 아니었다. 그녀는 테오도르의 아이를 낳지 못하는 일로 더 이상 스스로를 미워하고 싶지 않았다.

"당신이 원하면 그렇게 해."

잠자코 수긍하던 테오도르가 이내 다른 방법을 제시했다.
"내가 왕이라 안 되는 거라면, 나라가 안정된 후에 다 버리고 같이 떠날까. 그럼 그때는 결혼해 줄래?"
"지금 청혼을 한 거야?"
마티나가 황당하다는 듯 되물었다. 자신이 들은 저 볼품없는 제안이 정말 청혼이 맞나 싶어서였다.
다행히도 테오도르는 멋에 살고 멋에 죽는 남자였다. 사랑하는 여자에게 평생을 바치겠다는 선언을 이런 싸구려 여관에서 때울 생각은 없었다.
"내 희망 사항이야. 진짜 청혼은 반지도 가지고 와서 좀 더 멋있게 할게."
그러나 마티나는 말도 안 된다는 듯이 피식 웃기만 할 뿐이었다. 그녀가 띤 미소는 스스로에게 보내는 조소처럼도 보였다.
"다 버릴 수 있겠어? 당신 같은 사람이."
테오도르가 한량이라는 오해를 유발하는 성격의 소유자이긴 하나, 막상 국정을 다루는 이들 중 그의 자질을 의심하는 사람은 없었다. 그는 백성들의 하소연에 귀를 기울일 줄 알았고 그 태도에는 애정마저 엿보였다.
어떻게 얼굴도 알지 못하는 사람들에게 책임감이란 걸 가질 수 있는 걸까. 마티나는 그 사고 회로를 도통 이해할 수 없었지만 어쨌든 그게 그녀가 사랑한 남자였다. 왕좌에 앉은 그녀의 주군에게 성을 하사받았을 적, 그 모습이 가슴에 깊게 박혔던가. 테오도르가 왕으로 살아온 세월보다 그렇지 않은 세월이 더 길었음에도, 마티나는 왕관을 쓰지 않은 테오도르를 상상할 수 없었다.

그러나 테오도르는 뭐가 문제냐는 듯 가벼운 투로 되물었다.
"나보다 더 국정을 잘 돌볼 사람을 찾으면 되잖아."
"아이도 없으면서."
"어차피 아이를 낳아도 걔가 다 자랄 때까지는 못 기다려. 부하 중에서 찾으면 되지. 엘시어한테 왕 자리를 줘도 괜찮을 것 같지 않아?"
마티나가 대놓고 인상을 찡그렸다. 그녀가 말도 안 된다는 듯 툴툴거렸다.
"그 애송이한테 무슨……. 걘 너무 어리고 세상 물정 몰라서 안 돼. 차라리 나한테 넘겨."
"왕이 돼서 뭘 하려고?"
"스카이라 공작의 입을 꿰매 버려야지."
테오도르가 배를 잡고 크게 파안했다. 그가 도통 몸을 가누지 못하고 있었던 통에 마티나는 그의 위에서 내려섰다. 잘못하다간 바닥으로 떨어질 것 같았기 때문이다.
테오도르의 웃음은 한참 후에야 잦아들었다. 테오도르가 마티나의 발치로 내려가더니, 그녀의 발목을 감쌌다. 그가 마티나의 종아리를 들어 올리며 그대로 고개를 숙였다. 마티나는 가만히 자신의 발등 위에 입 맞추는 남자를 지켜보았다. 장난이 분명한 행위였으나 우아한 움직임에선 경건함까지 느껴졌다.
"원하는 대로 하소서, 나의 왕이여."
마티나의 입가에도 결국 미소가 떠올랐다. 마티나는 그에게 잡히지 않은 다른 쪽 발로 테오도르의 어깨를 밀어냈다.
"감히 왕의 위에 올라탄 무엄한 자가 누구지?"

"흠, 어젠 당신이 위에서 했잖아?"

"그럼 나네."

마티나가 테오도르의 어깨를 그대로 짓누르며 몸을 일으켰다. 무릎을 세워 일어서자 테오도르보다 시야가 높아졌다. 마티나는 그의 뺨을 감싸고는 둥근 이마에 짧게 입 맞췄다. 단단한 팔이 어느새 그녀의 허리를 마주 끌어안고 있었다. 조금의 틈도 없이 밀착된 살갗에선 안정감이 느껴졌다.

분명 어제까지만 해도 그녀보다 더 비참한 사람이 또 없었는데, 어느새 그녀의 앞날엔 희망이 자리를 차지하고 있었다.

테오도르가 말하는 미래가 그렇게 까마득하게 느껴지진 않았다. 그가 왕 자리를 차지하고 벌써 수년이 지났다. 왈도의 횡포는 금방 지워 낼 수 있는 종류의 것이 아니었지만, 긴 노력 끝에 흉흉해졌던 민심도 서서히 돌아오고 있었다. 왈도의 수탈로 파인 상처가 모두 아물고, 모든 것이 제자리를 찾고 나면 미련 없이 떠나도 되지 않을까.

마티나는 이미 이기적인 선택을 했다. 거기에 더해 이미 살 만해진 사람들에게서 테오도르를 뺏어 온다고 해서 무엇이 대수겠나 싶었다. 세상에 그를 대신할 사람이 하나쯤은 있겠지.

마티나가 후련한 목소리로 말했다.

"화해하고 내려갈 수 있어 다행이야."

"내려가? 어디를?"

가만히 눈을 감고 있던 테오도르가 득달같이 고개를 들었다. 영문을 모르겠다는 표정에 마티나는 아이를 꾸짖듯 그의 코를 짓눌렀다.

"영지에 처리할 일이 있어. 그동안 통 못 내려가 봤던 거 알잖아."

"나랑 화해했잖아."

"그거랑은 별개의 문제지."

지금 수도로 돌아가 봤자 반응이 좋을 것 같지도 않았다. 기껏 퇴직을 선언하고 영지행을 결정한 것인데 왕의 손을 다시 잡고 귀환하면 얼마나 꼴이 우스워지겠는가.

그리고 겨울은 영지에서 지내겠다고 이미 언질을 남겨 둔 상태였다. 이제 와 말을 바꿀 순 없었다. 영지에서 머문 기간이 한 달을 넘긴 적이 없으니 그간 주인의 손길이 간절했을 터였다. 마티나가 일을 끝마치고 돌아갈 곳을 정한 게 테오도르의 수확이라면 수확일까.

한참 멍하니 마티나를 응시하던 테오도르가 곧 "샬럿……." 하고 음산하게 중얼거렸다. 그가 썼던 샬럿이라는 극약책이 이런 식의 부작용으로 돌아왔다. 테오도르가 체념 어린 투로 되물었다.

"얼마나 있을 건데?"

"최소 반년."

"뭐? 말이 돼?"

결국 테오도르는 자리에서 벌떡 일어났다. 한 달만 자리를 비운다고 해도 미칠 것 같은데 반년이 말이나 되는 소리인가.

그에 마티나가 대수롭지 않다는 듯 대답했다.

"너무 그렇게 놀라진 마. 나도 아쉽긴 해, 영지로 내려가면 아주 외롭겠지."

지난밤 옷을 모두 벗어 던지고 잔 탓에 테오도르는 알몸이었다. 그가 몸을 일으키자 실오라기 하나 걸치지 않은 모습을 그대로 감상할 수 있었다. 마티나가 빤히 테오도르의 흉악한 하반신을 내려다보자 그가 황급히 이불을 끌어왔다. 테오도르는 파렴치한을 보는 듯한 시선으로 마티나를 응시했다.

"짐승 같으니…… 이 와중에도 그런 생각밖에 없지?"

마티나는 어깨만 으쓱였다. 보여 주길래 본 것뿐인데 무엇이 문제인가.

마티나에게 휘말렸다는 걸 알아챈 테오도르가 황급히 화제를 원래대로 되돌렸다.

"어쨌든 허락 못 해."

"당신 허락 같은 건 필요 없어."

"그대가 낸 사직서는 내 손안에 있지."

"일을 안 해도 돈을 계속 주겠다면 거절할 건 없지. 어차피 그러기도 전에 내 직속 상관이 먼저 날 무단결근으로 파면 처리시키겠지만."

테오도르는 받아칠 말을 찾지 못해 그저 입을 벙긋였다. 마티나가 그런 그를 달래듯 웃어 보였다. 그녀가 한결 누그러진 목소리로 장난스레 물었다.

"내 영지민들이 영주의 부재 때문에 얼마나 힘들게 살고 있는지 알아?"

"거기 원래 알아서 잘 굴러가던 땅이야. 대리인을 보내면 되잖아?"

"당신이 뭐라고 했지? 주인이 자리를 비우면 금고에선 꼭 탈이 난다."

그건 노망난 정치판의 늙은이들을 욕하려고 만든 말일 뿐이었는데.

왕의 비애 따위를 실컷 일장 연설해 놓고 더 억지를 쓸 수도 없는 노릇이다. 그녀를 말릴 근거가 없었다. 억울하다. 원통하고 분하기 그지없었다. 테오도르가 앓는 소리를 내며 침대 위로 무너졌다. 그가 베개에 얼굴을 처박은 채 참담히 중얼거렸다.

"땅은 괜히 내렸나 봐."

"당신이 줘 놓고는."

"이리 와, 다시 뺏어 버리게."

테오도르가 볼멘소리를 중얼거렸다. 당연히도 마티나는 들은 체만 체하며 이불 속으로 도망쳤다. 손이 닿는 거리였기에 그녀의 연인은 기꺼이 그녀를 붙잡아 주었다.

✣ ✣ ✣

[—그러니 절 미워하지 말아 주세요. 전 전하께서 도와 달라고 하셔서 시키는 대로 한 죄밖에 없어요. 정말입니다. 저는 전하께 이건 좀 아닌 것 같다고도 말했었어요. 딱히 통한 것 같진 않았지만요.

안 그래도 걱정하던 와중, 두 분께서 화해하셨다고 해서 얼마나 안심했는지 모릅니다. 마음 놓고 멜라니 영지로 돌아갈 수 있게 되어 정말 다행이었어요.

혹 저를 용서하신다면, 두 영지 간의 거리가 그리 멀지 않으니 종종 왕래하며 지내고 싶습니다. 다시 편지해도 될까요?]

영지에 다다른 마티나에겐 얼마 뒤 편지가 하나 도착했다. 발신인은 샬럿이었다. 주소가 멜라니 영지로 찍혀 있는 것을 보아 그녀는 이미 리체를 떠난 모양이었다. 편지보다 해명문에 가까운 그것은 그간의 경위를 구구절절하게 고해바치고 있었다.

테오도르에겐 화가 났어도 샬럿 영애에게까지 원망을 돌리진 않았다. 왕의 부탁을 그 누가 거절할 수 있겠는가. 다만 샬럿 영애와 나눴던 대화를 떠올릴 때마다 감회가 새로운 건 사실이었다.

'와, 진짜 독하네…….'

어쩐지 그렇게 중얼거릴 때 그녀의 눈에 당혹감 비슷한 것이 어려 있었다 했다. 당시 마티나는 샬럿 영애가 저를 피도 눈물도 없는 사람으로 보고 감탄한 줄로만 알았다. 욕인 줄 알았던 그 말이 낭패를 드러낸 반응이었다니. 아무래도 샬럿 영애는 그 정도로 흔들면 마티나 쪽에서도 반발하리라 여겼던 듯했다.

테오도르의 잘못된 선택이 여러 사람을 고생시켰다. 마티나는 그녀를 안심시키기 위한 다정한 말을 몇 자 적어 보내는 것으로 사건을 일단락했다. 이후로 샬럿에게선 종종 편지가 날아들었다.

겨울 동안은 꾸준히 바빴다. 수도에서도 영지의 업무를 완전히 놓고 있었던 건 아니지만 거리가 거리다 보니 쌓인 서류가 많았다. 주인의 부재가 길었던 탓에 쌓인 체계가 없어 업무 방식을 그녀에 맞게 조정하는 데만도 긴 시간을 소요했다.

주인이라는 감투만 차지해 놓고 막상 의무는 방치한 기분이라 마티나는 약간의 죄책감이 들었다. 기반을 일구다 보니 미래 계획도 차츰 떠올랐다. 테오도르의 말대로 그가 정말 왕위를 버릴 생각이 있다면, 나중에 함께 이곳으로 내려오는 것도 나쁘진 않겠다는 데 생각이 미쳤다. 테오도르는 그녀를 도와 영지를 경영하기에 좋은 경력을 보유한 남자였다. 같은 집무실에서 노닥거리는 일도 꽤 즐거울 것이다.

마티나에게 꾸준히 편지를 보내는 건 샬럿 영애뿐만이 아니었다. 엘시어도 종종 궁에서 있었던 재밌는 일들을 알려 왔다. 하지만 마티나는 엘시어의 편지가 도착하기도 전에 대충 그 안에 뭐가 적혔을지 짐작할 수 있었다. 테오도르가 언제나 그보다 한발 빨랐기 때문이다.

[오늘 밤 공녀가 하룻밤 상대라도 되겠다며 나를 찾아왔어. 사실, 처음엔 귀신이라도 되는 줄 알았지. 침실에서 웬 긴 머리 여자가 툭 튀어나왔으니까.

오해할까 봐 말하는데 나중에 스카이라 공작이 이 일에 관해 당신한테 이상한 소릴 지껄일까 봐 미리 알리는 거야. 당연히 나는 공녀에게 내 아랫도리는 이미 당신이 전세 냈다고 알려 줬지. 다행인 소식은 내 말을 잘 알아들었는지 ―아니면 그냥 오래 버틴 덕분인진 모르겠지만― 스카이라 공작이 뒤늦게 공녀의 혼처를 찾아보고 있다는 거야.

하기야 딸이 왕의 침실에 숨어들었다는 소문이 퍼지면 조금 곤란하겠지. 스카이라 공작이 순순히 내 인생에서 꺼져 준다면 나도 함부로 입을 놀릴 생각은 없어.

이제 그대만 돌아오면 돼. 왜 이렇게 시간이 안 가는 건지 모르겠어.]

스카이라 공작이 자충수를 뒀다니 의외였다. 아니면 공녀의 독단이었을까. 과거의 연만으로도 샬럿 영애에게 죄스러워했던 자신과, 임자 있는 남자의 침실에 숨어들면서도 죄책감이 없는 공녀의 차이는 무엇일까. 그런 염치를 모르는 고귀함이라면 애초에 욕심

낼 필요가 없었는지도 모른다.

이렇듯 테오도르는 그녀에게 반드시 알려야 하는 것에서부터 지나치게 세세하다 싶은 것까지 적어 긴 편지를 부치곤 했다. 귀찮진 않았다. 그의 글자를 가만히 손으로 짚고 있노라면 그의 목소리가 귓가에서 들려오는 듯해 기분이 좋았다.

[궁엔 왜 이렇게 재밌는 일이 없는 거지?

하루하루가 무료해. 날이 추워서 오늘은 모닥불을 피워 과일을 구워 봤어. 멜라니 영지에서 머물렀을 때 자주 해 먹었던 건데 호위들은 기겁을 하더라고. 과일을 구워 먹는 걸 처음 봐서 그런 건지, 아니면 내가 황궁 정원에 땜빵을 내서 그런 건지는 잘 모르겠지만 말이야. 그대도 이런 걸 먹어 본 적이 있나?

그대에 대해 아는 게 많다 싶었다가도 자꾸만 궁금한 게 많아져. 사소한 궁금증들이 도통 가시질 않아. 나 역시 그대에게 그런 사람이었으면 좋겠어.

그대도 그곳에서 나를 생각하나?]

당연한 일이라며 마티나는 종이 위에 짧게 입을 맞췄다.

봄이 되자 그제야 숨을 돌릴 여력이 났다. 산을 얼렸던 길이 녹고 이동이 수월해지자 엘시어도 미뤄 두었던 방문을 실행에 옮겼다. 테오도르가 오지 못한 건 아쉬웠지만 엘시어만도 충분히 반가운 방문자였다. 마티나는 성 밖까지 나와 엘시어를 마중했다. 그녀를 발견한 엘시어가 환히 웃으며 마차에서 거의 구르듯이 달려 나왔다.

오랜만에 보는 얼굴은 여전했다. 마티나가 유쾌하게 인사했다.

"신수가 훤해졌군. 상사가 없으니 살 맛이 나나 보지?"

그 말에 엘시어가 재빠르게 얼굴을 구겼다. 그가 제자리에서 멈춰 서며 말했다.

"후작님 뒤로 온 후임이 일을 더럽게 못 하니까 조용히 하세요……."

표정이 좋기에 요새 편히 지내나 했더니 단순히 일에서 도망친 기쁨에서 나온 미소였던가. 마티나는 그에게로 다가가 위로하듯 등을 두드렸다. 그러고는 안쪽으로 이끌었다. 한 번 물꼬를 튼 엘시어의 하소연은 도통 끝나지 않을 듯 보였다.

"영지로 가셔도 별일 없으리라 생각했는데 그게 아니었어요."

"이제야 내 소중함을 알았나 보지?"

"밀튼 경은 후작님께 더 잘할 걸 그랬다며 아주 웁니다."

그녀의 빈자리를 그리워하는 사람들이 있다는 건 꽤 괜찮은 기분이었다. 마티나는 호탕한 웃음을 터트렸다. 혈색 좋은 얼굴에선 공기 좋은 곳에서 요양을 취한 자의 여유 같은 게 느껴졌다.

"후작님이 없으니 왕께서도 요즘 성질이 아주 더러워지셨습니다. 빨리 좀 돌아오세요."

약이 오르는 기분에 엘시어가 핀잔했다. 엘시어가 마티나가 겨울내내 보낸 일정을 알았더라면 그런 부러움도 쏙 들어갔겠지만.

"역시 사람은 빈자리를 느껴 봐야 소중한 줄도 안다니까."

거드름을 피우듯 중얼거리던 마티나가 이내 입을 다물었다. 그 옛 격언은 안 좋은 기억을 함께 떠올리게 했기 때문이다. 테오도르가 제 빈자리를 느끼게 해 주었다며 샬럿 영애를 동원했던 일은 마티나에게도 두고두고 악몽으로 남았다.

"두 분 사이는 여전하십니까?"

"편지는 꾸준하지. 그나 나나 바빠서 얼굴까진 못 봤지만."

"하기야 궁 한쪽이 폭삭 주저앉는 일이 생겨서요. 지금 공사 인력을 불러 징계하느라 아주 정신이 없습니다."

"누구 다친 사람은 없나?"

"다행히도요. 귀한 분의 몸에 상처가 났다면 진즉 공사 책임자의 목이 날아갔겠죠. 좌천당한 사람이 많아서 지금 인사이동에 정신이 없습니다."

엘시어가 머리 아프다는 듯 혀를 내둘렀다. 마티나는 자신이 없을 때 그런 일이 생겨서 다행이라고 팔자 좋게 생각했다.

"한데 그 바쁜 와중에 용케 여기까지 왔군."

"아닌 게 아니라 한 달 전에 신청한 휴가를 코앞에서 뺏길 뻔했어요. 승인 안 해 주면 사직서 쓴다고 했더니 울면서 보내 주던데요."

엘시어는 생계를 두고 협박하는 게 불가능한 거부의 자식이다. 미리 신청해 둔 휴가를 막을 방도는 없었을 것이다.

엘시어가 잘됐다는 듯 손뼉을 치며 말했다.

"어쨌든 잘 지내신다니 다행이네요. 아까 말했듯 왕께서 요즘 짜증이 많아지셔서, 두 분께서 또 싸웠나 했습니다. 이게 후작님이 화내실 만한 내용을 담고 있으면 제 입장도 난처해지니까요."

"이게 뭐지?"

엘시어는 품 안에서 쪽지 하나를 꺼내 들었다. 마티나의 영지로 간다고 말하자 테오도르가 맡긴 물건이었다.

마티나는 의아한 얼굴로 그것을 받아 들었다. 분명 며칠 전에도 그에게서 편지를 받은 참인데 또 무슨 일인가. 최근 테오도르의 기분이 좋지 않다고 하니 겁이 좀 났다. 마티나는 염려 섞인 표정으로 접힌 종이를 폈다가, 그만 피식 웃고 말았다.

[나만 편지를 자주 하는 것 같아. 그대도 혹시 내가 귀찮나? 빨리 답장을 받고 싶어서 이틀에 한 번 파발을 보냈더니 탄원이 올라오긴 하더군.]

짜증은 무슨, 평소처럼 애정이 담긴 편지였다. 드문 연락에 대한 불만은 느껴졌지만 말이다.

이런 애정의 말들이 귀찮을 리가 있나. 바빠서 답장하는 간격을 조금 넓혔더니 금세 핀잔이 돌아왔다. 그래도 테오도르가 물어본 질문들에는 꼬박꼬박 답을 돌려주었는데 말이다.

[요즘은 잠이 잘 안 와, 그대가 보고 싶어서 그런가 봐.]

마지막 문장을 보는 마티나의 얼굴에 옅은 미소가 떠올랐다. 엘시어가 무슨 내용이냐며 캐물었지만, 마티나는 남의 연애사에 참견 말라며 대답해 주지 않았다. 그녀 혼자 간직하고 싶은 말들이었었으니까. 마티나는 엘시어가 떠나자마자 테오도르에게 앞으로는 연락을 자주 하겠다는 다짐을 담은 답신을 부쳤다.

그리고 회신은 돌아오지 않았다. 편지는 그것으로 끊겼다.

그렇게 한 달간 연락이 두절되자 마티나도 이상함을 느끼지 않을 수 없었다. 처음엔 상대적으로 드문 마티나의 회신에 투정을 부리는 건가 싶었지만, 그런 것치고는 소통의 부재가 지나치게 길었다.

'무슨 문제가 생겼나?'

문득 가슴을 스친 불안함에 마티나는 고개를 내저었다. 테오도르는 짐작할 수 없는 남자였다. 샬럿 영애까지 끌어들여 이상한 연극을 했었던 걸 생각하면 어디로 생각이 튀어도 이상하지 않다.

마침 바쁜 일은 다 정리한 참이었으므로 마티나는 어렵지 않게 수도행을 결정했다. 완전히 복귀하기는 힘들겠지만, 며칠 수도에서 머물며 그와 시간을 보내기엔 충분할 것이다. 테오도르가 바빠서 얼굴을 비치지 않는 거라면 자신이 올라가면 되는 문제였다.

영지로 향했을 때와는 다른 여유 있는 이동 끝에, 마티나는 수도에 도착했다. 이전처럼 궁내에서 근무하는 인력이 아니었으므로 절차 없이 테오도르를 만나러 갈 수는 없었다. 마티나는 첫날은 저택에서 머물며 궁에 방문 의사를 밝혔다. 그러나 돌아오지 않던 편지처럼, 방문을 허락하는 인가도 좀처럼 내려지지 않았다. 엘시어는 휴가를 보내겠다며 피델리오령으로 내려간 참이었기에 그에게 도움을 구할 순 없었다.

조금 예의 없게 비칠 수는 있었지만, 마티나는 결국 곧장 테오도르를 만나러 가기로 결정했다. 마티나 역시 수도의 귀족으로 지낸 시절이 길었으므로 궁으로 들어가는 것 자체가 불가능한 건 아니었다. 테오도르의 방문을 여는 데는 약간의 불협음이 필요할지도 모르겠지만.

마티나는 이전에 일했던 곳에 두고 온 물건이 있다는 핑계를 들어 성문을 통과했다. 괜히 미뤄 왔다 싶을 정도로 입장은 손쉬웠다. 오랜만에 궁에 왔더니 감회가 새로웠다. 마티나는 천천히 주변을 둘러보았다. 근래 있었던 문제 때문인지 왕궁 분위기는 좋지 않았다. 어딘지 축 가라앉은 사람들의 표정에선 음산함마저 느껴졌다. 마티나는 사람들의 눈에 띄지 않도록 자연스럽게 걸음을 옮겼다.

다행히 그녀를 막아서는 이는 없었다. 그녀는 별다른 방해 없이 테오도르가 머무는 궁까지 다다랐다. 테오도르의 방을 지키던 호위들이 마티나를 발견하고는 놀란 눈을 떴다.

"후작님? 여긴 어떻게……."

"전하를 뵈러 왔네. 안에 계신가?"

마티나의 말에 호위들이 일순 시선을 주고받으며 눈치를 보았다. 가장 선두에 있던 헤이즐 경이 심호흡을 하며 걸어 나왔다.

"그, 후작님……."

"왜 그러지? 설마 전하께서 여자와 같이 계시기라도 한가?"

우스갯소리로 꺼낸 말이었으나 아무도 아니라 대답하지 않았다. 헤이즐 경은 말도 안 된다는 듯 고개를 내저으면서도 좀처럼 이유를 답하지 못했다. 심상치 않은 반응에 마티나는 기민하게 이상한 점을 알아챘다.

마티나의 표정이 굳었다. 그녀가 눈썹을 들어 올리며 물었다.

"정말?"

"아니요! 그럴 리가요. 다만, 이걸 어떻게 말씀드려야 할지……."

"비켜."

"후작님, 그런 게 아닙니다!"

마티나는 억지로 틈을 비집고 들어갔다.

그간 연락이 닿지 않은 게 변심 때문이었다고? 나 없인 못 살겠다고 말한 때로부터 채 반년도 지나지 않았는데?

마티나는 혼란스러운 마음으로 문을 열어젖혔다. 낮답지 않게 방

안은 몹시 어두웠다. 궁에 들어와서 내내 느꼈던 음울한 기운이 이곳에서부터 퍼지기라도 한 양.

마티나는 침대 근처에서 인기척을 발견하고는 그쪽으로 다가갔다. 그러고는 곧 주춤거리며 멈춰 섰다.

침대 위엔 테오도르가 누워 있었다. 잠에 들었는지, 아니면 그저 눈을 감고 있는 것인지 알 수 없었다. 뺨이 야위었고 입술은 말라 있었다. 그 생기 없는 모습은 그녀가 아는 테오도르 같지 않았다. 하마터면 다른 사람이라고 착각할 뻔했다.

마티나는 가까이 다가가 테오도르의 이마에 손을 얹었다. 몸이 불덩이 같았다. 테오도르가 가까스로 옅은 숨을 뱉어 냈다. 이어 그의 눈이 뜨였지만, 그녀를 알아보진 못했다. 눈동자가 탁했다. 마티나가 테오도르의 얼굴을 보며 두서없이 그를 불렀다.

"테오, 나야. 내가 왔는데……."

테오도르의 입술이 벌어졌다. 희미하게 목소리가 들려온 듯도 했지만, 워낙 작았던 탓에 무어라 말한 것인지 알 수 없었다. 마티나는 테오도르의 입에 귀를 가져갔다. 그가 마디마디를 끊어 가며 겨우 말했다.

"심장이…… 너무 뛰어, 괴로워."

테오도르가 숨을 헐떡였다. 딱히 마티나가 앞에 있는 것을 알아 하는 말 같진 않았다. 그보다는 아이의 칭얼거림과 닮아 있었다.

뒤따라 들어온 헤이즐 경이 깊은 한숨을 내쉬었다. 그가 목소리를 낮추며 조심스럽게 마티나의 팔을 잡아끌었다.

"……후작님, 잠깐 뒤로……. 나가서 설명드리겠습니다."

그러나 마티나는 제자리에 우두커니 선 채 움직이지 않았다. 영문을 알 수 없었다. 마티나는 겨우 고개를 돌려 헤이즐 경을 바라봤다. 헤이즐 경은 올 게 왔다는 표정을 짓고 있었다.

그녀가 멍하니 물었다.

"……전하께서 왜 저러시지?"

대답이 듣고 싶으면서도, 동시에 듣고 싶지 않기도 했다. 헤이즐 경은 테오도르의 앞에선 이야기를 늘어놓을 생각이 없는지 재차 마티나를 불렀다.

"일단 나오세요, 간만에 편히 잠드신 겁니다."

저게 편히 잠든 거라고?

도무지 상황과 맞지 않는 말이라고 생각했지만, 이번엔 헤이즐 경의 태도도 완강했다. 마티나는 테오도르의 얼굴에서 시선을 떼지 못하면서도 순순히 헤이즐 경에게 이끌려 나왔다. 그 외에 더 할 수 있는 일도 없었다.

헤이즐 경은 마티나를 먼 복도로 데려갔다. 어디서부터 말해야 할지 알 수 없었던 그는 먼저 긴 한숨을 내쉬었다. 이어 힘겹게 말문을 열었다.

"전하께선 저렇게 된 걸 후작님께 알리지 말라고 하셨습니다. 걱정시키고 싶지 않다고, 금방 나을 거라며……. 저희가 보기엔 절대 그럴 것 같지 않았지만요."

헤이즐 경이 피곤하다는 듯 눈가를 문질렀다. 마티나는 그가 도대체 무슨 말을 하고 있는지 알 수 없었다. 그리도 건강했던 왕이 왜 갑자기 앓아누웠단 말인가.

뒤늦게 정신을 차린 마티나가 다급한 투로 되물었다.

"그게, 그게 대체 무슨 말이야. 전하께서 대체 왜 저러시는 건가? 어디가 아프신가? 사람이 근처에 있는 걸 보니 전염병은 아닌 듯한데, 금방 나을 수 있는 거겠지?"

"이건 병이 아닙니다. 방에 들어가는 걸 말리지 못한 건, 아무래도 후작님께서는 아레타 출신이시니 방도를 알 듯도 하여……."

"아레타 출신이라니 갑자기 그게 무슨 소린가?"

"왈도, 그 찢어 죽일 놈이 산 원한이 저희 왕에게까지 닿았습니다."

헤이즐 경이 분하다는 듯 이를 악물며 말했다. 헤이즐 경은 간간이 얼굴을 일그러뜨려 가며 그가 아는 이야기를 전부 늘어놓았다. 왈도가 레타 집시들을 토벌할 적 피로 이어지는 저주를 받은 적이 있으며, 왕께 증상이 나타난 후에야 뒤늦게 그 존재를 알았다는 게 논지였다.

"후작님께선 아는 게 없으십니까? 후작님도 레타 집시 출신이 아니십니까?"

마티나는 황급히 기억을 되짚었다. 무리마다 주술사라는 존재가 하나씩은 있긴 했지만 그건 최연장자에게 주는 명예직에 가까웠다. 마티나 무리의 주술사는 살아온 지혜로 사람들에게 이런저런 조언을 들려주곤 했다. 당연히도 지원 자격에 사람을 저주하는 능력은 포함되지 않았다. 그런 힘이 존재한다고 풍문으로는 들었지만, 평화로운 삶 속에선 괴담 정도의 온도로 와닿을 뿐이었다.

마티나가 황급히 고개를 내저으며 대답했다.

"말이…… 안 돼. 그럴 리가 없어. 그딴 힘이 진짜로 존재할 리 없잖아? 우리 무리의 주술사는 신년에 점치는 운수조차 한 번도 정답을 맞힌 적이 없었어."

마티나의 반응에 헤이즐의 표정이 어두워졌다. 희망이 사그라든 눈빛이었다. 그가 체념한 어조로 말했다.

"……후작님, 이건 실존하는 힘입니다."

"병일 거야. 궁의가 제대로 진단하지 못해서 주술 타령이나 하는 게—"

"후작님, 왈도의 죽음 후 별궁에 유폐되었던 태왕께서 얼마 지나지 않아 죽어 나갔던 것…… 기억나십니까?"

마티나는 입을 다물었다. 왜 갑자기 그 이야기를 꺼내는 것인가.

왈도가 죽은 후, 자연히 그의 편을 들었던 태왕의 처분도 도마 위에 놓였다. 테오도르와 뜻을 함께했던 공신들 대부분은 태왕도 함께 척살해야 한다는 입장이었다. 그러나 테오도르는 그를 별궁에 유폐하는 것으로 일을 마무리 지었다. 몇은 테오도르에게 아직 부자의 정이 남아 있었던 것이라고 말했지만, 얼마 지나지 않아 그 의견은 공신력을 잃었다. 태왕의 비보가 알려진 것이다.

시체의 상태가 워낙 험악했던 탓에 자살이라고는 생각할 수 없었다. 덕분에 누군가 사나운 짐승을 들여놓은 건 아니냐는 설이 돌았다. 그런 힘을 가진 크기의 짐승을 왕궁에 들이는 건 불가능했으므로, 대부분은 그것이 왕의 인가로 벌어진 일이라고 생각했다.

"워낙 수법이 잔인하여 저희끼리는 왕의 복수였다고 쉬쉬했지만…… 사실은 그런 게 아니었던 겁니다. 전하께서는 결백했어요."

"태왕이 죽은 게 저주 때문이었다 이 말인가?"

"그런 것으로 추측됩니다."

"그럼 지금까진? 지금까진 왜 멀쩡했지?"

"알 수 없습니다."

마티나의 얼굴이 창백해졌다. 헤이즐 경은 농담 따위를 하고 있는 게 아니었다. 마티나는 부정하고 싶은 현실을 겨우 받아들였다. 그 시점부터 몸이 무섭게 떨리기 시작했다.

마티나가 다급하게 되물었다.

"그래서, 그 빌어먹을 저주가 대체 뭔데?"

"모릅니다."

"……뭐?"

"언제, 어떻게, 누구에게 반응하는 주술인지, 해결할 수 있는 방법은 또 무엇인지. 아무도 모릅니다. 왈도의 측근은 다 죽었으니까."

사람이 저렇게 앓는데 방법을 모른다니. 태왕은 사지가 찢겨 죽었다. 아니, 떨어진 살점이 팔과 다리 중 어디에 붙어 있었는지도 분간할 수 없었으니 그보다 더 상태가 심각했다.

테오도르가 그렇게 될지도 모른다고?

그가 저렇게 아픈데 자신은 영지에서 왜 편지가 안 오나 원망이나 하고 있었단 말인가?

현실감이 없었다. 마티나는 떨리는 손을 겨우 감쌌다. 경련하는 오른손을 짓눌렀지만, 반대쪽 팔도 같은 꼴을 하고 있었던 탓에 별다른 효과가 없었다.

마티나는 헤이즐 경이 테오도르의 명을 어기고 그녀에게 이 일을 알린 의도를 알아챘다. 그녀가 레타 집시 출신이라는 점 외에도 한 가지 다른 이유가 더 있었다. 마티나가 파리한 입술을 열어 물었다.

"……왈도를 가까이서 지켜봤던 이들 중, 남은 건 나 하나라 이건가?"

헤이즐 경이 고개를 끄덕였다. 그러나 레타 집시의 힘만큼이나 왈도의 수상점 역시 짐작할 수 없긴 마찬가지였다.

이상한 일이었다. 흉악한 성격을 제하면 왈도의 일상생활은 다른 사람과 별로 다른 점이 없었다. 마티나는 왈도와 밤을 지내는 일이 많았지만, 그의 몸에서 열이 난다고 느껴 본 적도 없었다. 그에게선 어떤 기미도 느껴지지 않았다는 뜻이다.

그가 레타의 저주로 어차피 죽을 운명이었다면 왜 마티나가 왈도와 잠자리를 같이하는 굴욕을 자처했겠는가?

떠오르는 게 없었다. 하지만 테오도르를 살릴 열쇠는 그녀에게 있었다. 머릿속이 하얗게 물들었다. 타인에게 묻고자 해도 그럴 사람이 없었다. 왈도의 측근을 전부 참수했던 건 다름 아닌 마티나의 칼이었다.

"난……. 나는……."

마티나의 표정이 심상치 않았다. 이대로 두었다간 환자가 둘이 될지도 모르겠다. 결국 헤이즐 경이 옅게 한숨 쉬었다.

"여독이 풀리지 않으셨을 텐데 일단 들어가서 쉬십시오. 만일 무언가 떠오르는 게 있다면 언제든 저를 찾아 주시고요."

이후 마티나는 테오도르를 오래도록 만나지 못했다. 안정을 취해야 한다는 주치의의 강권 때문이었다. 왕의 방문 앞까지 갔다가 돌아서는 일이 잦았다. 혼자인 것이 사무칠 때면 테오도르와 자주 갔던 후원의 비밀 장소로 향했다. 멍하니 잔디를 베고 누웠다가 그대로 잠이 들었다. 꿈에선 건강한 연인이 평소와 같은 모습으로 등장해 그녀를 끌어안고 입을 맞췄다. 그리고 깨어나면 어김없이 옆자리는 비어 있었다.

가끔 테오도르가 편히 잠든 날엔 짧은 만남이나마 허락받는 행운도 있었다. 테오도르는 온전한 정신이 아니었지만, 홀로 불안함에 잠겨 있는 것보단 그의 손을 잡고 있는 편이 나았다. 그의 얼굴을 보고 있노라면 눈에 열이 몰렸다. 이를 악물고 눈물을 참아 보려 해도 고통스러운 신음 소리가 이어지면 버텨 낼 수가 없었다. 짓무른 눈가가 마를 새가 없었다. 지옥 같은 시간들이었다.

주변인들의 간절한 마음을 알아차린 것인지 다행히도 테오도르는 머지않아 정신을 차렸다. 마티나는 수도에 다다른 지 2주가 넘어서야 겨우 대화가 가능한 상태의 테오도르와 만날 수 있었다. 다만 운신이 힘든 상황이었기에 그는 침대 머리에 등을 기대고 앉는 게 고작이었다.

그의 낯빛은 흐렸지만 자세만은 언제나처럼 꼿꼿했다. 왕이란 것은 이런 걸까. 아플 게 분명한 상태인데도 남에게 보여지는 자세 따위에 힘을 들여야 하는, 몸에 완전히 배어 버렸을 고귀함.

마티나는 멍하니 그녀의 왕을 응시했다. 테오도르는 아무 일 없었던 것처럼 웃었다.

"왔네. 오랜만에 보는 것 같아."

"……."

"얼굴 보니까 좋아. 영지에선 어떻게 지냈어? 분명 아주 바빴겠지?"

대답이 돌아오지 않는데도 테오도르는 홀로 곧잘 이런저런 말을 늘어놓았다. 그러나 그의 이야기엔 어긋난 시계처럼 맞지 않는 구석이 있었다. 달라진 계절이나 자리를 비운, 혹은 채워진 사람들의 존재가 그러하다.

지금이 그가 말하는 일들로부터 족히 두어 달은 지난 시점이라는 것을, 그는 알까?

마티나가 파리한 입술을 열었다.

"왜…… 말 안 했어?"

테오도르의 목소리가 멎었다. 그는 잠시 알 수 없는 시선으로 마티나를 응시했다. 마티나가 일그러진 표정을 감추지 못하는 것에 반해 테오도르는 외려 평온한 낯을 하고 있었다. 꼭 환자가 뒤바뀐 듯한 광경이었다.

이윽고 테오도르가 힘없이 웃었다.

"그대에게 못할 짓이라는 생각이 들어서."

"그런 말이 어디 있어. 당신이 아픈 걸 알았으면 내가……."

황급히 반박을 늘어놓던 마티나가 문득 입을 다물었다. 적어도 그의 앞에서만은 아무렇지 않은 척하고 싶었다. 테오도르처럼 활달하게 이런저런 이야기를 늘어놓으며, 그가 조금이라도 즐거운 시간을 보내길 바랐다.

그러나 참을 수 없었다. 숨죽인 흐느낌 끝에 눈가가 젖어 들었다. 그녀는 숙인 고개를 잠시간 들지 못했다. 테오도르의 얼굴을 마주 볼 수 없었다.

그때 마디가 긴 손이 흐린 시야에 들어왔다. 테오도르가 손끝으로 그녀의 눈 밑을 쓸며 중얼거렸다.

"봐, 울잖아."

마티나는 고개만 내저었다. 대답하려고 입을 열었다간 그대로 오열해 버릴 것만 같았으니까.

테오도르가 그를 적신 마티나의 눈물을 내려다보며 중얼거렸다.

"운명이 참…… 웃기지."

허탈한 목소리였다. 그만큼 이 일은 신의 질 나쁜 장난 같았다. 왈도는 마티나와 테오도르의 원수였다. 그 금수 같은 인간을 그들만큼 증오한 자가 또 없었다. 그런데 하늘은 그들을 왈도의 폭정에 고통받게 한 것도 모자라, 그의 죗값까지 대신 치르라 말하고 있는 것이다.

테오도르는 자신이 잊어버렸던 형제 관계를 이런 식으로 되새기게 될 줄은 몰랐다. 단 한 번도 형제라 생각해 본 적 없던 인간과 가계를 같이했다는 이유로 죽는다니, 참으로 우스운 연좌제가 아닌가.

"평생의 숙적을 치워 놓고, 그대를 얼러 미래까지 약속해 놓고."

"……."

"이젠 정말…… 다 가진 것 같았는데."

남아 있는 건 행복한 날들뿐인 줄 알았다. 사랑하는 사람과 안정된 기반, 그리고 주변의 인망까지 그에게 있었다.

그런데 잔혹한 신은 이제 와 그것을 모두 다 앗아 가겠다 말하는가?

테오도르가 커다란 손으로 얼굴을 감쌌다. 마티나는 그가 자신처럼 울고 있다고 생각했다. 그러나 이윽고 드러난 그의 표정은 일그러졌되, 물기가 묻어난 흔적은 없었다. 마티나가 그런 그를 보며 입술을 깨물었다. 이를 악문 채 겨우 말했다.

"왈도를 죽이지 않았다면…… 달랐을까?"

마티나는 평생을 자랑스러워했던 그녀의 복수를 처음으로 후회했다. 왈도가 살아 있었다면 어떤 잔인한 고문을 해서든 이 저주가 무엇인지 밝혀낼 수 있었으리라. 왈도가 저주를 받고도 살아남았다는 건, 그는 해답을 알고 있었다는 뜻이니까. 아니, 애초에 왈도가 존재했다면 이따위 불운이 테오도르에게로 흘러올 일도 없었을 것이다.

그러나 테오도르의 반응은 회의적이었다.

"별로 하고 싶진 않은 가정이야. 의미도 없고. 왈도가 내게 병증이 나타난 걸 알았다면 일찍 죽으라는 저주나 쏟아 냈겠지."

"……그래, 설령 왈도가 죽었다고 해도 우리끼리 해결할 수 있어."

마티나가 스스로에게 다짐하듯 재차 말했다.

"방법이 있을 거야."

마티나는 이를 악물었다. 답을 찾아내고야 말 것이다. 믿음직한 신하들이 모두 왕을 살리기 위해 움직이고 있었다. 테오도르가 인망 있는 사람이라서도 그렇지만, 더 이상 이 나라에 왕이 될 수 있는 자가 남아 있지 않기 때문이다.

왈도는 자신에게 반하는 세력들에게 자비를 베풀지 않았고 대개는 잔인하게 정리했다. 후계를 이을 수 있는 그럴듯한 족보를 가진 자들은 하나같이 죽어 나간 지 오래였다. 테오도르의 취급이 유폐에 그쳤던 건 그나마 태왕이 버티고 있었기 때문이었다. 아버지에게 받은 마지막 연민이 생존이었기에, 아마 테오도르도 왈도의 손을 들었던 아비에게 칼을 휘두르진 않은 것이리라.

기실 얼마 전까지 다른 왕위 계승권자가 없다는 사실은 테오도르의 세력에게도 기막힌 행운으로 여겨졌다. 왈도가 이미 주변을 깨끗이 정리했던 덕분에 다 된 상에 머리를 들이미는 승냥이들이 없었던 것이다.

문제는 지금이다. 왈도의 뒤엔 테오도르가 있었지만, 테오도르의 뒤엔 아무도 없었다. 아마 스카이라 공작은 지금 이 순간에도 마티나를 헐뜯고 있지 않을까. 마녀가 왕의 눈을 현혹해 붙잡았기에 유사시를 대비할 후손을 낳지 못한 것이라고.

문득 테오도르가 입을 열어 말했다.

"그대가 불임인 걸 원망한 적도, 반겼던 적도 없는데 이번만은 그런 생각이 들었어. 다행이었다고."

마티나가 의아한 눈을 들었다. 테오도르가 마티나의 생각과 주제는 같되, 조금 다른 말을 하고 있었기 때문이다.

테오도르는 마티나가 스스로를 탓하기를 바라지 않는 모양이었다. 그는 꽤나 그럴듯한 근거를 들어 둘 사이에 자식이 없었던 걸 행운으로 포장했다.

"왈도에서 태왕, 태왕에서 나. 만일 내가 아이를 가졌다면 뻔하지. 아마 그 애가 다음 순서가 됐을 거야."

그러나 마티나는 표정을 굳히지 않을 수 없었다. 그의 추측에는 단 한 가지, 이 저주가 해결되리라는 희망이 배제되어 있었다. 그는 꼭 자신이 반드시 죽어 나갈 것처럼 말했다. 그 초연함이 못내 불안하여 마티나는 황급히 그의 손을 붙잡았다.

마티나가 아니라며 퍼뜩 언성을 높이려 할 때였다. 테오도르의 미간이 언뜻 좁혀졌다. 테오도르는 내색하지 않으려 애썼지만, 그와 손을 마주 잡고 있었던 마티나는 그의 몸에 힘이 들어간 걸 알 수 있었다. 마티나는 황급히 일어서 그를 살폈다.

"괜찮아? 의사를 부를까?"

"아니……."

테오도르가 힘겹게 고개를 내저었다. 마티나는 고통에서 주의를 분산시키기 위해 황급히 이런저런 말을 쏟아 냈다.

"헤이즐 경이 조사단을 꾸려 지금 지방으로 내려가 있는 거 알아? 이 문제를 해결하려고 온 나라를 뒤지고 있어. 당신은 몸 생각만 하면 돼."

마티나를 보는 테오도르의 얼굴엔 알 수 없는 표정이 떠올라 있었다. 이어 그가 작게 미소 지었다. 테오도르가 한참 뜸을 들인 후에야 말했다.

"그러길 바라고 있지."

"그렇게 될 거야. 그러니까 쓸데없는 생각은 않는 거야. 내 말, 알아들었지?"

마티나가 그리 속삭이며 그의 이마에 달라붙은 젖은 머리칼을 쓸어 넘겼다. 식은땀이 흥건히 배어 나와 온몸을 적시고 있었다. 테오도르가 눈을 감은 채 작달막한 음성으로 말했다.

"그대가 쓰다듬어 주면 조금 나아지는 것도 같아."

철 지난 작업 멘트다. 마티나는 저도 모르게 피식 웃음을 흘리며, 동시에 눈물을 함께 떨구었다. 그녀가 흐려진 목소리로 겨우 대꾸했다.

"……이런 순간까지, 당신은……."

"저런, 진심인데."

테오도르가 장난스럽게 말했다. 마티나는 그의 뺨에 짧게 입을 맞췄다. 마티나가 주문을 외듯 말했다.

"괜찮아질 거야."

테오도르는 미미한 웃음을 띨 뿐 대답하지 않았다.

✣ ✣ ✣

마티나의 바람을 비웃듯 상황은 더더욱 안 좋은 방향으로 치달았다. 헤이즐 경이 이 저주에 대해 알아낸 점은 마티나가 테오도르를 찾아왔을 당시에서 하등 발전된 점이 없었다. 몇 날 며칠을 기다려도 그럴듯한 해결법은 나타나지 않았다. 마티나 역시 나름대로 왈도와 함께 있었을 당시의 흔적을 무던히도 뒤졌으나, 그녀의 간절함을 골리기라도 하듯 발견된 건 없었다.

기다림이 반복될수록 절망의 기운은 짙어졌다. 테오도르가 테오도르 같지 않은 날들이 점점 더 많아졌다. 드물게 정신이 들 때면 폭력적이었고, 고통을 못 이겨 집기를 부수거나, 열에 앓다가 혼절하는 일이 잦았다. 이성을 놓았다가 다시 정신을 차리는 시간들이 무수히 반복되었다. 테오도르의 상태는 천천히, 그러나 분명히 나빠지고 있었다.

마티나는 조소하지 않을 수 없었다. 왈도가 죽었을 당시 마티나는 고통스러운 날들은 모두 끝났으며, 이젠 진정한 해방을 맞이했다고 생각했다. 그러나 왈도는 죽어서까지 그녀에게 고통을 주고 있었다. 저를 벤 천한 집시를 용서하지 못해 곁에 머물며 악담이라도 퍼붓고 있는 걸까. 그보다 더 우스운 점은 그녀를 괴롭게 하는 게 다름 아닌 레타의 저주라는 사실이었다.

그녀의 밤 친구가 된 악몽 속에선 종종 어릴 적의 모습이 비쳤다. 모닥불을 가운데 두고 모여앉은 밤, 문득 집시들과 어머니의 모습에 이질감이 어린다. 그들은 삽시간에 살아 있는 자가 아닌 망령의 모습을 뒤집어쓴다. 어떻게 원수의 핏줄을 제 목숨보다 아끼었느냐 죽은 친지들이 묻는다. 테오도르와 동침할 때 이 같은 악몽을 꾸진 않았느냐 조소한다.

마티나는 일족의 원수를 갚았지만 동시에 그 핏줄과 사랑에 빠졌다. 이것은 배반자에게 내려진 속죄일지도 모른다.

어느 모로 보나 완벽한 저주다. 그녀에게 찾아온 비극을 그 밖의 말로는 설명할 수 없었다. 어쩌면 왈도의 침소에 갇혀 있던 때보다 더 절망적인 시간을 마주했다고 보아도 좋았다.

눈물은 마르는 대신 흐르고 흘러 가슴 깊은 곳에 얹혔다. 적어도 밖에 내보이지 않을 수는 있게. 마티나는 테오도르와 함께 있을 땐 부러 활달하게 행동하려 애썼다. 본래 자신이 그런 성격이 아닌 걸 누구보다 잘 알고 있는 상대였지만, 진실 된 눈물보다는 거짓된 웃음을 내보이는 편이 나았다. 가짜로 웃고 있노라면 정말 희망적인 미래가 기다리고 있을 것만 같은 기분도 들었다. 그녀는 더더욱 이를 악물었다.

마티나는 방법이 있다고 믿고 싶었고, 따라서 결코 슬퍼해서는 안 되었다. 건강을 회복할 사람을 두고 어째서 상갓집에라도 온 것마냥 눈을 적셔야 한단 말인가. 말이 되지 않는 일이다. 테오도르는 금방 자리를 털고 일어설 것이다.

그러나 그것은 겪어 보지 못한 자의 오만한 판단일 뿐이었을까.

하늘의 색이 유독 짙은 날, 테오도르가 마티나를 불러들였다. 테오도르가 제정신으로 있는 시간이 길지 않았던 탓에 그들의 만남은 대개 마티나의 요청으로 이루어졌다. 테오도르는 아픈 모습을 연인에게 내보이길 원치 않았기 때문이다.

드물게 청해진 만남에 마티나는 급히 테오도르의 방으로 향했다. 언제 그가 정신을 차릴지 몰라 마티나는 요즘 거의 궁 안에서 기거하다시피 하고 있었다.

마티나는 뛰듯이 달려 테오도르가 머무는 궁에 도착했다. 물을 부탁한 시녀보다 마티나가 다다르는 게 더 빨랐다. 테오도르에겐 다행스러운 일이었다. 결심이 흐려질 시간을 두지 않고 그녀에게 말을 전할 수 있게 되었으니까.

"불렀어?"

"……."

"오늘은 날이 좋지. 창문을 좀 열까?"

마티나가 평소와 같은 목소리로 인사를 전했다. 처음, 테오도르가 막 정신을 차리고 마티나를 만났을 때와는 다른 상황이었다. 그때 부산스럽게 이야기를 이어 나갔던 건 테오도르 쪽이었다.

테오도르는 정치가였고 언제나 남을 속이는 데 익숙했다. 다정히 웃어 보이던 테오도르가 사실은 무참하도록 끔찍한 심정이었다는 사실을, 마티나는 평생 알지 못할 것이다. 일그러진 얼굴을 한 채 문을 열고 들어오는 마티나를 보며 테오도르는 드디어 이 알량한 거짓말이 끝났다고 생각했었다. 마티나에게 알리지 말라 신하들에게 신신당부를 해 두었건만 오래 그녀를 속일 수는 없었던 거다. 이미 충분히 상처만 주어 왔는데, 심지어 그녀에겐 더한 아픔이 남아 있었다. 테오도르는 처음으로 그녀를 붙잡았던 일을 후회했다.

그는 자신이 전처럼 돌아갈 수 없다는 것을 알았다. 병증이 심해지기 전엔 테오도르에게도 마티나와 같은 바람이 있었다. 나아지리라는 기대, 곧 해결되리라는 희망. 그러나 그것은 천천히 부식되어 이젠 형태를 알아볼 수 없는 지경이 되었다.

테오도르는 왕이었다. 일국의 왕이 죽을 위기에 처했는데도 이를 해결할 방법이 단 한 가지도 없었다. 수확 없이 돌아올 때마다 헤이즐 경은 고개를 떨구었다. 테오도르는 더 이상 그를 재촉하지 않았다.

온 나라를 뒤진다면 해결책이 나오긴 할까. 아니, 애초에 그때까지 버틸 수 있기는 한가.

최선이 없다면 테오도르는 차악을 선택해야 했다. 적어도 그는 최악의 형태로 죽고 싶진 않았다.

"티나, 난 곧 죽을 거야."

그것은 어떠한 깨달음과도 같았다. 테오도르의 말에 둘 사이에 을씨년스러운 정적이 찾아들었다. 당사자인 테오도르는 오히려 담담한 기분이었다. 반복해 곱씹어 가슴 깊이 새겨 두었기 때문이다. 그것은 마티나가 애써 머릿속에서 지우기 위해 발악했던 사실이기도 했다.

테오도르의 말이 끝나기 무섭게 마티나가 갈라진 목소리로 소리쳤다.

"그만 끔찍한 소리 하지 마!"

"아니, 난 이제 알겠어."

테오도르가 핏줄이 솟은 팔목을 내려다보며 말했다. 본래 그의 살갗은 이런 형태를 하고 있지 않았다. 건강한 근육으로 탄탄했던 몸은 어느새 흉측하게 말라 있었다. 핏줄이 불거진 사지는 마치 괴물의 것처럼도 보였다.

이런 몸을 어찌 산 자의 것이라고 말할 수 있을까?

테오도르는 고통에 정신을 놓을 때마다 죽음에 한 발짝씩 가까워지고 있는 걸 느꼈다. 식사가 제대로 넘어가지 않았고 거동조차 힘겨웠다. 태왕처럼 잔인한 죽음을 맞이하기도 전에 자진해서 끝이 찾아올지도 모른다는 생각이 들 정도였다.

참기 힘든 고통이 밀려들 때마다 포악해지는 성격과 주변인에게 쏟아 내는 폭언, 제대로 돌아가지 않는 국정과 그가 보지 못하는 곳에서 우는 연인까지.

이 모든 것들을 견딜 수 없었다. 테오도르가 고통 속에서 말했다.

"티나, 네가 날 죽여 줘."

"뭐……?"

마티나의 입술이 벌어졌다. 그녀의 눈이 크게 뜨였다. 지금 도대체 무슨 말을 들은 건지 알 수 없었다. 그러나 테오도르는 잔인하게 말을 이었다.

"왕이 될 인재가 없어. 왕권이 제대로 안정되지도 않은 때야. 그리고 이 왕궁에 남아 있어야 할 씨앗은 왈도가 전부 베었지."

예정된 죽음을 받아들인 후, 테오도르는 스스로의 사후를 고민하기 시작했다. 모두의 걱정처럼 그에겐 뒤를 이을 자식이 없었다. 테오도르는 단일된 후계가 존재하지 않는 나라에 어떤 결과가 찾아오는지 똑똑히 알고 있었다. 왕좌를 사이에 두고 벌어진 싸움으로 기근이 들었던 과거가 멀지 않았다.

"그게……, 그게 무슨 말이야."

마티나가 더듬더듬 되물었다. 대뜸 던져진 그의 말은 꼭 낯선 타국의 언어로 이루어져 있는 것 같았다. 분명 뜻을 갖고 말하는데도 도무지 알아들을 수가 없지 않나. 이 나라에 후계자가 존재하지 않는 것과 죽여 달라는 그의 말에 대체 어떤 연결 고리가 있단 말인가.

그러나 테오도르는 곧 스러질 제 목숨이 어떻게 하면 가장 유용히 쓰일 수 있을지 기민하게 알아챘다. 너무도 이성적이고 합리적이라 그의 연인은 결코 받아들일 수 없는 방식으로.

"내가 이대로 죽으면 뒤에 이어질 꼴은 뻔해. 피가 한 방울이라도 섞인 귀족이라면 모두가 이 왕좌를 물어뜯으려 난리를 칠 거야."

"장난은 이쯤에서 멈춰, 정말 화내기 전에."

"알지? 왕궁법은 부인에게 권력을 주지 않아. 섭정이 없는 이상 네가 이 나라를 다스릴 수는 없어."

그가 놀라운 발견이라도 했다는 듯한 어조로 과장스레 되물었다.

"하지만 나를 베고 새 나라를 세운다면?"

"말도 안 되는 소리!"

마침내 마티나가 자리를 박차고 일어섰다. 그녀의 얼굴은 무섭도록 하얗게 질려 있었다. 테오도르는 그런 마티나를 올려다보았다. 그의 분명한 눈빛은 이 이야기가 한낱 장난이 아니라고 말하고 있었다.

"믿을 만한 수하들과는 모두 이야기를 마쳤어. 반란은 아주 부드럽게 성공으로 이어질 거야."

마티나는 미친 듯이 고개를 내저었다. 테오도르의 세력은 젊은 축이었다. 왈도를 벤 공적을 세웠단 이유로 마티나를 받아들여 준, 시야가 트인 인물들이기도 했다. 그들이 테오도르를 죽이고 새 왕을 만들자는 정신 나간 제안에 동의했단 말인가? 그들이 그러고도 왕의 기사라고 불릴 수 있나?

"내가 그 짓을 할 것 같아?"

마티나가 표독하게 되물었다. 그녀의 손이 배신감에 떨리고 있었다. 그의 제안에는 마티나를 향한 배려가 배제되어 있었다. 그녀를 한낱 장기 말로 생각하지 않으면 할 수 없는 이야기다. 머리에 쓸 관보다 더 중요한 걸 알았기에 그와의 결혼도 거절했던 마티나였다. 그깟 왕좌를 위해 사랑하는 연인을 베라니, 그것이 말이나 되는 소리인가.

마티나는 테오도르가 너무 아픈 나머지 이성을 놓았다고 여기기로 했다. 그가 제정신이라면 이럴 리 없었다.

그러나 테오도르는 제 주장을 굽히지 않았다. 그는 그녀를 설득하기를 멈추지 않았다.

"당신은 구국의 영웅이야. 당신만 한 적임자는 없어."

"왕가를 유지하는 건 정통성이야. 사람들이 천한 집시 출신의 왕을 받아들일 것 같아?"

"세상이 변하면 인식도 바뀌는 법이지. 원래대로라면 당신이 귀족이 되는 것조차 불가능한 일이었어. 모든 게 그렇지. 한번 뒤바뀌고 나면, 그 후엔 바뀐 사실이 진리가 되는 거야. 가장 밑바닥에 있었던 자가 왕이 된 과거가 이미 이 대륙에 있어. 사람들은 그를 기꺼이 신의 아들로 모셨지."

"이 나라는 블란체야! 당신의 성과 같은 이름을 한!"

"이 핏줄은 저주받았어. 새 왕조가 시작되기 적합한 때야."

낯빛은 파리했지만, 그의 눈만은 어느 때보다 분명한 빛을 띠고 있었다.

마티나는 그만 의자에 주저앉았다. 다리에 힘이 풀렸다. 그녀는 지금 자신이 어떤 기분인지도 알 수 없었다. 이런 말을 해야 하는 테오도르가 불쌍한 듯도 하다. 혹은 듣고 있는 제게 더 연민이 생기기도 한다. 비참한 듯도, 화가 난 듯도, 혹은 그저 그에게 열렬히 입을 맞추고 싶은 듯도…….

마티나가 일그러진 얼굴을 양손으로 감쌌다. 눈물과 함께 헛웃음이 터져 나왔다. 그녀가 겨우 고개를 들어 테오도르를 응시했다. 떨리는 목소리 탓에 말의 마디가 제대로 이어지지 않았다.

"그게…… 정말 나를 위한 거라고 생각해?"

"아니, 이건 그대를 위한 게 아니야. 나를 위한 거지."

"테오, 지금—"

테오도르가 마티나를 똑바로 응시하며 말했다.

"난 지금 내 나라를 위해서 그대에게 희생하라 말하고 있는 거야."

어차피 죽을 목숨이라면, 테오도르가 마티나에게 줄 수 있는 선물은 딱 한 가지였다.

마티나의 눈에서 빛이 꺼져 들었다. 그녀가 천천히 고개를 숙여 무릎 위에 얼굴을 묻었다. 무엇도 받아들이고 싶지 않았고 아무것도 믿고 싶지 않았다. 그저 어둠 속에 파묻혀 이 시간이 멈추기만을 바랐다.

왜 이런 순간에는 꼭 가장 행복했던 때가 떠오르는 걸까?

얼마 전까지만 해도 그녀를 쫓아와 밤을 보냈던 남자다. 같은 눈을 한 사람일진대 저 푸른 눈동자가 지금은 시리도록 차게 느껴졌다.

테오도르가 손을 뻗어 그녀의 뺨을 감쌌다. 그녀에게서 흐른 눈물이 테오도르의 손바닥을 적셨다. 마티나가 겨우 눈을 들어 테오도르와 시선을 마주했다. 서로를 보고 있지만 동시에 그렇지 않은 눈과.

테오도르는 입술을 다문 채 알 수 없는 표정으로 그녀를 보고 있었다. 마티나는 문득 그 표정이 몹시 낯익다는 사실을 깨달았다.

아, 수도로 올라와 처음 그를 만났을 때, 그때 보았던 눈이다.

갑자기 이런 생각을 한 게 아니다. 처음부터 테오도르는 그녀를 보며 속으로 이런 계산을 하고 있었던 거다.

테오도르의 고개가 기울어졌다. 그의 마른 입술이 스치기 전, 마티나는 고개를 돌렸다. 그녀가 손을 뻗어 테오도르를 밀어냈다.

"나한테 이럴 자격 없어, 당신은."

마티나는 테오도르를 노려보며 말했다. 그의 손이 천천히 미끄러지듯 떨어져 나갔다. 그녀는 그를 떠났다.

✣ ✣ ✣

다음 날 마티나는 짐을 간단히 추려 수도를 떠났다. 그것은 테오도르가 한 제안에 대한 완곡한 거절이기도 했다. 그의 말도 안 되는 요구는 재고할 가치도 없었다. 마티나는 그와 의미 없는 입씨름을 하기보단 실질적인 대안을 찾길 바랐다.

마티나는 왈도의 곁에 오래 머물렀으므로, 대략적이나마 그가 습격했던 군락들의 위치들을 알고 있었다. 왈도가 받은 것은 레타의 저주였다. 레타의 흔적을 되짚다 보면 무언가 답을 찾을 수 있을지도 모른다. 헤이즐 경이 이미 살폈던 부근을 제하자 추려 낸 목적지는 한 손에 꼽혔다. 마티나는 가장 가까운 곳부터 차근차근 살펴 나갔다.

그러나 이미 모두가 죽은 지금 무언가를 알아낼 가능성은 희박했다. 그들이 살아간 터전을 되짚고자 했으나 그마저도 마땅치 않았다. 레타 무리는 진득이 한곳에 머물러 살지 않았기 때문이다. 그들은 목책을 세우고 천막을 두르는 간단한 주거 형태로 짧게 기거했을 뿐이었다. 그렇게 몇 달, 혹은 반년, 지형이 좋다면 일 년여 정도까지 머물렀다가 다음 해가 되면 미련 없이 떠났다.

그럴듯한 건축물이 아니었기에 찾아낸 단서들은 극히 미미했다. 기껏 방문해 봐도 폐허는커녕 나뭇조각 하나 보이지 않기 일쑤였다. 그나마 흔적이 남아 있는 곳에서도 마티나는 어릴 적 자신이 알았던 것과 비슷한 생활 양식을 마주쳤을 뿐이다.

보통 이런 것은 입에서 입으로 전해지는 이야기일진대 사람이 모두 죽고 없다. 지금까지 헤이즐 경이 방도를 찾아내지 못했던 건 결코 그가 무능해서가 아니었다.

아무런 소득도 없이, 마티나는 결국 레타 집시들의 근원을 찾아 아레타 고원까지 다다랐다. 마티나도 한 번도 와 본 적 없던 먼 조상의 터전이었다. 레타 무리의 선조였다는 아레타인들은 찾아볼 수조차 없었다. 근방에 사람이 사는 곳이라고는 산 아래의 작은 마을 하나가 끝으로, 주민의 수도 적었다.

외지인의 방문이 신기한 듯 마을 사람들은 잠시 경계하는 모습을 보였다. 한평생 같은 곳에서 나고 자란 토박이들의 입을 여는 것은 쉽지 않았다. 마티나는 신분을 숨기고 호기심 많은 여행자인 척 가장했다. 아래 지방에서 가져온 이런저런 물건을 내어 주고 인심을 샀다. 도시에서 온 힘 좋은 아가씨로 사람들의 눈에 익은 후로는 다행히도 몇 이야기를 얻어들을 수 있었다.

마을 사람들은 아레타인에 대해 아는 것이 많지 않았다. 아레타인들은 블란체에 의해 정복되었고 문명의 불씨는 야만이라 불렸던 특색을 지웠다. 후미진 지방에 살고 있다고는 하나 마을 사람들도 결국 블란체인이었다.

그럼에도 지역에 설킨 이야기를 듣다 보면 이곳의 원주인들과 기묘하게 얽힌 것들이 있었다. 마티나는 아레타인들이 화산을 힘의 근원이라고 믿었던 데 주목했다. 레타에게 특별한 힘이 있다면 조상과 같은 샘을 공유하지 않겠는가.

마티나는 결국 산을 오르기로 결심했다. 다만 산세가 험하고 중반부부터 만년설이 있었기에 지역 주민의 도움이 필요했다. 그녀가 계획을 알리자 다급한 만류가 돌아왔다.

"아이고, 저길 오르려고? 아서요, 아가씨. 토박이들도 이 계절엔 못 가는 곳이야."

"봄이 왔는데 그래도 좀 상황이 낫지 않습니까?"

"워낙 고도가 높아서 여름이 되어야 좀 녹아. 그때도 길이 미끄러워서 다칠 위험이 크고……. 거길 꼭 가야겠어? 왜 그러는데?"

얼마간의 돈을 주고 잠자리를 빌린 집의 아주머니였다. 며칠 지내는 동안 정이라도 들었는지 걱정의 목소리가 나왔다.

그러나 마티나에겐 별다른 선택지가 없었다. 마티나 역시 알았다. 산에 오른다고 해도 답을 찾을 가능성은 극히 미미하다는 사실을. 어느 하나 실마리조차 잡지 못해 버둥거리고 있는 상황이다. 실체 없는 샘을 찾아 사막을 필사적으로 달리고 있는 것과 같았다. 그러나 혹시 모를 가능성이라도 있다면 무엇이든 해 봐야 했다.

다만 하나 걱정되는 건 여기까지 다다르는 동안 꽤 오랜 시간이 흘렀다는 점이었다. 외지에 있는 그녀가 궁의 소식을 전해 들을 방도는 없었다. 테오도르의 상태가 염려스러웠다.

어차피 산을 오르기 위해선 인력과 도움이 필요했다. 마티나는 우선 수도로 돌아가기로 했다. 경장을 차리는 내내 그녀는 왕만을 생각했다. 오래도록 보지 못했는데도 기억 속에선 마냥 선명한 얼굴이었다.

아무리 먼 지방이라도 왕의 죽음쯤 되는 큰일은 금방 소문이 퍼지기 마련이었다. 아직까지 국서 소식이 들려오진 않았으니 그는 잘 버티고 있는 것이리라. 어쩌면 상태가 조금 나아졌을 수도 있다. 자신이 자리를 비운 동안 그가 생각을 바꿨기만을 바랐다.

마티나는 밤낮으로 말을 달려 리체로 돌아왔다. 그녀조차도 방안을 찾을 수 있을지는 미지수였지만, 아레타 고원을 들어 그를 안심시키고 싶었다.

문제는 성문을 통과할 때 벌어졌다. 마티나의 얼굴을 본 경비병들이 대뜸 그녀를 포박한 것이다. 너무도 의외의 일이라 마티나는 반항할 생각도 못 했다. 다른 인물로 오해받았나 싶어 신분을 대었지만 답은 돌아오지 않았다. 전혀 예상치 못한 상황에 화가 나기보단 어이가 없었다.

마티나는 무슨 일인지 모르겠지만 자신은 잠시 지방에 다녀온 것뿐이며, 왕께 보고할 게 있으니 안내를 부탁한다고 반복해 말했다.

그런데 마티나가 왕을 입에 담자 병사의 눈에 불똥이 튀었다.

"닥쳐라, 이 반역자야! 왕께 은혜를 원수로 되갚아?"

마티나는 당혹감에 젖어 남자를 올려다보았다. 제가 무슨 말을 들은 건지 알 수 없었다. 반역자가 있다면 외려 자신을 죽여 달라 제안한 테오도르 쪽이 되리라. 마티나는 그의 제안을 거절한 입장이 아닌가.

마티나의 얼떨떨한 표정에 병사가 욕설을 지껄이며 침을 뱉었다. 그와 동시에 멀리서 아는 얼굴이 다가왔다.

"멀리서부터 목소리가 시끄럽더군. 이 일은 극비이니 소란을 벌이지 마라. 전하껜 내가 인도해 가겠다."

왕의 호위 중 하나인 토리드 경이었다. 테오도르와 마티나와 함께 있으면 대신 흐뭇한 표정을 지어 주던 인물이기도 했다. 그가 차가운 눈빛으로 마티나를 자리에서 일으켰다.

"토리드 경, 이게 무슨 일이지? 이들이 대체 무슨 소리를 하고 있는 게야?"

대답은 돌아오지 않았다. 토리드 경은 굳은 얼굴로 마티나를 어딘가로 인도할 뿐이었다. 보통 잘 다니지 않는 길을 통했기에 처음에는 헷갈렸으나, 그는 분명 마티나를 테오도르의 처소로 데려가고 있었다.

마티나는 이 상황을 도통 이해할 수 없었다. 마티나가 문 앞에서서 주춤거리기만 하자 토리드 경이 그녀를 재촉했다.

"들어가십시오."

그의 존대엔 배신자를 대하기엔 애매한 친절이 섞여 있었다. 토리드 경은 마티나의 결박된 손을 풀어 주기까지 했다. 그녀가 정말 반역자로 오해받았다면 결코 하지 못했을 행동이다.

마티나는 떨어지지 않는 걸음을 떼어 문으로 들어갔다. 실내는 그녀가 기억하는 모양과 똑같았다. 다만 해가 비추는 시간인데도 몹시 어두웠다. 테오도르는 창가에 있는 의자에 앉아 있었다. 마티나는 천천히 걸음을 디뎌 그의 뒤에 가 섰다.

그녀는 어쩌면 당연한 추론을 내렸다.

"이게…… 무슨 짓이야?"

테오도르가 그녀의 의사와는 상관없이, 계획을 실행에 옮기고야 말았다고.

"미안해 티나, 처음부터 네 동의는 구하지 않을 작정이었어."

그의 목소리엔 힘이 없었다. 갈라진 음성은 아예 다른 사람의 것 같기도 했다. 마티나가 믿을 수 없다는 목소리로 되물었다.

"내가 없는 동안 대체 무슨 짓을 한 거야?"

"그대가 내 말을 따르질 않을 걸 알았어. 그렇다면 나를 벨 수밖에 없게 만들어야겠지."

"그래서 날 반역자라고 명명했어? 그따위 날조가 먹힐 것 같아?!"

"티나, 나는 우군이야. 권좌에 눈이 멀어 충신도 버리고 만 피도 눈물도 없는 사내지. 그리고 그대는 새로운 정의가 될 거야."

테오도르가 마티나를 반역자로 매도한 데 별다른 근거는 필요 없었다. 테오도르가 명분을 주고 싶어 했던 건 자신이 아니라 마티나 쪽이었으니까.

폭군에게 배신당한 억울한 영웅, 그것이 마티나의 역할이었다. 마티나가 그들의 미래를 찾기 위해 무던히도 노력하는 동안, 테오도르는 너무도 쉬운 결정을 내렸다. 그는 자기 자신과 연인을 동시에 버렸다.

마티나의 얼굴이 희게 질렸다.

"나한테…… 대체 왜 이래?"

"내가 이기적이라서 그래."

테오도르가 이대로 죽는다면 나라는 더욱 혼란해질 뿐이다. 아무리 마티나의 무력이 강하다고는 하나 이권 싸움에 몰린다면 위험해지리라. 테오도르가 죽은 곳엔 더 이상 그녀의 편이 되어 줄 사람도 없었다.

"난 망해 가는 왕조의 마지막 끝에 서 있지. 더 그럴듯한 불씨가 되는 것 외에 내게 무슨 효용이 더 남아 있겠어?"

그의 목소리에 결국 조소가 담겼다. 흉측한 얼굴을 마티나에게 보여 주고 싶지 않았기에 테오도르는 고개를 돌리지 않았다. 그는 유리창에 비친 마티나의 얼굴만을 응시했다. 그가 침통하게 말했다.

"마지막 부탁이다, 마티나."

"테오도르, 이 역시 내 유일한 바람이다. 그것만은 들어줄 수 없어."

"그대는 이 일을 해야 해. 그대를 위해서도, 나를 위해서도."

마티나가 한 걸음 더 테오도르에게 다가섰다. 어느새 눈가는 젖어 있었다. 그녀가 애원하듯 소리쳤다.

"내가 찾을 거야. 내가 당신을 살릴 방법을 찾을 거라고!"

"시간이 없어, 티나."

잔인한 거절에 마티나는 숨을 들이켰다. 둘의 마음이 왜 이런 파국으로 치달았는지 채 따라잡을 수도 없었다. 억울하고 또 원망스러웠다. 마티나가 갈라진 음성으로 말했다.

"나한테 이기적으로 굴라고 말했잖아."

"……."

"평생 내 옆에 있겠다고 했잖아!"

테오도르는 대답하지 않았다. 왕의 얼굴에 수심이 가득했다. 테오도르는 마티나와 눈을 맞추는 대신, 그 너머의 것을 보고 있었다. 마티나는 전에 흘린 적 없던 눈물을 보였다.

책임질 수 없는 말을 무엇하러 했지?

마티나가 두 손으로 얼굴을 감쌌다. 원망과 슬픔, 비탄이 흘러넘쳐 바닥을 적셨다. 끔찍한 배신감이 차올랐다. 그가 정말 자신을 사랑했다면 이럴 수는 없었다.

"어찌 나에게 이러지? 어찌 내게 이리 잔인해?"

"……그대를 귀애했다."

"그랬다면 내가 이런 끔찍한 기분을 느끼지 않았겠지."

"……."

"당신은 나를 사랑한 적이 없어. 그걸 이제 알았다."

마티나는 도망치듯 뒤돌았다. 문을 닫고 나서기 전, 마티나가 말했다.

"테오도르, 차라리 나에게 같이 죽자고 말하지 그랬어."

거칠게 문이 닫히는 소리가 울렸다. 바깥에서 대기하고 있던 토리드 경이 눈물 흘리는 마티나를 참담한 얼굴로 응시했다. 그 동정의 눈빛조차 참을 수 없었다. 마티나는 알은체도 않고 그를 지나쳤다. 토리드 경은 아무런 말도 하지 않고 그녀를 뒤따랐다. 불필요한 친절이었다. 거칠게 딛던 그녀의 걸음이 모래성처럼 무너졌다. 마티나는 구역질을 참으며 벽에 머리를 처박았다.

모든 것이 왈도 때문이었다. 그녀가 가족을 잃은 것도, 불임이 되어 테오도르와 결혼하지 못한 것도, 아이가 없다는 이유로 연인을 베어 넘겨야 되는 비극에 처한 것도.

어리석다. 너무도 어리석어 감히 그 금수의 형제를 믿고 사랑했다.

"블란체는 어디까지 나를 비참하게 만들 것인가!"

마티나가 오열하며 흐느꼈다. 마티나에게 테오도르는 기회였다. 새로운 삶을 살, 누군가를 사랑할, 혹은 그녀 자신을 구원할.

마티나는 그날 꿈꿔 왔던 미래를 죽였다.

✣ ✣ ✣

"도성이 목전인데 후작님 표정이 별로 안 좋으시네요."

수뇌부 쪽을 멀거니 응시하던 병사가 말했다. 옆에 서 있던 중년의 남자 역시 같은 쪽을 살폈지만 유의미한 탐색은 아니었다. 눈이 침침한 탓인지 겨우 형태만 분간할 수 있었던 탓이다. 언뜻 보기에도 멀리 떨어진 거리인데 표정까지 알아챘다니 눈이 좋다. 대단하다는 듯 눈썹을 들어 올리던 중년의 병사가 이내 푸념하듯 대꾸했다.

"믿었던 주군께 배신당한 기분이 어떠시겠나. 가슴이 찢어지시겠지."

악왕 테오도르는 결국 스스로 왈도와 같은 핏줄이었음을 증명했다. 총명했던 젊은 왕은 나이가 들며 탐욕을 얻고 맑은 눈빛을 잃었다. 그의 잔인한 손속에 백성들이 시름하고 있다는 이야기가 전국을 울렸다. 왕에게 반역자로 지목된 마티나 후작이 민심을 대신해 군을 일으키지 않았다면 상황이 어떻게 치달았을지 알 수 없었다.

"폭군을 처치한다는 결의를 다지고 출발했는데 맥이 좀 빠지긴 하네요. 진군이 너무 빨라요."

젊은 병사가 갑옷을 추어올리며 푸념하듯 말했다. 그의 말대로 왕국군은 마치 명령할 머리를 잃어버린 것처럼 우왕좌왕이었다. 몇 번 맥없이 칼을 부딪치다가도 항복의 깃발을 휘날리기 일쑤였다. 정규군의 조력 아닌 조력으로, 반군은 군대가 움직인다고는 믿을 수 없는 속도로 도성까지 다다랐다.

전투 경험이 부족한 애송이의 발언에 중년의 남자가 혀를 끌끌 찼다.

"이놈이 무서운 소릴 하네. 전쟁이 장난인 줄 아냐? 다행이라고 축포를 터트려도 모자랄 판에……."

"이게 보통의 전쟁과는 좀 거리가 먼 건 사실이잖아요?"

"모두가 후작님의 억울함을 아는 거지. 왕을 위해 그리도 헌신하셨건만, 쯧……. 악왕도 그런 악왕이 또 없어."

가만히 듣고 있던 젊은 남자가 머리를 긁적였다. 그가 누가 들을세라 작은 목소리로 중얼거렸다.

"사실 저는 그것도 잘 이해가 안 갑니다. 현왕께서는 자비로운 치세로 이름이 높으셨는데 갑자기 수탈이 있었다는 게 좀……."

"숨겨 왔을 뿐, 결국 그분께서도 왈도와 같은 본성을 숨기고 있었던 거지."

중년의 병사가 딱 잘라 말했다. 그 단호한 반응에 의문을 제기하던 이도 결국 입을 다물었다.

대화가 끝남과 동시에 기세 좋게 진군이 시작되었다. 반란의 성공을 코앞에 두었는데도 이번 전투 역시 지금까지와 크게 다를 바가 없었다. 왕궁은 비어 있는 것이나 마찬가지였다. 패배를 직감한 왕국군은 어딜 갔는지 숨어 보이지 않았고, 성내엔 일꾼들만이 남아 두려움에 떨었다. 민간인을 건드리면 엄벌하겠다는 명이 있었기에 반란군은 어떤 피도 보지 않고 왕궁을 점령했다. 병사들의 역할은 칼을 휘두르는 것보다 값이 될 물건들을 쓸어 모으는 데 특화된 지 오래였다.

군이 전리품을 모으는 사이 마티나는 엘시어만을 대동하고 알현실로 향했다. 물끄러미 문가를 응시하던 마티나가 엘시어에게 말했다.

"혼자서 가겠어."

마티나는 홀로 조용히 문을 열고 들어섰다. 문이 여닫히는 소리와 함께 멀리서 울리던 승리의 환호성이 아득해졌다.

마티나는 잠시 말을 잃고 그녀의 왕이었던 사내를 올려다보았다. 테오도르는 패국의 주인과 어울리는, 시름에 겨운 모습으로 왕좌에 앉아 있었다. 다만 아래를 내려다보는 눈에서만은 여전히 위엄이 넘쳤다.

마티나가 조소했다.

"왜 그런 표정이야? 그대가 원했던 거잖아."

그 말에 테오도르가 옅게 입꼬리를 들어 올렸다. 그러나 마티나는 테오도르의 눈동자에서 두려움을 발견했다. 마지막에 다다른 자의 서글픈 아름다움 같은 것이 그 안에 있었다.

좀 더 그럴듯하게 의연한 척을 해 주었다면 차라리 마음이 편했을까?

"맞아. 내가 바랐지."

테오도르의 담담한 대답에 마티나가 입술을 깨물었다. 흥분하지 않으려 노력했건만 깊은 원망은 자꾸만 목청을 비집고 나오려 했다. 그녀가 흔들리는 목소리로 물었다.

"만족해, 이 비극에?"

"미안해, 마티나."

"할 말은 그것뿐이야?"

마티나는 젖은 눈으로 테오도르를 노려보았다. 그를 사랑한 모든 순간이 후회스러웠다. 다른 방식이나마 끝을 예감했던 관계였기에 더욱 억울하였다. 마티나는 이미 잃는 아픔을 겪지 않고자 그를 보내 주려고 한 적이 있었다. 테오도르는 골리듯 그런 그녀를 붙잡아 놓고는, 이내 형편없이 내팽개쳤다. 버려진 사랑이 무참했다. 마티나가 짓씹듯이 말했다.

"나의 왕이 이렇게 비열할 줄 알았더라면, 사랑하지 않았어."

"게다가 겁쟁이기까지 하지."

"그런 사람이 이런 부탁을 해?"

"사실, 나는 죽는 게 너무 두려워."

"그럼 죽지 마! 제발!"

마티나가 처절하게 외쳤다. 연인의 눈물에 테오도르가 힘없이 웃었다. 그 무력한 모습에선 죽음 한 발짝 뒤에 선 자 특유의 짙은 패배감이 느껴졌다. 그러나 겁에 질린 남자는 삶을 구걸하지 않았다.

"아프지 않게 부디 단칼에 베어 줘, 티나."

마티나는 칼끝을 바닥에 댄 채 무릎을 꿇었다. 차마 두 다리로 올곧게 서서 버틸 수 없었던 탓이다. 그녀는 고개를 숙인 채 한참을 흐느꼈다.

마티나가 테오도르에게 자신을 버리고 결혼하라 했을 적, 그는 어떻게 연인 사이에 그런 말을 할 수 있느냐고 말했다. 그를 버린 그녀가 잔인하다고도 했다. 그러나 최악의 상황에서 가장 이기적으로 행동한 건 마티나가 아닌 그였다.

마티나가 원망이 뚝뚝 떨어지는 음성으로 중얼거렸다.

"당신이 하는 사랑은 이기적이야. 다음이 있다면 부디 내게 속죄를 해."

이윽고 마티나가 비틀거리며 자리에서 일어섰다. 그녀의 눈은 더 이상 젖어 있지 않았다. 마티나는 충혈된 눈으로 테오도르를 노려보았다. 그녀가 갈라진, 그러나 일국의 패자를 대하기에 부족함이 없는 근엄한 음성으로 외쳤다.

"블란체의 마지막 핏줄이여!"

"……."

"그대를 저주한다. 그대가 내게 준 희망을 그대가 앗았다. 내가 겪었던 모든 배신 중 가장 잔악하다!"

마티나의 원망이 알현실 전체를 크게 울렸다. 테오도르는 그녀를 승자로서 예우해 주어야 할 때가 다가왔음을 깨달았다. 마지막 순간, 그는 이것만은 약조할 수 있었다.

마티나, 만약 내게 다음 생이 있다면 그대만을 사랑할게. 내 모든 것들 중 그대가 가장 중요한, 그래서 절대 포기할 수 없는 그런 사랑을 할게.

하지만 그것이 지금은 아니었다.
"그대에게 할 말이 없다. 마지막까지 이용했음을 사죄한다."
"하지만 내게 내린 명을 거두지는 않을 테지?"
마티나가 떨리는 목소리로 물었다. 아파하는 연인을 보고 싶지 않아, 테오도르는 차라리 눈을 감았다.
"그대 할 일을 하라."

선혈이 옥좌에 흩뿌려진 후, 마티나는 한참이 지나고 나서야 알현실을 빠져나왔다. 마티나의 얼굴을 본 엘시어가 놀라 고개를 숙였다. 그녀는 엘시어가 살아온 평생과, 앞으로를 통틀어 다시는 보지 못할 표정을 하고 있었다.
"승전보를 울려라."
일국을 손에 넣은 새로운 왕이 패배한 개처럼 비참히 말했다.

한참 숨죽인 채 바닥을 보던 아스티나가 마침내 고개를 들었다.
"테오도르는 죽지 않을 수 있었어."
아스티나가 무감각하게 중얼거렸다. 온기 없는 음성에선 감정이 비치지 않았으나, 그래서 더욱 처절하게 읽혔다. 그 기점으로 그녀의 몸이 크게 경련했다. 아스티나가 벼락같이 소리쳤다.
"테오도르가 죽지 않을 수 있었어!"

그녀가 무너졌다. 세상이 멸망하기라도 한 것처럼 오열했다.

"내가, 내가아—! 그 사람을 죽이지 않을 수 있었어!"

아스티나가 비명 질렀다. 숨이 막혀 꺽꺽대었다. 치솟는 구역질을 참을 수 없었다. 아스티나는 찢어지는 가슴을 붙잡고 헐떡였다. 핏발이 선 눈에서 절망이 차고 넘쳐흘렀다. 갑작스러운 반응에 테리오드는 당황하지 않을 수 없었다. 그는 황급히 아스티나에게로 다가가 그녀를 일으켜 세우려 했다.

그러나 제 팔을 잡은 남자를 본 아스티나는 더욱 표정을 일그러뜨릴 뿐이었다. 눈앞에 보이는 테오도르의 얼굴에 아스티나는 이성을 잃었다. 형형한 안광이 흡사 광인의 것과 같았다. 아스티나는 테리오드의 옷깃을 생명줄처럼 쥐고 늘어졌다. 눈물을 닦아 내도 도통 시야가 트이지 않았다. 그녀가 온통 젖은 눈으로 테오도르를 보며 소리쳤다.

"미안해, 미안해, 테오도르……!"

테리오드는 제게 낯선 이름을 부르짖는 아스티나를 당혹스러운 기분으로 지켜보았다. 자신은 그런 사람이 아니라고 말하고 싶었으나, 그녀는 그의 말을 채 알아들을 정신도 없어 보였다. 아스티나는 그가 이해할 수 없는 이야기들을 불분명한 발음으로 쉼 없이 뱉어 냈다.

"당신이 나를 믿지 못했듯, 나도 당신을 믿지 못했어……! 나를 두고 가려는 게 너무 미워서, 그만 그대를 포기해 버렸어."

아스티나가 곧 죽을 것 같은 모습으로 휘청였다. 갈라진 목소리로 이어 절규했다.

"그러면 안 됐는데, 나만은 그러면 안 됐는데! 내가아—! 꺼흑,

꺼흐윽……."

아스티나의 헐떡임은 숨이 넘어가는 소리처럼도 들렸다. 다리에 힘이 풀린 듯 그녀가 가슴을 부여잡으며 쓰러졌다. 번뜩 정신을 차린 테리오드가 아스티나를 붙잡고 소리쳤다.

"부인, 부인!"

테리오드는 아스티나의 고개를 들어 억지로 눈을 맞췄다. 그녀의 상태를 확인하기 위함이었지만, 아스티나는 그에게서 다른 것을 보았다. 아스티나의 뿌연 눈이 테리오드의 머리칼에 가 닿았다. 그녀가 보고 있는 것은 분명 선명한 은빛이었다.

"아……!"

벼락처럼 꿈에서 깨어났다. 아스티나의 입가에 헛된 웃음이 스쳤다.

"부인……?"

"그렇지……, 이젠 없지."

아스티나는 울면서 웃었다. 광소하던 그녀가 이내 미끄러지듯 주저앉았다. 그녀의 몸에서 완전히 힘이 빠졌다. 아스티나는 상체를 굽혀 그대로 치맛자락에 얼굴을 묻었다. 이윽고 그녀에게서 숨죽인 음성이 새어 나왔다.

"나가 주십시오, 전하."

그 생기 없음이 마치 죽은 사람의 것과 같았다.

테리오드는 제자리에 못 박힌 듯 서 사랑하는 여자의 낯선 모습을 바라보았다. 테리오드는 자신도 모르게 그만 아스티나의 팔을 놓았다. 테리오드의 얼굴 역시 창백하기 그지없었다. 그는 주춤거리듯 뒤로 물러섰다. 이해할 수 없는 상황에 그녀를 어떻게 진정시켜야 할지도 알 수 없었다. 테리오드로서는 겨우 이런 말이나 뱉을 수 있을 따름이었다.
"조금…… 안정이 되면 다시 부르세요."

✣ ✥ ✣

"이대로 침실로 내어 가면 될까요?"
옆에서 들려온 물음에 테리오드는 까무룩 고개를 들었다. 그는 잠시 후에야 자신이 주방에 와 있었음을 깨달았다. 시종에게 부탁할 생각도 못 하고 직접 이곳까지 내려온 걸 보면 정신이 없긴 했던 모양이었다. 주변에선 하녀 아이 몇이 호기심 어린 눈으로 그를 쳐다보고 있었다.
테리오드는 눈앞에 내밀어진 쟁반을 빤히 응시했다. 아스티나를 위해 부탁한 따뜻한 물이었다. 그는 그대로 내어 가라며 고개를 끄덕이려다가, 곧 그의 부인이 남에게 내보일 만한 상태가 아니라는 데 생각이 미쳤다. 테리오드는 쟁반을 받아 들었다.
"내가 직접 들고 가지."
하녀는 황송한 표정을 지었지만 만류하지 않고 뒤로 물러섰다. 허드렛일까지 자청하는 모습이 대공비를 향한 애정 때문이라고 해석한 모양이었다. 실제로 그는 부인을 대할 때 항상 사랑에 빠진 얼간이처럼 굴어 왔다.
테리오드는 천천히 계단을 올라 침실로 향했다. 문을 두드렸지만 들어오라는 답은 들려오지 않았다. 아직 깨어나지 못한 걸까.
아스티나가 알 수 없는 이야기를 하며 오열을 쏟아 냈을 때, 테리오드는 그녀의 청대로 잠시 자리를 비워 주었다. 그러나 한참을 기다려도 서재에선 아무 소리가 나지 않았다. 염려스러운 마음에 돌아가 확인해 보자 그녀는 죽은 듯이 혼절해 있었다. 축 늘어진 그녀의 몸은 꼭 시체 같았다. 간헐적인 숨소리가 들려오는 것으로 살아 있음을 알았다. 테리오드는 직접 아스티나를 들어 침실까지 옮겼다. 사용인들에게 알릴 정신도 들지 않았다. 그조차도 이해하지 못했는데 이 상황을 타인에게 무어라 설명할 수 있겠는가.

테리오드는 조심스럽게 문을 열고 안으로 들어갔다. 아스티나는 의외로 침대 머리에 허리를 대고 앉아 있었다. 다만 낯빛은 확연히 초췌했다. 테리오드는 그녀가 그렇게 나약해진 모습을 처음 보았다.

문가에서 들려온 인기척에 아스티나가 테리오드를 돌아보았다. 그녀의 얼굴에 스치듯 형용할 수 없는 표정이 떠올랐다. 그러나 그녀는 이내 스스로를 잘 갈무리해 냈다. 아스티나가 사과했다.

"제가 추한 꼴을 보였습니다."

아까와는 확연히 다른 이성적인 반응에 이질감이 들었다. 테리오드는 침대 옆 협탁 위에 쟁반을 내려놓았다. 아스티나는 이 와중에도 따듯한 물 따위나 챙기는 것이 참으로 테리오드답다고 생각했다.

"아까 있었던 일에 대한 설명이…… 듣고 싶습니다."

아스티나는 곧바로 대답하지 못했다. 그녀도 자신이 말도 안 되는 이야기를 늘어놓았다는 사실을 알았다. 애초에 그가 믿어 주길 바라지 않았으므로 차라리 이대로 묻고 넘어가고 싶은 심정이었다.

"광인의 발광으로 치부하고 잊으십시오. 저는 미친 지 오래랍니다."

아스티나가 덤덤하게 대답했다. 그러고는 이어 자조적인 목소리를 자아냈다.

“초대 황제의 환생이라는 그 어이없는 말을 믿으실 생각이십니까?”

“그렇다면 대공가에 내려오는 저주야말로 못 믿을 종류의 것이 아닙니까.”

현실감이 없다며 외면하기엔 그들은 참으로 비현실적인 상황에 당면해 있었다. 다시 태어난 그녀가 그러하고, 테오도르와 닮은 테리오드가 그러하고, 그에게 새겨진 같은 저주가 그러하다.

아스티나가 결국 마른 입술을 달싹였다.

“아탈렌타 대공.”

“…….”

“내가 내린 작위지, 내가 하사한 재물이고, 그대는 나에게 충성을 맹세했던 자의 후손이야.”

지금 이 장소와는 어울리지 않는, 참으로 동떨어진 말과 음성이었다. 백 년이라는 시간을 넘어 이곳에 다다른 시황제의 전언이다. 테리오드는 그것이 몹시 말도 안 된다고 생각하면서도, 한편으로는 꽤나 설득력 있게 느껴졌다. 그녀에겐 일반적인 열아홉 살의 순박함보다는 한 번의 삶을 거친 연로함이 더 어울렸다. 아스티나가 해낸 일들은 차마 그 나이에 이뤘다고는 믿기 힘든 것들이었다. 테리오드는 언제나 그녀의 눈빛과 말, 행동에서 겹겹이 쌓인 세월을 읽어 왔다. 차라리 내내 이해하지 못했던 그녀의 노련함에 대한 해답을 얻은 기분이었다.

아까 그녀가 불렀던 이름은 분명 테오도르였다. 그리고 테리오드는 그녀에게 오래도록 잊지 못했던 연인이 있음을 이미 알고 있었다. 이제야 아귀가 맞아떨어졌다. 테리오드의 손에 힘이 들어갔다.

"본래는, 테오도르 왕을 단순한 배신자로 알고 있었습니다."

저주를 푸는 해답은 레타의 사랑이었고, 아스티나는 테오도르가 죽지 않을 수 있었다고 말했다. 그녀가 왕의 죽음을 이리도 고통스러워하는 걸 보아 둘이 역사서에 내려오는 것처럼 배신으로 점철된 관계였을 것 같진 않았다. 둘만이 아는 사연이라도 있었던 걸까.

"그는……."

아스티나는 잠시 고통스러워하며 말을 잇지 못했다. 그녀가 이내 힘겹게 말을 맺었다.

"훌륭한 왕이었다."

아스티나 역시 테오도르에게 최선이 달리 존재하지 않았음을 알고 있었다. 결과적으로 그녀는 테오도르의 바람대로 나라를 안정시켰고, 심지어는 전쟁을 벌이며 국세를 일으키기까지 했다. 후대의 사람들이 테오도르의 본 의도를 알았다면 그의 희생을 길이 칭송했을 것이다.

그러나 그의 선택은 단 하나, 마티나의 삶만은 구원하지 못했다.

"왈도의 저주가 자신에게도 전해진 것을 알자마자 그가 가장 먼저 염려한 것이 바로 백성이었다. 그는 믿음직한 신하였던 나에게 무사히 왕관을 넘겨주고 싶어 했어."

아스티나가 말을 맺고는 피식 웃었다. 우스움보다는 그녀를 몰아간 것들에 대한 증오를 드러내듯이.

"하지만 왕국법으로는 여자가 섭정 이상의 지위를 갖는 것이 불가능했지. 무엇보다 나는 불임이었고. 그렇게 계획된 반란이었다."

"그는 역사서에 남은 것처럼 비열한 배신자는 아니었군요."

"나에겐 그러했지."

테리오드는 그녀가 왜 그를 배신자라고 칭하는지 이해했다. 사랑하는 연인을, 다름 아닌 그의 요청에 의해 직접 베게 된 것이다. 그녀가 가진 배신감은 충분히 이해할 수 있는 종류의 것이었다. 테리오드에게 아스티나는 언제나 알 수 없는 신비감을 주는 사람이었지만, 이번만은 그녀가 무슨 생각을 하고 있는지 선명히 읽어 낼 수 있었다. 그는 그녀의 가슴속에 깊숙이 박혀 지워지지 않을 사람을 보았다.

테리오드는 그녀에게 묻고 싶은 것이 많았다. 그렇지만 가장 먼저 나온 말은 이것이었다.

"그대를 사사롭게 만들었던 사람이 그입니까?"

아스티나의 입은 열리지 않았다. 처음 대공령에 왔을 적 그녀는 테리오드에게 무참하도록 무심했다. 테리오드는 오래도록 그녀의 곁을 맴돈 후에야 선 안으로 들어갈 수 있었다.

하지만 진실로 그러했을까?

아스티나가 자신을 받아 주었다고 생각했지만, 사실은 여전히 턱없이 먼 자리에만 머물러 있었던 것은 아닌가?

테리오드는 언제 그녀가 마음을 열었었는지를 곰곰이 되짚었다. 그리고 잔인하게도 깨달았다. 테리오드는 아스티나에게서 그와 같은 열정을 발견한 적이 단 한 번도 없었다.

테리오드가 다시금 물었다.

"그를 사랑했습니까?"

"그래."

아스티나가 목이 졸린 듯한 음성으로 말했다. 더는 숨길 것도 없는 이야기였다.

"사랑하는 사람을 직접 찌른 고통이 어떤 것인지 아는가?"

테리오드는 처음 그녀를 만났을 때를 기억했다. 사람이 되고 난 직후 그는 아스티나에게 목이 졸렸었다. 그녀는 배신감에 젖은 채 테리오드를 향해 온갖 증오를 쏟아 냈다. 분명 그때 테리오드는 그녀가 부르는 '테오'라는 이름을 들었다. 당시엔 착각이라 여겼지만 맥락을 알고 나자 부정할 수 없었다. 그 눈빛은 조금 전 테리오드를 테오도르라 부르며 사죄했을 때와 같았다.

'테오도르, 테오, 나의 테오.'

'이미 죽은 사람이니까요.'

'과거로 돌아간다면, 그런 사람은 사랑하지 않을 거예요.'

테리오드는 이를 악물었다.

"그럼 마지막으로 이것 하나만 묻겠습니다."

아무렇지 않은 척 묻고 싶었지만, 그는 끝내 얼간이처럼 목소리를 더듬거리고야 말았다.

"내가, 내가……. 그와 닮았습니까?"

아스티나는 이 말이 테리오드에게 상처가 되리란 것을 알았다. 하지만 숨길 수 없는 일이라는 사실 역시도 알고 있었다. 그녀는 이미 충분한 의심의 여지를 주었다. 테오도르의 초상은 대공인 그가 보고자 하면 충분히 구할 수 있을 것이다. 뻔히 들킬 거짓말을 하고 싶진 않았다.

아니, 어쩌면 너무 고통스러운 나머지 타인에게도 불행을 전가하고 싶었는지도 모른다.

"그래."

테리오드는 순간 저를 둘러싼 공기가 사라졌다고 느꼈다. 더는 호흡할 수 없다고, 제 폐부가 부풀어 오를 일은 다시 없으리라고 말이다. 그러나 절망스럽게도 시간을 되돌릴 수는 없었다. 이윽고 그가 겨우 대꾸했다.

"그렇…… 군요."

아스티나가 눈을 들어 테리오드의 창백한 얼굴을 응시했다. 테리오드는 그 시선에서 도망쳐 방을 나서고 싶었으나, 몸이 제 생각대로 움직여 주질 않았다. 처음 사람의 태를 쓰기라도 한 것처럼 몸짓이 엉성했다. 테리오드는 몇 번 주먹을 쥐었다 폈다. 그제야 조금 정신이 깨었다.

"일단…… 쉬세요."

배려하듯 말했으나 사실은 이 자리를 떠나고 싶어서였다. 테리오드는 도망치듯 방을 나왔다. 아스티나에게서 멀어지는 테리오드의 발걸음이 점차 빨라졌다. 어디로 가야 할지 알 수 없는데도 그러했다.

그는 복도의 끝에 다다라 겨우 걸음을 세웠다. 파리한 얼굴을 들어 유리창을 내다보았다. 해가 진 하늘은 어느새 짙은 검푸른 빛을 띠고 있었다. 밖과 안의 조도가 달랐던 탓에 유리는 바깥이 아닌, 테리오드의 얼굴을 비쳤다. 길고 짙게 새겨진 눈썹과 선명한 푸른빛 눈, 다소 위로 휘어진 입꼬리까지. 언제나 거울 속에서 보던 것과 같았다. 다만 그의 머리칼엔 어두운 밤의 색이 입혀져 있었다. 테리오드는 지금 이 순간만은 제 모습이 더없이 낯설게 느껴졌다.

'이렇게 보니 마치 테오도르 왕의 현신 같으십니다.'

"아……."

머리를 물들인 그에게 이상하게 다정했던 취한 밤, 그를 주군이라 부르던 그녀와 사랑한다는 고백. 이해할 수 없었던 일들이 퍼즐 조각처럼 맞물렸다. 왜 자신을 보던 그녀의 눈에 종종 기묘한 그리움이 서렸는지, 테리오드는 마침내 깨달았다.

소름이 끼쳤다. 테리오드는 그대로 마주 보고 있던 유리창을 깨버렸다.

19. 과거와 현재(I)

19. 과거와 현재(I)

랜스 남작은 아침 일찍부터 의외의 손님을 맞이했다.

새벽 내내 음주 가무를 즐기다 잠들었던 그로서는 참으로 달갑지 않은 소식이었다. 그러나 그 예의 없는 방문을 행한 인물이 엄청난 거물이었던 탓에, 랜스 남작은 다시 못 들은 척 잠들 수도 없었다. 그는 자꾸 감기는 눈에서 더듬더듬 눈곱을 떼어 내고는 옷을 주워 입었다. 응접실로 다다른 랜스 남작은 잠시 아연한 얼굴로 멈춰 섰다. 반신반의하며 도착한 응접실엔 시종의 말대로 아탈렌타 대공이 기다리고 있었다.

랜스 남작은 목을 가다듬은 뒤 대공의 앞에 나섰다. 허리를 깊이 숙인 저자세였다.

"안녕하십니까, 대공 전하. 아침부터 여기까진 어인 일로……."

인사를 건네면서도 랜스 남작의 머리는 팽팽히 돌아가고 있었다.

아무리 생각해 봐도 대공이 자신을 찾아올 만한 일은 존재하지 않았다. 대체 무슨 일로 이 시간에 사저까지 방문한 것일까. 랜스 남작은 대공과의 마지막 만남을 떠올렸다가, 이내 등허리에 식은땀이 차는 것을 느꼈다. 지난번 사교 모임에서 대공에게 말을 붙이려다가 실수를 저질렀던 게 떠오른 것이다. 대공에게 옛 악왕과 똑 닮았다며 나불거렸던 일을 그는 며칠이고 후회했었다.

아니나 다를까 대공은 긴 인사치레를 거치지 않고 곧장 이렇게 물어 왔다.

"지난번, 내게 누굴 닮았다고 말했었지."

언제나 유한 표정을 짓고 있던 대공의 얼굴이 이번만은 딱딱하기 그지없었다. 랜스 남작은 어깨를 움츠러뜨렸다.

"제가…… 그랬던가요?"

"테오도르 왕의 현신이라고 해도 믿을 것 같다고, 그리 말하지 않았나?"

랜스 남작의 모르쇠에 대공이 쐐기를 박았다. 랜스 남작은 눈을 감으며 속으로 신음을 흘렸다. 그는 침착함을 되찾으려 애썼다. 랜스 남작이 부러 아무렇지 않은 척 말을 돌렸다.

"그러고 보니 그랬던 것도 같군요. 하하, 워낙 시일이 좀 지난 일이라서요."

이미 한참 지난 일을 트집 잡아 무엇하겠냐는 뜻이다. 그러나 대공은 처음부터 랜스 남작을 질책할 의도가 없었다. 테리오드의 입가에 언뜻 쓴웃음이 걸렸다.

"그래, 나도 이제 와 그게 새삼 궁금해질 줄은 몰랐지."

테리오드가 그리 말하며 피곤하다는 듯 제 이마를 쓸었다. 그러고 보니 대공의 눈언저리가 붉었다. 잠이라도 설친 것일까? 대공에게 무슨 심경의 변화가 있었던 건지 랜스 남작으로서는 짐작할 수 없었다.

랜스 남작이 괜찮으시냐고 안위를 물으려 할 때였다. 테리오드가 날카로운 음성으로 물었다.

"그 초상은 어디서 보았지?"

"예?"

"살아 있는 자를 만난 것은 아닐 테니 남은 그림이 있을 것 아닌가."

랜스 남작은 잠시 후에야 테리오드의 말을 이해했다. 그가 황급히 고개를 끄덕였다.

"아, 제 친구가 가지고 있는 소장품입니다."

"내가 한번 확인할 수 있겠나?"

"부탁하면 보여 주기야 하겠지만…… 혹 급하십니까?"

"지금 보았으면 하는데."

청유형의 말이었지만 그 안엔 상대가 당연히 그렇게 해 주리란 확신이 담겨 있었다.

랜스 남작은 잠시 속으로 이 상황을 재어 보았다. 어쨌든 자신은 대공에게 실수를 한 입장이었고, 상대할 수 없는 규모의 가문과는 되도록 친목을 다지는 편이 나았다. 친구에게 강제로 이른 기상을 전도하고 들을 아우성쯤은, 얼마든지 대공과의 친분과 맞바꿀 수 있었다.

"원래라면 들어 드리기 힘든 부탁이지만……, 대공 전하께서 손수 부탁하시니 제가 거절하기도 민망하군요. 같이 이동하시죠."

그림은 소유한 이는 로겐 자작으로, 그의 저택은 이곳에서 그리 멀지 않았다. 눈치 없는 이른 방문에 한껏 불만을 쏟아 냈던 랜스 남작은 어느새 가해자의 입장이 되어 친구의 저택을 침략했다.

랜스 남작과 어젯밤 내내 술을 마셨던 당사자인 로겐 자작 역시 비슷하게 처참한 몰골로 응접실에 도착했다. 랜스 남작을 보자마자 얼굴이 붉으락푸르락해졌던 로겐 자작은, 곧 그 옆에 앉은 대공을 발견하고는 재빠르게 표정을 고쳤다. 그 투명한 태도 덕분에 테리오드는 심각했던 기분이 우스움으로 조금 흐려지는 것을 느꼈다.

"대공 전하를 뵙습니다."

재빠르게 납작 엎드린 로겐 자작이 이내 눈치를 보며 물었다.

"한데 두 분이 함께…… 여기까진 어쩐 일로 오신 겁니까?"

로겐 자작이 그리 말하며 눈으로 랜스 남작을 협박했다. 랜스 남작은 친우의 시선을 피해 테리오드에게로 발언을 떠넘겼다. 테리오드는 잠시간 대답하지 않고 소파 위를 불규칙적으로 두드렸다.

어젯밤 테리오드는 좀처럼 잠을 이루지 못했고, 끝내는 아내가 과거에 사랑했던 그 잘난 면상을 직접 확인하고 싶다는 데 생각이 미쳤다. 자신과 정말 닮았는지, 닮았다면 얼마나 비슷한지.

"테오도르 왕의 초상이 보고 싶어서 왔네."

"테오도르 왕의…… 초상이요?"

로겐 자작의 낯에 얼떨떨함이 비쳤다. 테오도르는 그다지 인기가 없는 왕이었다. 말년에 선보였던 폭정 탓에 제위 기간 동안의 업적이 가려진 감이 없지 않아 있었다. 그의 초상이 누구나 감탄할 만한 수준인 것과 별개로, 애초에 자주 거론되지 않는 이름이었다.

그러나 상대가 상대였던지라 로겐 자작은 테리오드의 방문 목적을 어렵지 않게 곧 이해했다. 로겐 자작도 테리오드를 처음 보았을 때 얼마나 신기해했던가. 테오도르 왕의 초상은 로겐 자작의 어머니가 애지중지하여 저택 한편에 숨겨 두고 감상했던 물건이었다. 로겐 자작 역시 어렸을 적부터 그 아름답고도 비열한 남자를 줄곧 지켜보며 자랐다.

덕분에 테리오드가 처음 사교계에 데뷔했을 적, 로겐 자작은 테오도르 왕이 살아 돌아온 건 아닌가 진지하게 의심했었다. 저렇게 잘난 얼굴이 흔할 리도 없는데 아예 똑 닮아 있기까지 하지 않은가. 로겐 자작은 이를 기이하게 여겨 친구인 랜스 남작에게도 테오도르 왕의 초상을 보여 준 적이 있었다. 아마 대공에게도 그렇게 이야기가 전해진 것이리라. 자신과 꼭 닮은 과거의 사람이라니 궁금증이 도질 만도 했다. 새벽에 든 충동은 오후로 넘겨 주는 편이 서로에게 이로웠을 듯싶긴 했지만.

로겐 자작은 곧 테리오드를 미술품을 보관해 둔 2층으로 안내했다. 습기와 햇빛이 닿아선 안 되는 오래된 그림들은 한 공간에 따로 소중히 보관해 두고 있었다. 해를 피하기 위해 방 안엔 커튼을 모두 쳐 둔 상태였다. 초에 불을 붙이지 않은 실내는 당연히도 몹시 어두웠다. 검디검은 방 안에서 테리오드는 약간의 초조함을 느꼈다.

로겐 자작은 하인에게 초를 가져오라 일러 하나씩 조명을 밝혔다. 테리오드가 보고 싶어 했던 물건은 방의 중앙에 걸려 있었다. 테리오드는 이동하는 내내, 아스티나가 사랑했던 과거의 남자를 보며 자신이 어떤 반응을 보일까 예상했었다. 생각과는 달리 그렇게 닮지 않은 외양에 안심할 것도 같았다. 아니면 화가 날 듯도 했다. 쓸데없는 걱정에 시간을 낭비했다며 호언할 수 있을 것도 같았다.

그러나 처음 액자를 눈에 담았을 때, 테리오드는 아무것도 할 수 없었다. 그는 그저 그림 속 푸른 눈동자와 눈을 맞춘 채 제자리에 섰다.

그였다. 닮았다고 말할 수준이 아니라 바로 그 본인이었다.

"신기한 우연이지요?"

랜스 남작이 재밌다는 듯 물어 왔지만 대답할 수가 없었다. 테리오드는 주먹을 움켜쥐었다.

정말 우연일까?

신의 장난이나 질 나쁜 골림, 혹은 세상이 그에게 퍼부은 저주의 연속은 아닌가?

"잠깐 자리를 비워 줄 수 있겠나?"

테리오드가 잠긴 음성으로 물었다. 대공의 표정이 완전히 굳은 것을 발견하고 눈치를 보던 두 친구는 재빨리 방 밖으로 나갔다. 문이 닫히는 소리와 함께 테리오드는 혼자가 되었다.

테리오드는 조용히 걸음을 디뎌 그림 앞으로 다가가 섰다. 명치 언저리까지 담은 초상은 실제 사람과 비슷한 크기였다. 묘사 역시도 사실적이기 그지없었다. 테리오드는 마치 거울을 마주하고 있는 듯한 느낌을 받았다. 테리오드는 멍하니 손을 뻗어 그림 위에 얹었다. 유독 시린 빛의 푸른 눈동자를 엄지 두덩으로 쓸었다.

"테오도르……."

얼굴뿐만이 아니라 이름까지도 그와 비슷했다. 테리오드는 아스티나와 처음 만났을 때를 떠올렸다. 그때 그녀는 잠이 덜 깼거나 술기운에 실수를 저지른 게 아니었다. 정말로 테리오드가 테오도르라고 생각했던 거다.

그러나 자신에게서 타인을 보았다는 이유로 그녀를 원망할 수도 없었다. 같은 상황이었다면 그조차도 착각하지 않을 재간이 없었기 때문이다. 가슴 한구석이 뭉친 듯이 깊이 저려 왔다. 이 답답한 심정을 어디로 돌려야 할지도 알 수 없었다.

탓하려면 누구를 탓해야 한단 말인가? 더없이 왕다웠기에 연인을 버리고 나라의 안정을 찾은 테오도르? 아니면 배신당한 기억에 다시 태어난 지금까지도 괴로워하고 있는 아스티나? 혹은 멍청하게도 그런 여자를 사랑해 버린 본인?

테리오드는 곧 가장 쉽게 원망할 상대를 찾아냈다.

"내가 당신이라면 그런 짓은 하지 않았어."

그녀에게 잔인한 명령을 내리고 도망치듯 죽어 버린 비열한 남자다. 테리오드는 이를 악물었다. 그가 되새기듯이 재차 중얼거렸다.

"그게 나와 당신의 다른 점이야."

백 년도 더 전의 일이다. 그녀가 사랑했던 남자는 다시는 돌아오지 못할 것이다. 어찌 되었든 아스티나는 마티나와는 다른 생을 얻었으며, 지금 테리오드의 곁에 있었다. 테리오드는 가슴속의 울렁임을 애써 지워 냈다. 아스티나는 그에게 기다릴 수 있겠느냐고 물었다. 그리고 그는 자신 있게 이렇게 대답했다.

'십 년이 가도 백 년이 가도 천 년이 가도, 예. 그대를 아프게 했던 사람이 누구든 제가 잊게 해 드리지요.'

그래서 그녀는 그를 믿어 보기로 했으리라. 그녀조차 이겨 내지 못한, 도려내고 싶은 과거를 잊게 해 주겠다는 그의 오만한 호언을 믿고서. 테리오드는 새 삶을 살기로 결심한 아스티나를 저버리고 싶지 않았다. 그는 아스티나가 그를 위해 충분히 노력하고 있다는 사실을 알았다. 저는 그저 버팀목처럼 계속 그녀의 옆에 있으면 되는 것이다.

테리오드는 몸을 돌려 문밖으로 나왔다. 대공을 발견하고 반색하던 로겐 자작이 그의 표정을 보고는 멈칫했다. 테리오드가 말했다.

"저 그림을 내게 팔아. 값은 잘 쳐주지."

자신과 소름 끼치도록 똑 닮은 저 얼굴을 이곳에 두고 싶지 않았다. 아무도 발견하지 못할 곳에 처박아, 어쩌면 테리오드 자신도 방금 보았던 광경을 잊고 싶었다.

갑작스러운 요구에 로겐 자작이 식은땀을 흘리며 만류했다.

"저, 대공 전하. 이건 팔 물건이 아니……."

"당초 구했던 가격의 10배를 주겠어."

로겐 자작의 눈이 휘둥그레졌다. 그의 입이 다물렸다. 대답을 기다리던 테리오드가 재차 질문했다.

"싫은가? 그럼 스무 배는?"

로겐 자작이 퍼뜩 정신을 차리고는 고개를 조아렸다.

"파, 팔겠습니다."

"되도록 눈에 띄지 않게 대공저로 보내 주게. 그리고 오늘은 아무 일도 없었던 걸로 하는 게 좋겠어. 내 말 이해했나?"

"물론입니다."

두 번째 대답은 보다 선선했다. 테리오드는 속으로 재차 스스로에게 되새기듯 말했다. 그들에겐 아무 일도 없었다.

✣ ✣ ✣

해는 어김없이 밝았고 하늘은 언제나처럼 맑았다. 아스티나는 창가맡의 의자에 앉아 가만히 몸을 늘어뜨렸다. 새벽 내내 같은 자세로 있었던 탓에 허리가 뻐근했지만 일어서야겠다는 생각은 들지 않았다. 차라리 이대로 영원히 눈을 뜨지 않는 편이 더 나을 듯싶기도 하다. 혼절할 때까지 한바탕 쏟아 내고 나서는 눈물도 흐르지 않았다.

이제야 테오도르를 잊을 수 있겠다고 생각했었다. 테리오드와 함께라면 과거의 괴로움에서 마침내 벗어날 수 있으리라고.

그러나 이젠 아무것도 의미가 없게 느껴졌다. 차라리 무지한 편이 나았을 것을, 신은 왜 이런 잔인한 사실을 알게 하여 그녀를 다시 괴롭게 하는 걸까. 깊이 뿌리내린 절망감이 도통 달아나지 않았다. 아스티나가 헛웃음 치듯 중얼거렸다.

"레타의 저주라."

그것이 진실로 저주라면, 원수의 핏줄을 사랑한 배신자에게도 작용할 법했다. 어쩌면 그건 블란체를 사랑하여 얼마나 행복하겠냐는 시험이었을까. 그들은 코앞에 해답을 두고도 찾지 못한 눈먼 장님이었다. 그 무지의 대가로 테오도르는 목숨을 내놓았다. 도무지 수지가 맞지 않는 일이다.

테오도르는 평범한 사람이었다. 다수를 위해 희생하겠다는 대의를 품었어도, 죽음에 대한 두려움은 누구나와 같았다. 칼을 마주한 그의 몸이 미세하게 떨리는 것을 마티나는 보았다. 그를 죽인 당사자인 그녀만은 보았다.

[사실, 나는 죽는 게 너무 두려워.]

죽지 않을 수도 있었다. 그가 살아 제 곁에 남을 수 있었다. 그 열쇠를 쥐고 있었던 건 그녀인데 아무것도 하지 못했다. 잊었다고 생각했던 기억들이 하나둘 머릿속을 잠식했다. 테오도르와 자신에게도 보통의 연인 같은 시간들이 있었다.

한 날은 꽃다발을 안겨 주기에 시큰둥한 반응을 보였었다. 지금이라면 무엇을 선물하든 무엇이든 고맙게 받아들일 텐데, 그때는 그런 사치를 부릴 줄도 알았다. 꽃을 좋아하지 않는다고 하자 그는 손에 든 다발보다 흐드러지게 웃었다.

[나는 내가 좋아하는 사람한테 아름다운 걸 주고 싶거든.]

우스운 욕심이었다. 그는 정작 마티나에게 가장 갖고 싶었던 건 주지 않았다. 오직 그와 함께하기만을 바랐는데 그는 제멋대로 죽음을 택했다. 그의 미소 띤 얼굴이 흐려지며 이어 손에 끈적임이 감돈다. 살갗을 적신 핏방울이나, 그의 심장을 갈랐던 감각 같은 것.

아스티나는 몸을 웅크리고 양팔을 감싸 안았다. 무의식적으로 침대맡에 두었던 검에 시선이 갔다. 문득 손에 힘이 들어갔다.

심장을 찌르면, 이보다 고통스러울까?

때마침 뒤편에서 문이 열리는 소리가 들려왔다. 침실에 허락 없이 드나들 수 있는 인물은 대공 부부뿐이었다. 아스티나는 뒤를 돌아보지 않고도 불청객의 정체를 짐작할 수 있었다. 아니나 다를까 테리오드가 아스티나의 옆으로 다가와 나란히 앉았다. 그는 어젯밤과 오늘 아침 내내 어디 있었던 걸까. 이제야 당연한 의문이 찾아들었다. 그러나 아스티나는 그에게 질문하지 않았다.

궁금하지 않았으니까.

"식사를 들이지 않으셨다고 하던데요."

"……."

"잠은 좀 주무셨습니까?"

아스티나와 다르게 테리오드는 그녀에게 이런저런 물음을 던져왔다. 언제나처럼 다정함이 담겨 있는 목소리였다. 아스티나는 침묵을 고수했다. 그의 얼굴을 보고 싶지 않았다. 어째서 테오도르에겐 그와 같은 행운이 없었냐는, 말도 안 되는 원망을 테리오드에게 전가하고 싶지 않았으니까.

아스티나도 알았다. 테리오드의 앞에서 테오도르를 생각해서는 안 된다는 사실을. 그러나 지금은 그런 당연한 예의를 지킬 힘조차 없었다. 아스티나가 눈가를 감싼 채 힘없이 말했다.

"혼자 있고 싶습니다."

"얼마나요?"

"……."

"일주일이면 될까요, 아니면 한 달이면 되겠습니까. 일 년, 혹은 십 년이 지나면 그를 잊으실 수 있겠습니까?"

테리오드의 목소리엔 자조가 섞여 있었다. 아스티나는 대답하지 않았다. 테리오드의 말대로 하루 이틀 자리를 비워 준다고 정리할 수 있는 마음이 아니다. 그녀는 지난 생 동안 평생토록 그 사실을 절감했다.

아스티나는 그를 내보내기를 포기했다. 그녀가 뇌까리듯 말했다.

"받아들이는 게 빠르시군요. 전 제가 그냥 미친 사람 같은데요."

"이상한 건 오히려 부인의 나이 쪽이었습니다. 부인 같은 열아홉은 어디에도 없을 겁니다."

아스티나는 테리오드에게 마냥 손윗사람 같은 이였다. 그냥 전생도 아니고 제국의 시조였다니 제 감이 틀리진 않았다 싶다. 테리오드가 힘없이 웃으며 덧붙였다.

"말을 높이시니 오히려 조금 어색하게 느껴지는군요."

"……지난밤엔 제가 경황이 없었습니다."

"편하신 대로 말씀하셔도 됩니다."

"대공, 마티나는 백 년 전에 죽었고 저는 레테 백작가의 일개 손입니다. 다 지나간 일에 무슨 의미가 있겠습니까?"

아스티나가 스스로에게 주지하듯 말했다. 옛일에 아직까지 고통스러워하는 그녀가 꺼내기엔 우스운 말이다. 테리오드 역시 같은 생각을 했을까. 그가 갈라진 음성으로 대꾸했다.

"오히려 과거라 더 잔인하지 않습니까. 죽은 사람의 멱살을 붙들 수도 없고, 이미 지난 일을 원망할 수도 없으니."

무려 그녀에게 왕위를 주고, 업적을 닦을 기반이 되어 준 사내다. 그 대단한 사연을 알고 나자 감히 우위를 겨룰 생각도 들지 않았다. 벗어날 수 없는 짙은 패배감이 가슴 깊숙한 곳에 어렸다.

기실 이 상황이 믿겨지지 않는 건 테리오드도 마찬가지였다. 그가 확인한 과거의 얼굴엔 현실감이 없었다. 누군가 저를 질 나쁜 장난으로 골리는 건 아닌가 싶을 정도다. 테리오드는 자신이 본 것을 잊을 수조차 없었다. 굳이 다시 그림을 찾을 필요도 없이, 그 생김새는 거울만 마주해도 바로 되새길 수 있었으니까.

테리오드는 아스티나와 시선의 방향을 나란히 했다. 그가 조용히 말했다.

"그러고 보니 별장에서도 이렇게 같이 창밖을 내다봤었지요."

대공 부부의 침실은 가장 조경이 좋은 방향을 향해 창을 내어 놓은 공간이었고, 정돈된 꽃 무리와 수풀은 비현실적으로 아름다웠다. 하늘은 언제나의 그 자리에 있고 그들 역시 같은 것을 보고 있을진대 상황은 이전과 너무도 달랐다. 감정은 거세된, 다짐뿐인 고백이었으되 그녀에게 사랑한다는 말을 들었을 땐 세상 모든 걸 다 가진 것처럼 충족된 마음이었다. 그녀가 메마른 이유를 알게 되기 전까진 분명 그러했다.

그녀가 비어 있는 이유는 간단했다. 그녀는 이미 누군가에게 어리석도록 맹목적인 사랑을 내어 준 적이 있었다.

"테오도르 왕과는 연인 사이였다고요."

"……그랬지요."

테리오드에게 테오도르에 관한 이야기를 하고 싶진 않았으나, 아스티나는 이내 고개를 끄덕였다. 이미 자라난 의문이다. 테리오드가 모르길 바랐다면 애초에 아무 말도 하지 말았어야 했다.

"저와 그에게 내려진 저주가 같다면, 어째서 그의 대에선 해결하지 못한 겁니까?"

"제가 일을 처리하러 영지로 내려갔을 당시 증상이 나타났습니다. 수도에 다다랐을 땐 이미 그의 상태가 좋지 않았어요."

테오도르는 자신을 죽여 달라고 말했고 마티나는 그런 그를 용서하지 못했다. 마지막 그가 입을 맞추려 했을 때 받아들였다면, 지금과는 조금 다른 결과를 얻었을까. 그 수많은 만약이라는 가정이 아스티나의 가슴을 난도질했다.

"……우리는 저주의 내용조차 몰랐습니다. 그가 나아질 방법이 있다는 사실마저도."

아스티나의 말엔 힘이 없었다. 그저 담담한 듯도 하고, 희망을 잃어버린 사람 같기도 한 목소리였다. 테리오드는 그녀가 지금 어떤 심정일지 상상해 보았다. 그러나 그녀가 겪은 일은 평범한 사람은 짐작조차 할 수 없는 종류의 것이었다. 사랑하는 사람을 잃은 것만도 고통스러울진대 그 목숨을 앗은 것이 바로 그녀 본인이다. 의도하든 의도하지 않았든 테오도르는 그렇게 그녀에게 흉터처럼 새겨졌다.

테리오드는 어쩌면 그들이 차라리 저주의 근원을 평생 모르는 편이 나았으리라고 생각했다. 한 치 앞만 더듬으며 겨우 나아갔으되 그들은 이 길이 행복까지 이어져 있다고 믿었다. 그리고 안개가 걷히고 나서야 잔인하게 깨달았다. 그들이 얼마나 모래성 같은 안정에 머무르고 있었는지를.

테리오드가 가만히 입을 열었다.

"답을 알지 못했을 적 그런 생각을 했었습니다. 많고 많은 것 중, 왜 하필 입맞춤이 저주를 풀었을까."

아스티나는 대답하지 않았다. 그것은 그녀도 알 수 없는 사실이었으니까. 그녀는 키스의 의미에 대해 깊이 생각해 본 적이 없었다.

"'레타의 사랑'이라니. 그런 주관적인 명제가 또 어디 있답니까."

테리오드가 피식 웃더니 이어 자문했다.

"옛 동화에서처럼, 정말 진정한 사랑이라도 요구하는 걸까요?"

아스티나는 그것이 맞는 답이 아니라고 생각했다. 처음 저주가 풀렸을 적 아스티나가 입을 맞췄던 상대는 동물이었다. 이후로도 저주를 풀기 위해 하는 키스에 크게 의미를 담아 본 적은 없다. 감정이 담기지 않은 행위만으로도 테리오드는 사람의 모습을 되찾았다. 그 해결법에 형식 외의 의미는 없었을 것이다. 테오도르의 죽음이 이를 증명한다. 그 어리숙한 저주는 왈도의 목숨을 보전해 주고 대신 테오도르를 앗아 갔으니까.

아스티나가 단호하게 부정했다.

"하지만 이건 동화가 아니니까요."

아스티나를 빤히 응시하던 테리오드가 곧 왼편으로 시선을 돌렸다. 그의 입술에 의미 없는 미소가 걸렸다.

"그러게요, 그것참…… 미련한 일입니다."

"대공비, 대공과 함께 별장으로 휴가를 떠났었다면서. 오랜만의 휴식은 즐거웠나?"

오랜만에 청한 만남에 이시스는 반가운 기색을 보였다. 밝은 표정의 황녀를 마주했을 때 아스티나는 다소 생경한 느낌을 받았다. 내내 꿈속에 잠겨 있다가 현실로 끌어 올려지기라도 한 것처럼. 황녀에게 황위를 주기 위해 힘을 빌려주었던 일이 어쩐지 까마득하게 느껴졌다. 요 근래 지나치게 과거의 일들에 파묻혀 있었기 때문인지도 모른다.

대공저에서 머무는 내내 아스티나는 필연적으로 테리오드를 계속해서 만나야 했고, 그는 결코 아스티나가 과거에서 벗어나도록 도와줄 수는 없는 사람이었다. '새로운 황제가 될 사람'이라는 직책은 아스티나에게 자신이 다른 시대에 있다는 사실을 새롭게 상기시켰다. 생경한 기분에 아스티나는 황녀에게 적절한 예를 취하는 것까지 잊고 말았다.

정작 이시스는 아무래도 상관없다는 듯 부산스럽게 아스티나를 안으로 맞아들였다. 아스티나는 그제야 이시스에게 적당한 인사말을 건넨 후 그녀의 건너편으로 가 앉았다.

"전하께서도 그간 잘 지내셨습니까?"

"나야 언제나와 똑같지. 마침 신년제에 관하여 이야기를 나눌 일이 있었는데 잘 찾아왔군."

용건이 있었던 것은 아스티나뿐만이 아니었던 모양이다. 그러나 아스티나는 중요한 일을 논의할 정신이 없는 상황이었다. 무엇보다 아스티나가 찾아온 이유는 따로 있다.

"전하, 황공하지만 저는 오늘 다른 청이 있어 찾아뵈었습니다. 말씀하신 이야기는 후에 나누어도 될까요?"

거절당하리라곤 생각지도 못했던 이시스가 눈썹을 들어 올렸다. 기분이 상했다기보다는, 대공비에게 생겼다는 다른 용건이 몹시 궁금했던 탓이다.

"무슨 일인데 그러나?"

"……데니스 사제를 만나 보고 싶습니다."

대공비가 언급한 의외의 이름에 이시스의 눈이 잠시 커졌다. 데니스는 공식적으로 실종 처리된 상태였지만, 그의 행방은 여전히 이시스의 수중에 있었다. 이시스는 아스티나의 의도가 도무지 짐작이 가지 않는다는 듯 되물었다.

"……그치는 갑자기 왜?"

"이전에 그자의 행적에서 수상한 점을 발견하지 않았었습니까. 의문이 있어 직접 경위를 묻고자 합니다."

"갑작스러운 요청이군."

"제겐 아주 중요한 문제입니다."

혹 저주에 관한 다른 단서가 있을지도 모른다고 생각하여 왈도의 일기를 다시 읽어 보았지만, 예언의 내용을 제외하고 더 알아낸 것은 없었다. 굴레 같은 저주였다. 아스티나는 같은 그림자가 제 두 번째 삶까지 뒤덮을 줄은 정녕 몰랐다. 아스티나는 그녀를 진창에 처박은 이 저주로부터 그만 벗어나고 싶었고, 어쩌면 필사적으로 몰두할 것이 필요했다. 포기하지 않고 스스로를 붙들기 위해서라도.

아스티나는 닥치는 대로 레타에 관해 수소문을 시작했다. 그러나 백 년 전 왕가에서 벌였을 때도 진척이 없었던 수사다. 새삼 무언가가 발견되리란 기대는 없었고, 결과 역시 예상과 같았다.

오리무중으로 빠져든 와중 아스티나는 문득 데니스라는 인물을 떠올렸다. 데니스는 옛 설화를 말하고, 마티나를 악마의 딸이라고 표현하는 등 어느 정도 아레타인들에 대해 지식이 있어 보였다. 다소 의문스럽긴 하나 데니스에겐 조작 없이 범죄자들을 구별해 냈던 수상한 경력도 있었다. 그가 정말 신묘한 힘을 가진 이라면 해답을 구할 수 있을지도 모른다. 적어도 확인을 시도할 만한 가치는 있었다.

"내가 막을 이유는 없지. 사람을 붙여 줄 테니 가 보게."

이시스의 허락은 선선했다. 가타부타 돌아오는 질문이 없다는 점은 조금 의외였다.

"지금 바로 말씀이십니까?"

"그래. 말했다시피 신년제가 가깝지 않나. 그리고 난 소란은 딱 질색이거든."

이시스가 눈을 접어 웃으며 말을 이었다.

"그대가 사제에게 얻을 게 있다면, 서두르는 편이 좋을 거야."

이시스는 이미 데니스를 처분하기로 결정한 모양이었다. 하기야 프리모에 관한 정보는 다 빼내고도 남았을 시점이다. 이시스가 이미 데니스에게 살수를 보내 둔 거라면, 그리고 그의 출발이 아스티나보다 빨랐다면 간발의 차로 놓치게 될지도 모른다. 아스티나의 미간이 좁혀졌다.

"어디로 가면 됩니까? 혹 먼 지방이라면……."

아스티나의 물음에 이시스가 가만히 고개를 내저었다.

"원래 등잔 밑이 어두운 법이지."

이시스가 그리 말하며 손을 들어 올렸다. 뒤편에 서 있던 시녀 하나가 조용히 걸어 나왔다.

"벨라, 대공비를 안내해 주어."

"예, 대공비 전하. 이쪽으로 오시지요."

시녀는 아스티나보다 앞서 이시스의 방을 나섰다. 아스티나는 시녀를 잠자코 뒤따랐다. 다른 인물이 아닌 황궁 시녀를 붙여 주었다면 목적지는 뻔하다. 황궁 내인 것이다. 이시스의 궁을 나와, 시녀가 향하는 방향이 명확해질 때 즈음 아스티나는 감탄하지 않을 수 없었다. 등잔 밑이 어둡다던 이시스의 말을 이해할 것도 같았다. 시녀가 안내한 곳은 다름 아닌 프리모의 거처였다.

황자가 머물렀던 궁은 수사를 이유로 폐쇄된 상태였다. 누이를 암살하려 패악을 부린 일에 동조자가 없었을 리 없다. 수족들도 함께 쓸려 나가 텅 비어 버린 궁은 대낮인데도 마냥 을씨년스러웠다.

"이쪽입니다."

시녀가 안내한 곳은 지하조차 아니었다. 안쪽 깊숙한 곳으로 들어가, 사용인들이 머물렀을 게 분명한 협소한 공간에 도착하자 걸음이 멈췄다.

시녀는 품 안에서 열쇠를 꺼내 자물쇠를 열었다. 방 안으로 들어가자마자 악취가 코를 찔렀다. 창이 없는 방 안엔 웬 부랑자가 하나가 쓰러져 누워 있었다. 손목과 발목, 목까지 모두 매어져 있어 도망은 불가능해 보였다. 건장한 장정이라도 벗어 내지 못할 구속구다. 왜 경비가 없나 하였더니. 데니스에겐 애초에 탈옥을 시도할 만한 힘도 남아 있지 않은 상태였다.

아스티나가 설핏 미간을 찌푸렸다.

"꼴이 말이 아니군."

"아마 식사를 내어 준 횟수가 한 손에 꼽힐 겁니다."

이시스가 굳이 살수를 보내지 않아도 데니스는 머지않아 알아서 절명할 것 같았다. 시녀는 들고 왔던 물통의 뚜껑을 열고는 데니스의 얼굴에 뿌렸다. 물을 맞고서야 정신을 차렸는지 흐린 눈이 희미하게 뜨였다. 정신이 깨자마자 그는 허겁지겁 입가로 떨어지는 물방울을 핥았다. 보기에 썩 유쾌한 광경은 아니었다.

시녀는 바깥에서 의자를 끌어와 아스티나에게 내주었다. 구속구의 길이상 데니스가 닿지는 못할 거리였다.

"밖에서 대기하고 있을 테니 말씀 나누십시오."

문이 닫혔다. 아스티나는 시녀가 놓아 준 의자를 데니스 바로 앞으로 끌어왔다. 시녀로선 데니스의 위협이 있을까 걱정했던 듯했지만, 아스티나는 멀쩡한 상태의 그라도 제압할 자신이 있었다. 아스티나는 자리에 앉으며 오른발을 뻗어 그의 손등을 눌렀다. 정신을 차린 데니스의 눈에 괴로움과, 이어 증오가 담겼다.

"이런 무참한 짓을 저지르고도 신께서……."

"이런 곳에서도 신을 말하다니, 그대의 신앙이 생각했던 것보단 대단한 듯싶군."

"하늘이 용서치 않을 거다."

"신께서 주신 벌이 괴롭나?"

아스티나가 그의 손등을 짓이기며 물었다. 데니스는 얼굴을 구기며 아스티나의 발을 밀어내려 했다. 그가 갈라진 음성으로 말했다.

"죽일 거면 빨리 죽여라."

"죽음이 기꺼운가 보지? 하기야 살아 쓸 만한 인생은 아니었던 듯싶긴 하다만."

"이 비겁한 마녀가……."

"어디 한번 그 마녀에게 삶을 구걸해 볼 텐가?"

아스티나가 덤덤한 눈으로 데니스를 내려다보았다. 데니스의 눈에 당황이 담겼다. 그녀의 말이 조롱이 아닌 다른 의도로 읽혔기 때문이다. 정말 기회를 줄 생각이 있다는 것마냥.

아스티나가 손등에 턱을 괴며 말했다.

"한 가지 풀리지 않는 의문이 있더군."

"……."

"그대가 만들어 낸 업적의 대부분은 조작이었지. 하지만 개중 신묘하게도 어떤 흔적도 발견되지 못한 것도 있더군."

데니스가 휘청이며 몸을 일으켜 세웠다. 그러나 아스티나에게 달려들거나, 그녀를 위협하려 하는 일은 없었다. 데니스가 주먹을 쥐며 물었다.

"무슨 목적이지?"

"레타 집시들의 힘에 대해 좀 아는 게 있나?"

데니스의 눈이 순간 가늘어졌다. 아스티나로서도 의외의 반응이었다. 그녀가 조금은 감탄하듯 중얼거렸다.

"있어 보이는군."

"모를 리가 있나."

데니스가 킬킬거리며 자조했다.

"그래, 그러고 보니 대공이 저주를 받아 짐승이 되었다는 소문이 있었지. 왜 찾아왔나 했더니 그게 문제였군."

수도의 인물 중 짐승의 탈을 쓴 대공을 본 자들은 없었다. 대공이 다시 사교계에 등장하며 이전의 소문은 말도 안 되는 비방으로 여겨졌다. 대공이 크게 앓았던 탓에 흉측한 모습을 썼던 일이 크게 와전되었다고 말이다.

아스티나가 물끄러미 그를 내려다보며 물었다.

"사람이 짐승이 되었다는 말을 믿나?"

"사람들은 보지 못한 것은 존재하지 않는다고 판단하는 우를 범하곤 하지. 하지만 난 아니야."

"그렇다면 내게 해답을 제시해 보아."

이윽고 그가 웃음을 뚝 그쳤다. 풀려날 가능성을 본 데니스의 태도가 눈에 띄게 공손해졌다. 그의 눈동자가 희망으로 번들거렸다.

"내가 아탈렌타가에 내린 저주를 해결해 주면, 풀어 주실 겁니까?"

"약조하지."

아스티나가 그리 말하며 시녀가 두고 나간 물통을 그의 앞에 놓았다. 데니스는 필사적으로 목을 적셨다. 순간 사레가 들렸을 정도로 급한 몸짓이었다. 갈라졌던 그의 목소리가 언뜻 예전의 매끄러운 색을 띠었다. 그가 심호흡을 하며 입을 열었다.

"왈도의 명으로 레타 집시들은 분명 전부 죽었습니다. 하지만 그들이 과거에 뿌린 씨까지 모두 축출할 수는 없었죠."

"계속 말해 봐."

"모르시겠습니까? 내가 바로 그 후손이라고 말하고 있는 겁니다."

아스티나의 눈이 일순 커졌다. 더 이상 레타의 이름을 하고 있진 않으나, 그녀들이 낳았던 핏줄은 여전히 이 대륙에 있을 것이다. 어찌 보면 당연한 일이었다. 하지만 눈앞의 이 남자가 자신과 동족이라는 사실은 다소 낯설게 느껴졌다. 아스티나가 반신반의하는 목소리로 되물었다.

"그대에게 있는 것이 레타의 힘이라고?"

"반쪽짜리입니다. 원할 때 구실하지 않으니 결정적인 때에 사용할 수도 없고, 하지만 공교히 시기가 맞아떨어졌을 때 재밌는 이야기 정도는 꾸밀 수 있는……."

"말이 되질 않아. 후대에 와선 그 딸들에게조차 이어지지 않은 힘이니까."

"마치 잘 알기라도 하는 것처럼 말씀하시는군요."

아스티나는 입을 다물었다. 데니스가 픽 웃음 지으며 말을 이었다.

"모두가 그렇게 생각했죠. 오직 딸에게서 딸에게만 내려오는 힘이며, 그래서 그들만이 특별하다고. 하지만 최후에는 어떻습니까? 살아남은 건 결국 버려진 사내아이들이었습니다."

아스티나는 신전에서 데니스와 마주쳤던 때를 떠올렸다. 그는 아레타인들이 남성을 어떻게 배척해 왔는지 아느냐며 과한 불쾌함을 드러냈었다. 당시엔 이민족의 남다른 성 관념에 대한 경멸이라고 생각했는데, 오히려 그는 제 어버이들을 안타까워한 쪽이었나.

아스티나는 물끄러미 데니스를 내려다보았다. 그의 말이 거짓 같진 않았으나, 그렇다고 그다지 실감이 나지도 않았다. 아스티나는 품속에서 단도를 꺼냈다. 데니스는 검집을 벗어난 날붙이를 당황스러운 표정으로 응시했다. 아스티나는 칼끝을 데니스의 목 근처에 대었다.

"그 핏줄의 진위를, 이 목을 걸고 보증할 수 있나?"

그의 목젖이 움찔했다. 데니스는 칼날에 닿지 않으려 애쓰며 겨우 고개를 끄덕였다.

이 남자에게 모든 걸 털어놓아도 괜찮을까.

그러나 아스티나는 곧 망설임을 지워 냈다. 아무래도 상관이 없겠다는 생각이 든 탓이다. 아스티나가 단검을 도로 무릎 위에 두자 데니스의 입가에서 안도의 한숨이 흘렀다. 아스티나가 온기 없는 음성으로 설명을 이었다.

"그대의 말대로 왈도는 레타를 몰살하려 했지. 하지만 밝히는 쪽에서도 의미 없이 죽고 싶진 않았을 거야."

"……그게 아탈렌타가에 내려온 저주와 무슨 상관입니까?"

"왈도가 받은 저주는 짐승의 태를 쓰는 것이었다."

데니스의 눈에 이채가 떠올랐다. 그는 그제야 아스티나가 무슨 말을 하고 있는지 이해한 듯했다.

"블란체의 마지막 왕 테오도르가 죽으며 모두 끝난 일이라 여겼지만, 이 굴레는 생각지 못한 곳에서 다시 이어지고 있었지."

"……저주는 관념입니다. 주술을 행한 자는 상대가 가문의 이름을 잇는 쪽만 신경 쓰리라는 걸 알았을 거예요. 저주는 정확히 블란체의 왕관을 계승할 수 있는 순서대로 전해 내려왔겠지요."

"혼자 힘으로 그런 강력한 저주를 내리는 것이 가능은 한가?"

"신의 저울은 공평해서 내어 준 것 이상의 대가를 주진 않습니다. 왈도와 그 핏줄에게 내려진 저주는 그 군락에 살았던 모든 여인의 목숨값이었을 겁니다."

"똑같은 수의 목숨을 바쳐야 저주가 끝날 거라 이 말인가?"

"따로 내건 조건이 없다면, 그렇겠죠."

데니스가 초조한 얼굴로 아스티나를 채근했다.

"정확히 어떻게 내린 저주였습니까? 더 정보를 주십시오. 너무 아는 것이 적습니다."

데니스에게선 기회를 놓치기 싫은 간절함이 비쳤다. 그러나 아스티나는 블란체의 저주에 있어 의문을 모두 푼 후였다. 똑같은 목숨의 수를 바쳐야 풀릴 저주라면 적어도 테리오드의 대에서는 해결할 수는 없을 것이다. 이 긴 시간을 거쳐 얻은 것이 저주를 해결할 다른 열쇠는 없다는 것이라니. 테리오드와 자신은 필연적으로 평생을 같이할 운명이라는 걸까.

아스티나는 대신 질문을 달리했다.

"그보다는 다른 걸 묻고 싶군."

데니스의 눈에 의아한 기색이 떠올랐다.

"마티나 역시 테오도르 왕에게 저주한다고 말했어. 그것이 문제를 일으켰을 가능성은?"

"그게 무슨 말씀입니까?"

"마티나가 다시 이 땅에 태어나 테오도르와 같은 얼굴의 남자를 만났다. 그가 테오도르일 가능성이 있나?"

아스티나가 깊이 가라앉은 눈으로 물었다.

왜 '대가'라는 말에 그녀는 그와의 마지막 대화가 떠올랐을까. 아스티나는 자신이 최후의 날, 테오도르에게 내뱉었던 말을 기억했다.

[다음이 있다면 부디 내게 속죄를 해.]

마티나도 그때 누군가를 죽였다. 그녀에게도 레타의 딸로서 물려받은 것이 있다면, 힘이 발현될 충분한 대가를 치른 셈이다. 속죄하라는 바람으로 인해 테오도르가 테리오드가 되어 나타난 것이라면? 자신도 다시 태어났는데 그라고 환생하지 못할 이유가 없지 않은가. 중첩된 우연은 우연이 아니라 필연이었을지도 모른다.

아스티나는 테오도르와 같은 테리오드의 생김새를 어떻게든 설명받고 싶었다. 그가 테오도르이길 바라는 본심은 저열했다. 그래야 죄책감 없이 추억에 잠겨 살 수 있기 때문이다. 그녀는 테리오드가 테오도르임을 증명받고 싶었고, 그게 사실이 아니라면 차라리 착각 속에서 깨지 않길 바랐다.

"무슨 말씀을 하시는 건지 모르겠습니다."

데니스가 이해할 수 없다는 듯 말했다. 아스티나가 스스로를 비웃듯이 되물었다.

"마티나가 백 년의 시간을 넘어 다시 이 땅에 태어났다고 하면, 믿겠는가?"

데니스는 구겨지려는 표정을 겨우 억눌렀다. 비범한 자라고 생각했는데 단순히 정신 이상자일 뿐이었나. 그녀의 자신감은 단순히 광증으로 인한 것이었을지도 모른다. 스스로를 과거의 여제로 착각한 나머지 그자처럼 행동하는 데 다다른 것이다.

데니스가 미간 사이를 좁히며 되물었다.

"당신이 마티나의 환생이라고 말하는 겁니까?"

"마티나는 테오도르를 사랑했지만 그는 저주 때문에 자살을 택했어. 그리고 다시 태어난 마티나는 그와 같은 얼굴의 배우자를 만났다. 그러자 의문이 들더군. 이자가 과거에 사랑했던 그 남자는 아닌가."

데니스는 터져 나오려는 헛웃음을 겨우 억눌렀다. 테오도르 왕과 마티나 여제의 사랑 이야기를 사실처럼 지껄이는 것만 봐도 제정신이 아니었다. 그러나 데니스는 대공비를 조롱하거나 비웃는 대신 약간의 연기를 택했다. 조금 비위를 맞춰 주면 풀려날 방도가 있을지도 모른다.

'아니, 그건 황녀가 허락할 리 없겠군.'

데니스는 내심 스스로에게 조소를 흘렸다. 대공비가 자신을 빼

주는 게 다른 큰 뜻이 있어서가 아니라 단순히 미쳤기 때문이라면, 이를 이시스가 가만히 두고 보겠는가. 철두철미한 황녀는 데니스에게 추적을 붙일 것이다. 모든 기반을 잃은 자신이 도망쳐 봤자 오래갈 리 없었다.

데니스는 기껏 차올랐던 희망의 불씨가 다시 꺼져 드는 걸 느꼈다. 죽음에 대한 두려움과 자신을 이렇게 만든 상대에 대한 증오는 곧 다른 계산으로 이어졌다. 어쩌면 이건 굴욕을 갚을 기회인지도 모른다.

데니스가 핏빛 욕망을 숨기며 뇌까렸다.

"글쎄요, 가능성은 있는 이야기입니다."

"내겐 힘이 없었다."

"당신이 레타의 딸이기에 대공가의 저주를 풀었는데도?"

데니스는 대공비가 대공의 저주를 풀었다며 행운의 여신으로 불렸던 일을 잊지 않았다. 그럴듯한 끼워 맞추기에 대공비의 눈이 가늘어졌다.

"확인할 수 있는 방법이 있나?"

"저주는 굴레입니다. 블란체 핏줄에 전해져 내려온 그것처럼, 약해질지언정 대가를 다 바치기 전엔 끝없이 반복되지요."

대공비가 정신이 나가 헛소리를 지껄인 것이든, 아니면 정말 마티나의 환생이든 데니스로서는 상관이 없었다. 저 말도 안 되는 공상에 취해 있는 여자를 휘둘러 제 뜻대로 휘두를 수만 있다면.

데니스의 입가에 미소가 떠올랐다. 그가 아스티나의 손에 쥐인 단검을 턱짓하며 말했다.

"당신의 심장을 찌르세요."

"뭐?"

"당신이 죽고 태어났을 때 여전히 마티나임을 기억하며, 다시 그와 같은 사람을 만난다면, 그는 테오도르가 맞습니다."

아스티나는 잠시 망설였다. 그녀는 미동 없이 제 손에 쥐여진 단검을 내려다보았다. 테오도르가 살 수 있었다는 사실을 안 직후엔 똑같이 이 칼날을 심장에 박아 넣고 싶은 충동을 느끼기도 했었다. 그녀가 조용히 검을 고쳐 쥐었다. 그것을 지켜보는 데니스의 눈에 희열이 담겼다.

아스티나가 칼을 휘둘렀다.

"끄흑……!"

그러나 그녀의 칼날이 향한 곳은 데니스의 날갯죽지 위였다. 데니스의 눈에 핏발이 섰다. 아스티나가 데니스와 시선을 맞추며 속삭였다.

"내가 마지막 순간, 그에게 무슨 말을 했는지 아는가?"

살갗에 박혀 든 칼날에 정신을 차릴 수도 없었다. 어깨 부근이 타오르는 것처럼 아파 데니스는 그대로 바닥을 굴렀다.

"난 그에게 속죄를 하라고 했어. 그리고 보통 그것은 같은 정도의 보답이 돌아와야 맞지."

"이…… 이 미친년이……."

"그가 내게 저지른 죄는 나를 두고 죽은 것이다. 그렇다면 내가 그를 두고 먼저 죽으면 대갚음도 마무리되겠지."

아스티나의 입꼬리가 비틀렸다.

"내가 마티나로 다시 태어난다면, 그는 테오도르가 아니야."

"살려 준다고, 약속을……."

아스티나는 칼을 뽑아내어 다시 그의 심장을 찔렀다. 그가 눈을 부릅뜬 채 바닥으로 쓰러졌다. 아스티나는 피가 발끝을 적시지 않도록 조용히 뒤로 물러섰다. 데니스가 제 말을 믿지 않는다는 사실쯤은 처음부터 알고 있었다. 그는 그럴듯한 말로 꼬여 내 그녀를 흔들 계산이었던 것뿐이다.

하기야 아스티나야말로 그를 비난할 입장은 아니었다. 전생을 밝힌 기점부터 이미 그를 죽일 생각을 하고 있었으니까.

"죽어야만 확인받을 수 있는 재회라니."

계략적인 혀 놀림이었지만 나름대로 그럴듯한 부분은 있었다. 실제로 잠시 확인하고 싶은 충동이 든 것도 사실이었다. 그렇다면 의문과 가책 없이 테오도르를, 혹은 테리오드를 온전히 사랑할 수 있을 테니까. 결코 행할 수는 없는 방법이었지만.

"출구가 없다는 것만 확인받는 기분이군."

아스티나가 쓰게 웃으며 중얼거렸다.

"대공비가 데니스 사제를 죽였다고?"

시녀가 전한 소식에 이시스는 의외라는 표정을 떠올렸다. 시녀가 공손히 고개를 숙이며 대답했다.

"예. 전하께서 더 손을 쓰실 필요는 없을 거라 말씀하시곤 돌아가셨습니다."

그 대범한 전언에 이시스는 그만 바람 빠지는 소리를 내며 웃고 말았다. 근심거리를 대신 치워 주었다 이건가. 어차피 죽일 생각이긴 했다만 대공비가 직접 손에 피를 묻힐 줄은 몰랐다. 귀부인이 칼을 휘둘러 사람을 죽이는 건 아무래도 흔치 않은 일이니까.

존중하는 마음으로 연유를 묻지 않고 안내해 주었었는데, 의외의 결과를 듣게 되니 대공비가 그를 찾은 이유가 조금은 궁금해졌다. 물어볼 것이 있다더니 의문은 다 푼 것일까. 이시스가 호기심 어린 목소리를 내었다.

"어떻게 죽였던가?"

"등 부근에 찔린 상처가 두 군데 있었습니다. 날갯죽지와 심장 부근입니다."

"한 번은 위협이고 한 번은 확인 사살이군. 칼을 쓴 줄 안다더니 손속이 꽤 자비 없어."

이시스가 감탄하듯 중얼거렸다. 이시스가 이 일을 유쾌하게 받아들인 것과는 달리 시녀는 걱정스러운 기색이었다. 시녀가 조심스럽게 물었다.

"큰일은 아닐지 모르겠으나 어찌 됐든 황녀님 수중에 있던 자를 멋대로 처리한 것이라…… 제가 대공가에 무슨 일이 있었는지 알아볼까요?"

이시스는 잠시 고민하다가는, 고개를 내저었다. 대공비에게 말 못 할 사정이라도 있었던 게 아니겠는가. 버러지 하나쯤 멋대로 처리했다고 해서 민감하게 반응할 필요는 없었다.

"뭐, 됐어. 어차피 죽을 목숨이었으니 상관은 없지. 그 남자가 주제도 모르고 멍청히 입을 놀려 기분이 상한 게 아니겠나."

이시스가 물러가란 듯 손을 흔들었다. 이젠 두 번째 방문객을 맞이할 시간이었다. 시녀는 곧바로 멈춰서 허리를 숙였다. 이시스는 시녀를 두고 티 테이블 쪽으로 걸어갔다. 황궁 정원 한복판의 티타임은 이시스가 아주 공들여 준비한 것이었다. 참석할 객 역시 특별하긴 마찬가지다.

이시스는 만면에 환한 웃음을 떠올리며 인사했다.

"나디아 영애. 그간 잘 지냈나?"

"황녀님."

이시스를 발견한 나디아가 자리에서 일어섰다. 이제 막 근신 기간이 끝났음에도 나디아의 낯빛은 그리 나빠 보이지 않았다. 대공비를 모함한 죄가 있음에도 지나치게 약소한 벌을 받은 덕분이었다.

이시스는 자신의 암살 사건에 연루된 이들에게 자비로운 처분을 내렸다. 황녀는 암살을 당할 뻔한 피해자였음에도 오라비의 부덕함을 대신 책임지겠다며 나디아를 위해 대공비에게 사죄를 구하기까지 했다. 프리모의 측근 중 하나였던 아가타 역시 마지막 양심 고백을 했다는 이유로 용서받았다. 진상을 알고도 황녀의 암살을 방관한 여자에게 내리기엔 몹시 관대한 처분이었다. 아가타는 프리모에게 받았던 재산으로 남부의 값비싼 별장을 사들이더니 수도를 떠났고, 호화로운 저택에서 유유자적하게 시간을 보낸다는 소문이 들려왔다.

상황이 절묘했기에 이시스를 향해 의심의 눈을 돌리는 자도 있었으나, 프리모의 행각이 너무도 분명하여 수면 위로 나오진 못했다. 다만 몇몇 눈치 빠른 이들은 황녀의 눈 밖에 날까 행동을 더 조심하게 됐을 뿐이다.

그리고 나머지 대다수에게 황녀는 자비로운 성정으로 칭송받았다. 특히 나디아에게 있어 이시스는 그녀의 삶을 구제해 준 은인이나 다름없었다. 이시스는 나디아의 기대에 부합하듯 상냥한 음성을 들려주었다.

“그렇게 외출을 제한받은 건 처음이었을 텐데, 혹 지내는 데 불편함은 없었나?”

“신경 써 주신 덕분에요. 오히려 근신 기간 동안 마음을 정리할 수 있어서 좋았어요.”

나디아가 부끄럽다는 듯 고개를 숙였다. 어찌 됐든 나디아에게 있어 프리모는 결혼을 약속한 남자였다. 나디아는 프리모에게 이성으로서 나름의 연정을 품고 있었고, 그 대상이 친누이를 죽이려 한 패륜범이란 사실에 상당한 충격을 받았다. 그간 이시스가 자신에게 베푼 친절이 있기에 더더욱 그러했다.

“약혼자를 잃어야 했던 아픔을 내가 무엇으로 보상해야 할지 모르겠군.”

“세상에, 보상이라뇨. 제가 목숨을 부지한 건 다 황녀님 덕분인걸요.”

나디아가 당치도 않다는 듯 고개를 내저었다. 이시스는 입가에 은은한 미소를 띤 채 그런 나디아를 응시했다.

“그래도 애초에 이 혼담은 내가 주관했던 게 아닌가. 그대의 혼삿길을 막은 것은 아닌가 몹시 마음에 걸려.”

나디아는 무려 황자와 국혼을 약조했던 여자다. 좋게 파혼을 한 것도 아니고, 여러 일들에 불미스럽게 얽힌 지금 눈에 차는 결혼 상대를 찾기는 여의치 않을 것이다.

나디아는 말없이 눈을 내리깔았다. 한때 이시스와 한 가족이 되는 영광을 맞이할 뻔도 하였는데, 어느덧 자신은 집안의 골칫덩이가 되어 버렸다. 이시스는 나디아의 주눅 든 얼굴을 만족스럽게 내려다보았다.

"그래서 말인데 영애, 마음에 담아 둔 다른 상대가 있는 게 아니라면 내가 소개의 자리를 만들어 주어도 되겠나?"

"소개라니요?"

"마침 오는군."

이시스의 말에 나디아가 고개를 들었다. 이시스의 시선이 향한 방향으로 눈을 돌리자 낯설면서도 익숙한 얼굴이 보였다.

"부르셨습니까."

"앉으렴, 벤자민."

나디아를 발견한 벤자민이 무심히 인사를 건네고는 자리에 앉았다.

벤자민 황자라니. 이전에 황제가 공식 석상에서 직접 소개했었기에 알고는 있었지만, 사석에서 만나는 건 처음이었다. 벤자민은 객관적으로 대단한 미모를 가지고 있었기에 나디아는 저도 모르게 얼굴을 붉히고 말았다.

"안녕하세요, 황자님. 아벨라르 백작가의 나디아입니다."

벤자민 역시 나디아를 모르지 않았다. 이시스의 계획하에 벌어진 일이라고는 하나 아스티나를 마녀로 몰았던 인물을 어떻게 잊을 수 있겠는가. 벤자민은 의외의 동석에 약간의 당황을 내보였다. 그가 곧장 이시스 쪽을 보며 물었다.

"저는 어쩐 일로 부르신 겁니까?"

"마침 나디아 영애의 연금이 풀려 궁으로 불렀네. 하루아침에 약혼자를 잃었으니 분명 상심이 클 테지."

"……배려심이 넘치시군요."

벤자민의 눈이 언뜻 가늘어졌다. 나디아는 이시스에게 철저히 이용당한 대상이었다. 이시스가 나디아를 구했다고는 해도, 멋대로 함정에 빠트려 놓고는 또 멋대로 구제하는 우스운 꼴이다. 벤자민은 거미줄에 붙잡힌 먹이를 사랑스럽다는 듯 어르는 이시스를 아무렇지 않게 지켜볼 만큼 비위가 좋진 않았다.

벤자민이 입을 열지 않자 이시스가 채근하듯 물었다.

"상심한 내 친우에게 위로의 말이라도 건네보는 것은 어떤가?"

이시스의 눈엔 은근한 종용이 담겨 있었다. 그녀의 의도를 깨달은 벤자민이 천천히 얼굴을 굳혔다. 벤자민은 표정을 풀지 않은 채 자리에서 일어섰다.

"죄송합니다. 급한 일이 있었는데 제가 깜빡 잊고 있었던 듯하네요. 이야기는 다음에 다시 나누도록 하지요."

누가 보아도 거짓말이다. 벤자민의 성격상 이렇게 대놓고 자리를 비울 줄은 몰랐기에 이시스의 서글한 웃음에도 금이 갔다.

"나디아 영애, 만나 뵈어 반가웠습니다."

벤자민은 그대로 미련 없이 자리를 떠났다. 나디아는 당황하여 아무 말도 하지 못했다. 이시스가 한숨을 삼키며 자리에서 일어섰다.

"내가 멋대로 자리를 만들어 기분이 상했나 보군. 잠깐 여기서 기다리게, 영애."

이시스는 벤자민이 사라진 쪽으로 황급히 뒤따랐다. 그는 후원을 나와 건물 복도로 들어서고 있었다. 언제나 예법을 잘 지켜온 이시스가 발을 달린 적은 손에 꼽았으나, 이번만은 그녀도 서두르지 않을 수 없었다. 확연히 차이나는 신장만큼 보폭 역시 비할 바가 못 되었으니까.

이시스는 짜증스럽게 벤자민을 붙잡아 세웠다.

"벤자민, 멋대로 자리를 비우다니 이게 무슨 예의지?"

벤자민이 이시스 쪽으로 몸을 돌렸다. 그가 다분히 화를 억누르는 투로 말했다.

"진정 예의 없는 행동을 하신 건 누님 쪽이죠. 무려 선 자리를 만들어 놓곤 제겐 언질 하나 없다니, 이게 말이나 됩니까?"

"네가 이렇게 거절할 걸 알았으니까!"

"제가 거절할 걸 알고서 그러셨다니 더더욱 돌아가고 싶지 않군요."

이시스는 화가 나기보다는, 차라리 어이가 없어졌다. 나디아는 황후와 황제 모두가 아끼는 아이인 데다 정치적으로도 확고한 배경을 가지고 있다. 벤자민에게 이는 대단한 기회였다. 나디아와 결혼한다면 그에게도 든든한 기반이 생긴다. 이시스는 그런 벤자민을 측근으로 삼아 한자리를 내줄 요량이었다. 기껏 진수성찬을 차려 가져다 바쳤더니 당사자가 거절하고 있는 것이다.

이시스가 이해가 가지 않는다는 듯 되물었다.

"왜 그녀와 결혼하지 않겠다는 거지? 내가 네게 어떤 세력을 심어 주는 것인지 몰라서 그러는 게야?"

좁혀지지 않는 의견에 마침내 벤자민도 언성을 높였다.

"전 이미 좋아하는 여자가 있어요!"

벤자민이 이시스의 계산을 이해하지 못하듯 이시스는 벤자민의 낭만을 모른다. 이시스가 싸늘하게 지적했다.

"그래, 이미 결혼한 여자가 말이지."

벤자민의 입이 다물렸다. 울컥한 듯 몸을 움찔했으나, 별다른 반박을 뱉어 내진 못했다. 그라고 새삼 아스티나가 대공과 헤어지고 제게 오길 바라고 있는 건 아니다. 하지만 그녀를 가슴에 묻고 다른 여자와 결혼하고 싶지도 않았다. 적어도 지금은.

벤자민이 오른편으로 고개를 돌리며 말했다.

"누님이라고 해서 제가 어떤 여자와 살지까지 강요할 수는 없어요. 프리모에게 복수를 해 주셨으니 시키는 일엔 따르겠지만, 그게 결혼처럼 사적인 영역은 아닐 겁니다."

"잘 생각해, 벤자민. 내 말만 잘 따른다면 난 네게 대단한 부귀영화를 내어 줄 수 있어. 난 네가 네 누이의 몫만큼 넘치도록 잘 살았으면 하거든."

이시스가 벤자민을 노려보며 말했다.

결국 이시스가 벤자민에게 내어 주고 싶은 건 대체로 이런 것들이다. 그 애가 입지 못했던 좋은 옷, 이제는 맛보지 못할 귀한 산해진미. 겪지 못했던 안정…….

이시스의 눈빛이 일렁였다. 눈 앞의 사내에게서 다른 기억을 찾는 것처럼. 벤자민은 동요 없이 그런 이시스를 응시했다. 벤자민이 말했다.

"제 누이를 무척 아끼셨었다고요."

"……그래."

"하지만 베스 누님은 이미 죽었습니다. 전 그 대신이 될 수 없고요. 아시지 않습니까?"

이시스가 주먹을 틀어쥐었다. 벤자민은 그런 이시스를 잠시간 응시하다가는, 그대로 걸음을 돌렸다.

✣ ✣ ✣

빛이 들어오지 않는 마차 안은 한밤처럼 깜깜했다. 아스티나는 커튼이 걸린 고리를 가만히 만지작거렸다. 어둠에 젖은 천은 언뜻 축축하게도 느껴진다. 손끝의 감각이 둔했다. 조금만 걷어 내면 어느 길목에 와 있는지 확인할 수 있을 테지만 그럴 기분이 들지 않았다.

아스티나는 맥없이 두 손을 허벅지 위에 올려놓았다. 굳이 확인하지 않아도 목적지는 정해져 있다. 오늘 데니스를 찾아갔던 건 그걸 인정하고 싶지 않아서였던지도 모른다. 저주를 푸는 방법은 레타의 딸이 블란체를 사랑하고 용서하는 것이라 했다. 그러나 아스티나는 그 '사랑'이란 말의 의미를 도무지 이해할 수 없었다. 몸을 섞으면 호전되는 병증이라니 참으로 짐승 같은 셈법이 아닌가.

모든 것이 엉망이었다.

아스티나는 마차의 내벽에 머리를 가져다 찧었다. 얼얼한 관자놀이에서 새삼 해답이 떠오르는 일은 없었다. 아스티나는 환생했다는 사실을 막 깨달았던 당시를 떠올렸다. 그때의 그녀는 그저 혼란스러웠다. 다시 주어진 삶을 행운과 불행 중 어떤 쪽으로 해석해야 할지 도무지 분간할 수 없었던 탓이다. 그녀에겐 차라리 잊고 싶은 기억이 많았고, 동시에 한낱 사람이었기에 생의 끝이 아쉬웠다. 그러나 이젠 분명해졌다. 이건 벗어날 수 없는 굴레 그 이상도 이하도 아니었다.

저택에 도착한 듯 마차의 속도가 줄어들었다. 철창으로 된 문이 미끄러지며 쇳소리를 냈다. 아스티나가 속으로 열을 세었을 때쯤 마차가 완전히 멈춰 섰다. 아스티나는 심호흡을 하며 아래로 내려섰다. 그러고는 이어 주춤 걸음을 멈춰 세우고 말았다. 놀란 얼굴의 테리오드가 그대로 그녀를 붙잡아 온 탓이다.

"부인!"

평소와 달리 옷도 단정치 못했다. 아스티나는 얼이 빠져 변변한 대꾸도 하지 못했다. 그가 왜 이리 자신을 다급하게 찾는지 알 수 없었다.

아스티나의 당황한 낯을 본 테리오드가 언뜻 코끝을 붉혔다. 그가 부끄럽다는 듯 제 행색을 추스르며 말했다.

"어딜…… 어딜 말없이 다녀오신 겁니까. 걱정했어요."

아스티나는 잠시 그의 얼굴을 살폈다. 그제야 그의 눈에 어린 불안감을 알아챘다. 테리오드는 그녀가 떠날지도 모른다고 생각했던 걸까. 아스티나는 염려치 말라며 그를 안심시키고 싶었으나, 그조차도 우스운 일이었다. 그를 이렇게 만든 것은 자신이다. 그리고 그들에겐 이 상황을 개선할 방법조차 없었다. 테리오드는 아스티나의 과거를 알게 되었고, 아스티나는 테오도르가 평생 잊을 수 없는 사람이라는 사실만을 절감했을 뿐이다.

목이 잠긴 탓에 잠시간 대답을 지체했다. 아스티나는 겨우 손을 뻗어 그의 팔을 밀어냈다.

"황궁에 다녀왔습니다. 말씀드리려고 했는데…… 그리 오래 걸

리진 않을 것 같아서요."

사실은 그에게 아무렇지 않은 척 말을 걸 자신이 없어서였다. 도무지 그를 어떻게 대해야 할지 알 수 없었다. 아스티나는 차라리 귀가 멀고 싶은 심정이었다. 저 같은 얼굴을 보라. 목소리가 들리지 않으면 그대로 착각하며 살 수 있을 것도 같다. 그를 볼 때마다 치밀어오르는 감정을 삭이느라 그녀는 무던히도 많은 열기를 소모해야 했다.

"데니스 사제에게, 수상한 힘이 있다는 말을 전해 들은 적이 있습니다. 혹 저희에게 다른 방안이 없을까 알아보고 싶었어요."

"다른 방안이라면……."

"대공께서는 저와 계속 몸을 섞으실 자신이 있으십니까?"

아스티나가 조소하듯 물었다. 그들 사이의 가장 큰 문제는 바로 그것이었다. 테리오드가 사람으로 있기 위해 그들이 필히 치러야 했던 일들이 있었다.

"전 잘 모르겠습니다."

아스티나의 입가에 쓴웃음이 걸렸다.

홀로 있는 시간 동안 아스티나는 무수히 많은 만약을 상정했다. 그들을 변화시킨 가장 큰 기점은 자신이 대공령으로 내려온 일이었다. 애초에 테리오드와 자신이 만나지 않았다면 어땠을까. 더 나은 결과를 기대하고 상상해 보았으나 아스티나의 부재로 테리오드가 얻을 것은 죽음뿐이었다. 실제로 그간의 일을 차근차근 되짚어 봐도 그들은 언제나 옳은 선택지를 짚어 왔다. 최선이라 생각해 이곳까지 다다랐는데 그들 앞에 남은 건 어째서 막다른 길인가.

"떠나겠다는…… 말씀입니까?"

아스티나를 멍하니 응시하던 테리오드가 더듬더듬 되물었다. 아스티나는 짧게 이를 맞부딪쳤다. 그대로 오른손을 들어 얼굴을 감쌌다. 어떻게 하면 평소처럼 그를 대할 수 있을지 감이 잡히지 않았다. 일그러진 낯이 마냥 이상했다.

"……당장 뭘 어쩌겠다는 게 아닙니다. 하지만 이상하지 않습니까. 대공, 전 정말…… 모르겠습니다. 아무것도 모르겠어요. 저희가 어떻게 해야 할지 당신은 아십니까? 어떻게 해야 우리가 나아질 수 있을지?"

그를 떠날 수도 없고 곁에 남을 수도 없다면 그녀는 어떻게 살아야 할까. 그들에겐 그저 서로를 견디며 사는 것 외엔 다른 출구가 없었다.

아스티나가 고개를 치켜들었다. 그녀는 결국 충동적으로 이렇게 묻고 말았다.

"대공, 정말 기억나는 게 아무것도 없으십니까?"

지푸라기라도 붙잡고 싶은 심정이었다고 표현하면 꼭 맞을 것이다. 테리오드가 저 푸른빛 눈동자로 저를 응시할 때면 아스티나는 꼭 과거로 돌아온 듯한 기묘한 느낌을 받았다.

오래 기다렸느냐며 눈꼬리를 접어 웃으면 그대로 끌어안아 품에 가둘 것이다. 그리워하고 또 사랑했노라며 이번엔 진심을 다해 말할 것이다.

테리오드가 정녕 테오도르라면.

"이를테면……."

황급히 덧붙이던 아스티나가 이내 말끝을 흐렸다. 테리오드의 미소에 금이 간 탓이다. 테리오드가 그녀의 본심을 알지 못하길 바랐지만, 그는 이미 모든 것을 이해한 표정이었다.

아스티나는 그만 숨을 크게 들이켰다. 자신이 무슨 짓을 저지른 건지 알 수 없었다.

"제가……. 실언했습니다. 잊으세요."

아스티나는 그대로 그를 지나치려 했다. 그러나 제자리에 멈춰서 있던 테리오드가 정신을 차리고는 이내 그녀를 따라잡았다. 테리오드가 아스티나의 앞을 막아서며 다급히 말했다.

"아무것도요."

"……."

"아무것도 생각나지 않습니다. 부인께서 바라는 대답은 이런 게 아니겠지만."

테리오드가 이를 악물었다. 그의 표정이 이지러졌다. 그가 고통스럽게 내뱉었다.

"티나, 난 그가 아닙니다."

테리오드의 목소리가 미세하게 떨리고 있었다. 아스티나는 아무 말도 하지 못했다. 이기적인 생각이었지만, 그가 자신은 테오도르가 아니라 말하는 것을 듣고 싶지 않았다.

아스티나는 그를 피하려 고개를 돌렸다. 질끈 눈이 감겼다.

"대공, 저는……."

"당신 눈 앞에 있는 사람은 그 남자와는 다른 사람입니다. 알잖아요, 당신도 알잖아."

테리오드가 애원하듯 아스티나의 팔을 붙잡았다. 테리오드는 무언가를 확인받고 싶은 사람처럼 필사적이었다. 그가 끈질기게 아스티나와 시선을 맞췄다. 그럼에도 아스티나는 그를 안심시켜 주는 일은 없었다.

테리오드는 짧게 심호흡을 했다. 떨리는 음성은 가라앉았지만 젖어 드는 눈가까지 숨기진 못했다. 그는 반쪽짜리 웃음이나마 지어 보이려 애썼다. 눈가를 적신 채 한껏 입꼬리를 끌어 올린 모습은 광대보다 더욱 우스운 몰골이었다. 그러나 아스티나는 그를 비웃지 못했다.

테리오드가 다짐하듯 말했다.

"됐습니다. 앞으로 이런 이야기는 말아요."

"……."

"모른 척할 수 있어요. 아무 일도 없었던 거니까. 우리 사이엔 아무 일도……."

테리오드는 아무렇지 않은 척 계속 말을 쏟아 내려 했지만, 도무지 굳은 입가를 움직이지 못했다. 한순간 테리오드의 표정이 이지러졌다.

그는 자신이 그야말로 말도 안 되는 자만을 하고 있었다는 사실을 깨달았다. 테리오드가 그녀를 기다리기로 결심한 기저에는 결국은 그녀가 자신을 사랑해 주리란 바람이 있었다. 그녀가 옛 연인이 아닌 자신만을 보고 있다고, 적어도 그렇게 노력하고 있다고 믿고 싶었으니까. 그러나 그녀는 그와 같은 얼굴의 남자를, 그를 처음 만났을 적부터 알고 있었다.

떠오르지 않았을 수 없을 것이다. 기대하지 않을 수 없었을 것이다. 지금 자신이 기억을 되찾아, 과거의 연인으로 돌아가길 희망하고 있는 저 눈빛처럼.

아스티나가 굳어 버린 테리오드 쪽으로 시선을 돌렸다. 그러나 테리오드는 그녀가 정말 자신을 보고 있는 것인지, 아니면 저를 통해 다른 남자를 보고 있는 것인지 도무지 확신할 수 없었다. 테리오드는 제 가슴에 움튼 이 의심이 오늘로 끝나지 않으리라는 사실을 예감했다.

그녀가 그와 나를 분리해서 생각할 수는 있나?

이름과 생김새까지 모두 닮은 남자를, 옛 연인을 지워 내고서 사랑하는 일이 가능은 한 것인가?

"티나, 왜 그런 눈으로 나를 봅니까."

테리오드의 목소리가 애처롭게 떨렸다. 헛웃음이라도 짓고 싶은 심정이었지만, 그나마도 흐느낌에 그쳤다.

"나한테서 대체 뭘 기대하는 건데요. 어느 날 아침 기억을 되찾았다며 갑자기 다른 사람처럼 굴기라도 바라?"

테리오드가 사랑하는 여자는 그가 그로서 존재하지 않기를 바란다. 테리오드는 마침내 그 고통스러운 사실을 절감했다.

"내게 처음 입 맞추었을 때 부르짖었던 그 남자가 그였겠군요."

"……."

"처음 동침했던 밤 불렀던 이름도 그 사람의 것이었을 테고요."

아스티나에겐 분명 변명할 거리가 많았다. 그녀는 테리오드에게서 테오도르를 보지 않기 위해 실로 무던히도 애써 왔다. 그러나 지금 테리오드의 앞에서 꺼낼 수 있는 말은 단 하나도 없었다. 지금까지의 노력은 이미 의미를 잃었다. 테리오드의 말이 사실이었다. 그와 처음 입을 맞추고 잠자리를 함께했을 때 그녀가 본 건 다른 사람이었으니까. 심지어 아스티나는 테리오드에게 흔들렸던 순간순간에, 과거가 아무런 영향을 미치지 않았다고 확답할 수조차 없었다.

"티나, 나를 본 적은 있습니까?"

"……."

"말해 봐요. 나만을 사랑한 적이, 단 한 순간이라도 있습니까?"

끝내 테리오드의 음성에 물기가 배어 나왔다. 아스티나는 대답하지 못했다. 그것은 그녀조차 알 수 없는 일이기 때문이다.

"뭐라고 말 좀 해 봐!"

테리오드는 참을 수 없었다. 그가 그만 언성을 높이며 왈칵 소리쳤다.

"그 똑똑하던 사람이 왜 이것만은 대답을 못 해, 나한테 미안해서? 그렇다면 차라리 평생 모르게 하지 그랬어!"

어째서 그녀는 이기적이게도 그에게 평생 이룰 수 없는 일을 바라는가.

테리오드는 테리오드였다. 그의 기억이 시작된 지점은 대공령의 저택이었고, 그보다 먼 과거의 일은 알지 못했다. 그런데 아스티나는 그가 그녀의 옛사랑처럼 행동하길 바랐다. 아스티나가 테리오드에게 이런 잔인한 짓을 할 수 있는 이유는 간단했다.

증오한다던 그 남자를 그보다 아끼기 때문이다. 이젠 돌아오지도 않을 옛사람을 눈앞의 자신보다 소중히 그리기 때문이다.

어리석게도 테리오드는 그런 그녀에게 자신을 사랑해 보라고 제안했었다. 그리고 그녀는 애정 없는 친절로 그러겠노라 답했다. 잠깐의 착각 속에서 테리오드는 행복했었다. 그게 얼마나 비참한 일인지 몰랐을 때엔 분명 그러했다.

그러나 테리오드는 이제 그 노력이란 것의 의미를 분명히 이해했다. 아스티나가 테리오드를 사랑하기 위해 노력하고 있다는 말은 언뜻 다정하게도 들렸지만, 달리 말하면 그녀가 그를 사랑하지 않는다는 뜻이기도 했다.

노력은 노력일 뿐이다. 그녀는 그를 사랑하지 않는다.

테리오드는 그 사실이 너무도 고통스러워 도무지 견딜 수가 없었다. 희망에 부푼 나머지 그는 뻔히 보이는 사실을 무시하려 애쓰고 있었던 거다. 아무도 사랑할 수 없는 여자를 껍데기라도 안아 보겠다고.

"테오, 그만……."

아스티나는 무심코 과거의 연인과 통하는 애칭을 불렀다. 정말 눈앞에 있는 남자가 테리오드인지, 테오도르인지를 헷갈려서 그런 것은 아니었다. 객관적으로 눈앞의 남자와 옛 연인은 비슷한 이름을 가지고 있었고 둘 모두를 알고 있는 자라면 종종 혼동할 법도 했다.

테리오드 역시 단순한 말실수란 걸 알았지만, 그조차 참을 수 없었다. 테리오드의 눈에서 불똥이 튀었다. 그가 절규하듯 소리쳤다.

"난 테오도르가 아니야!"

"아니, 난……."

"난 그 빌어먹을, 젠장. 그 개 같은 테오가 아니라고! 난 테리오드야, 당신의 그 빌어먹을 죽은 연인이 아니라!"

아스티나는 창백한 낯으로 그를 빤히 응시하기만 했다. 고통스러워하는 그를 보고도 아무렇지 않을 만큼 그들이 의미 없는 세월을 보내지는 않았다. 울고 있는 그의 얼굴을 보자 그녀 역시도 숨이 막혀 왔다.

테리오드가 끔찍하게 일그러진 얼굴로 물었다.

"나한테 왜 희망을 줬어?"

"……."

"어딘가 부족한 느낌을 받으면서도 끝끝내 당신을 붙잡고 있는 날 보는 건, 대체 어떤 기분이었지?"

테리오드는 눈을 질끈 감은 채 큰 숨을 들이켰다. 호흡이 가빴다. 그는 결국 말을 모르는 사람처럼 더듬거리고야 말았다.

"당신의 눈길, 입맞춤 그 관심 하나에 내가, 내가 얼마나……."

아스티나는 이를 악물었다. 이런 상황에서조차 그녀에게도 할 말은 남아 있었다.

"내가 그대를 귀애해."

"부족해."

테리오드가 다급히 대꾸했다. 그는 그런 스스로를 경멸스러워하면서도 구걸하듯 말을 이었다.

"너무도 부족해. 나를 파괴하는 짓인 것을 알면서도 이 질투를 멈출 수 없어."

"……그대를 사랑해."

"그대의 왕 테오도르보다 더?"

아스티나는 대답하지 않았다. 거짓을 말하는 게 더 잔인한 일이라 여겼으니까. 그러나 테리오드는 그녀가 한 치 앞을 조그마한 손바닥으로라도 가려 주길 바랐다. 속여 준다면 차라리 속고 싶은 심정이었다. 오롯이 그녀를 보는 눈에 물기가 어렸다.

반년간 살을 맞댄 여자가 속으로는 제 거죽과 똑같은 다른 남자를 생각하고 있다고 한다면,

그렇다면 나와 나눈 것은 대체 뭐였지?

기억의 연장선일 뿐인가?

"아스티나, 내게 거짓말을 해요."

테리오드가 눈을 감았다. 바깥으로 밀려 나온 눈물이 길게 볼을 가로질렀다.

"제발 내게 거짓말이라도 해."

–5권에서 계속

그녀와 야수 4

초판 인쇄 2019년 9월 6일
초판 발행 2019년 9월 20일

지은이 마지노선
펴낸이 신현호
편집부장 예숙영
책임편집 최은지
편집디자인 한방울
영업 · 관리 김민원 조은걸 조인희
물류 이순우 최준혁 박찬수

펴낸곳 ㈜디앤씨미디어
출판등록 2002년 5월 1일 제117-90-51792호
주소 서울시 구로구 디지털로 26길 111 JnK디지털타워 503호
대표전화 (02)333-2513 팩스 (02)333-2514
전자우편 dncbooks@dncmedia.co.kr
디앤씨북스 블로그 http://blog.naver.com/dncbooks

ISBN 979-11-264-4884-5 04810
ISBN 979-11-264-4880-7 (SET)